Chemin faisant

DU MÊME AUTEUR

Les Gnostiques, Anne-Marie Métailié, 1991, Albin Michel, 1994.
L'Été grec, Plon, « Terre Humaine », 1976, Presses Pocket, 1984.
Les Hommes ivres de Dieu, Fayard, 1976, « Points Sagesses », Seuil, 1983.
Le Pays sous l'écorce, Seuil, 1980, « Points », Seuil, 1981, Éditions du Rocher, 1996.
Sourates, Fayard, 1982, « L'espace intérieur », Albin Michel, 1990.
L'Envol d'Icare, Seghers, 1993.
Sciences et Croyance : entretiens avec Albert Jacquard, « Dialogues », Écriture, 1994.
Marie d'Égypte ou le Désir brûlé, J.-C. Lattès, 1995.
Visages athonites, Le Temps qu'il fait, 1995.
La Poussière du monde, Nil éditions, 1997.
Un jardin pour mémoire, Nil éditions, 1999.
Dictionnaire amoureux de la Grèce, Plon, 2001.

Jacques Lacarrière

Chemin faisant

suivi de

La mémoire des routes

Fayard

ISBN : 978-2-213-00433-4

ÉDITION NOUVELLE ET REMANIÉE AUGMENTÉE DE RÉFLEXIONS SUR LES SANGLIERS, LA MÉDECINE POPULAIRE, LES VILLAS PETITES-BOURGEOISES, L'INHOSPITALITÉ DES FRANÇAIS, LE POÈTE GUSTAVE ROUD, LE CITADIN ET LE PAYSAN, RÉTIF DE LA BRETONNE, LES LAURIERS DE SAINT ANTOINE, LES MOTS RÉGIONAUX, LA POÉSIE MODERNE, LES MAJORETTES, LES TRIBUS GAULOISES, LES LIVRES, LA LECTURE ET LES VOYAGES À PIED, LES DIGITALES POURPRES, LA FABRICATION DU PAPIER, LES COLCHIQUES, LES AMBULANTS ET LES DIVAGANTS, LA MÉMOIRE ET L'ÉCRITURE DES CHEMINS, LES RAPACES DIURNES, LES FAUCONS, LE TEMPS, L'ESPACE DE LA MARCHE, LE HASARD ET LA NÉCESSITÉ DES ROUTES ET SUIVIE D'UNE POSTFACE AUX LECTEURS AVEC DES EXTRAITS DE LEURS LETTRES INTITULÉE :

LA MÉMOIRE DES ROUTES

« Je ne suis qu'un piéton, rien de plus »

Arthur Rimbaud
Lettre à Paul Demeny
du 28 août 1871.

Préface à la nouvelle édition

Ecrire sur la marche, n'est-ce pas une absurdité ? Ecrire et marcher sont des activités si dissemblables, voire si étrangères, qu'elles ne convolent que rarement en des noces heureuses et durables. Je crois que la raison en est simple : on peut à tout moment s'improviser marcheur alors qu'on ne s'improvise pas écrivain. Dois-je rappeler que la marche est une activité naturelle, innée chez tout être humain normalement constitué, alors que l'écriture est une activité acquise, qui implique un usage affiné de sa propre langue et une vision personnelle du monde ?

Si *Chemin faisant* a la chance d'avoir toujours des lecteurs vingt-cinq ans après sa première parution, c'est évidemment parce que je suis un écrivain qui marche et non un marcheur qui écrit. Notés, captés, racontés et remémorés sur les pages, les chemins peuvent accéder à une seconde vie dont il dépend du talent de l'auteur qu'elle soit faite de souvenirs fades et momifiés ou devienne résurgence, voire résurrection vivante du corps et du cœur des chemins. Voilà pourquoi les rares écrivains qui se sont livrés à ce périlleux exercice — je pense à Rousseau, Flaubert, Stevenson, Thoreau, Segalen, Roud, pour ne citer qu'eux — ne nous parlent jamais de leurs jambes mais de leur cheminement intérieur et de leur horizon mental. On ne fait pas de la littérature en accumulant les kilomètres et le talent (éventuel) des auteurs de récits pédestres ne se juge pas à l'épaisseur ni à la résistance de leurs mollets.

Ces lapalissades étant dites, venons-en à l'essentiel. Il n'existe pas, on le sait bien, de sujets littéraires. Qu'il parle de la marche ou de l'immobilité, de l'horizon ou des murs de sa chambre, de l'océan Indien ou d'une simple crevette, l'auteur doit être un écrivain, c'est-à-dire quelqu'un qui révèle un monde qui lui soit spécifique avec une écriture tout aussi spécifique. Ecrire ne consiste pas à se défouler, se dévoiler, se démasquer, mais à vouloir, par les mots, faire partager les choses vécues ou inventées, images ou idées, constats ou utopies. La parole ou le conte oral (par laquelle ou par lequel on peut aussi faire partager lesdites choses) implique un auditeur présent. Le livre, lui, n'implique qu'un lecteur inconnu et absent, qui peut vous lire à deux pas de chez vous ou bien à l'autre bout du monde, qui vous lit maintenant ou vous lira peut-être dans vingt ans. Et surtout, le livre implique une maîtrise, une capture, un saisissement, un enchantement du temps, qu'on le condense ou qu'on le dilate au fil des pages.

Car le temps de la lecture n'est évidemment pas celui de la réalité. Un chemin écrit n'a que peu à voir avec un chemin parcouru. Si la plupart des ouvrages qu'il m'est arrivé de lire sur la marche sont presque toujours illisibles, c'est surtout par manque, chez l'auteur, de réflexion sur la nature du temps. Un livre — roman ou récit notamment — peut se commencer n'importe où ; quant à son intrigue, l'auteur dispose d'un clavier temporel suffisamment vaste, de temps verbaux suffisamment nombreux pour faire glisser ses personnages ou ses réflexions sur l'échelle infinie du temps. C'est cette échelle qui donne à l'œuvre son épaisseur vivante et sa densité d'écriture.

Qu'en est-il alors quand il s'agit d'écrire sur les chemins ? Tout simplement — mais ce n'est pas si simple — de transformer le temps des chemins en temps des livres. J'essaierai de donner un exemple précis. Quand, en août 1971, je partis de Saverne, dans les Vosges, pour me rendre dans les Corbières jusqu'à la frontière espagnole, j'ignorais totalement ce que serait cette aventure, combien de temps me prendrait ce voyage ni même si je le poursuivrais jusqu'à son terme. Dans le carnet où je notais mes impressions au jour le jour, il m'eût été difficile de connaître d'avance les événements du lendemain. Deux ans plus tard, quand je me décidai à écrire le livre qui allait devenir *Chemin faisant,* je n'étais plus du tout dans les mêmes conditions. Dès la première page du manuscrit, je savais bien que j'étais arrivé sain et sauf au terme du voyage ainsi que tout ce qui m'était advenu jour après jour. Il me paraissait impossible de faire comme si je ne le savais pas. Non pour des raisons de sincérité ou de vérité pure et simple, mais parce que je me serais privé d'un atout : pouvoir jouer avec le temps.

Car ici, dans le livre en cours, à l'inverse de mon carnet de notes, j'étais maître du temps de mon récit, libre de m'en tenir ou non à mon calendrier de route. Un champ immense de réflexions m'était ainsi offert, permettant d'enrichir le récit de rapprochements et de comparaisons que je n'eusse pu faire dans la réalité. Cette dimension nouvelle et créatrice du temps me permit de construire un récit fidèle à la réalité, mais enrichi de toutes les connivences, complicités possibles avec le temps, exactement comme dans une œuvre de fiction. Cette dimension m'autorisait à rapprocher, superposer des instants vécus à des moments très différents, d'insister sur des rencontres dispersées dans le temps en les remettant en présence.

Cette gamme et ce clavier immenses qui permettent d'ajouter à la mélodie du chemin parcouru les accords de la mémoire et des autres chemins, d'adjoindre le monde entier au miracle d'une unique minute, cette gamme, ce clavier sont les instruments essentiels et nécessaires de l'écrivain. C'est par eux que son écriture et sa syntaxe personnelles peuvent se fondre dans l'épaisseur et la complexité du réel, par eux que la réalité peut être recréée et pas seulement racontée, par eux seuls qu'un ouvrage peut avoir une dimension et une portée littéraires.

Le temps. Penser au temps des pages et pas seulement à celui des routes et des chemins. Etre ou devenir oiseleur du temps. Dans le journal qu'il tint lors de sa traversée des Cévennes avec son ânesse Modestine, Stevenson note que le véritable voyageur «ne saurait se déplacer avec profit s'il n'a pas acquis d'abord une véritable liberté intérieure. Il doit savoir se rendre disponible à tout ce qui l'entoure, devenir un roseau offert à tous les vents». Voilà une véritable image d'écrivain. Devenir un roseau que traverse le vent. Sans lui, sans Stevenson, je n'aurais jamais su (malgré Pascal) que je pouvais, moi aussi, devenir un roseau offert à tous les vents. Et c'est bien cela que je fus, jadis, sur ces chemins improvisés qui me conduisirent de la première herbe rencontrée sur les talus du canal de Saverne à l'ultime herbe des bords de mer à Port-Leucate. Près de cinq mois pour aller d'une herbe à une autre. Avec en moi, au terme du chemin, la certitude d'un homme différent. A quoi servirait de marcher des semaines et des mois pour demeurer enfermé en soi-même, étanche aux générosités de l'horizon, aveugle aux offrandes des vents, et sourd aux désirs des saisons ? A quoi bon marcher si longtemps, si ce n'est pas pour devenir ? Et à quoi bon écrire alors, si ce n'est pour en conserver, pour en partager le miracle ?

Sacy, avril 1997.

A Marcel Champeaux
cordonnier à Sacy, compagnon de toujours,

et

Lucien Morin
cultivateur à Vermenton
conteur de ma mémoire ancienne,
tous deux sédentaires endurcis,

je dédie ce livre des chemins.

Avant tout, je chanterai les pieds. Que la Muse m'inspire car le sujet prête à sourire. Les pieds. Nos pieds. Qui nous portent et que nous portons. Façonnés par une évolution subtile et millénaire qui les rendit plus fins que ceux des Primates supérieurs, moins prenants que ceux des Primates inférieurs, plus aptes à la station debout que ceux des Plantigrades. Souvent, il m'arrivait le soir, au cours des premiers jours de cette longue marche, de contempler mes pieds avec étonnement : c'est avec ça, me disais-je, que nous marchons depuis l'aube des temps hominiens et que nous arpentons la terre. Ça, c'est-à-dire une cheville (avec un tendon dit d'Achille mais avait-il un nom avant Homère?) un cou, une plante, des doigts. Le tout soutenu, charpenté par l'astragale, le calcaneum, le tarse, le métatarse et les phalanges. A quoi il faut ajouter, pour la région antérieure du tarse, le cuboïde, le scaphoïde et les cunéiformes. Ainsi nos pieds portent-ils en eux un monde à découvrir. L'étymologie a beau en être fausse, j'aime à me dire que dans astragale il y a astre plutôt que gale, que phalanges évoquent la poussière des armées romaines marchant à travers la Gaule, cunéiformes les tablettes de cire exhumées des sables du Moyen-Orient et tarse, outre la ville d'Asie Mineure où naquit *saint Paul, un petit animal oriental du genre lémure, le tarsier, qui ouvre toujours sur le monde de grands yeux étonnés.*

On nourrit sur la marche des idées souvent singulières. Ou elle n'est qu'un moyen pédestre de se rendre d'un lieu à un autre (qu'illustre parfaitement l'expression pedibus cum jambis*) ou elle devient un exercice forcené et un sport absurde et exténuant : la course Strasbourg-Paris par exemple. Entre ces deux extrêmes, la marche routinière et la marche routière, bée un grand vide : la marche buissonnière. C'est elle — elle seule — que j'ai pratiquée dans cette traversée pédestre de la France qui me mena en quatre mois des Vosges jusqu'aux Corbières. J'ai marché pour l'unique plaisir de découvrir au fil des jours et des chemins un pays et des habitants qu'au fond je connaissais fort peu. Pendant de longues années, la France ne fut pour moi qu'un relais hivernal entre deux étés grecs. Adolescent, j'avais déjà parcouru en groupe — « au temps du Maréchal » comme on disait dans les chansons — les routes de Sologne et les chemins du Val de Loire. Mais ces marches en groupe me laissaient sur ma faim. J'y décelai déjà cette déformation typique qui par la suite donna naissance aux randonneurs. Par curiosité, j'ai recherché l'étymologie de ce mot et ne fus nullement surpris de voir que randonner vient de* randon, *vieux mot français signifiant fatigue, épuisement.* Courir à randon *c'est courir jusqu'a épuisement et* randir, *se déplacer avec ardeur et impétuosité. Il y a dans tous ces termes une urgence de marcher, une impatience d'être ailleurs qui est tout le contraire de la promenade ou de la flânerie.*

*

L'itinéraire ne posait en lui-même aucun problème particulier. A pied, on peut passer partout, même dans les sylves les plus denses. Je ne m'étais fixé qu'un seul impératif, conforme à mon désir : aller du nord vers le sud, et avoir en pensée, sans cesse, au cours de cette marche, l'image de la Méditerranée. D'où partir? J'hésitai un moment entre le Cotentin, les Ardennes et les Vosges. Mais le seul mot de Cotentin m'exaspérait. Il évoquait pour moi des ondoiements monotones et calcaires, de longs ennuis dans des bocages verts. (Et un jeune lecteur s'insurgera devant cet adjectif : un long ennui. « Quelle injure pour le pays du Chevalier des Touches et celui des Diaboliques, le mien. ») Les Ardennes me tentaient davantage par leurs grandes forêts. Mais au sud il y avait ces régions tristes et trop chargées d'histoire : l'Argonne, Verdun, Valmy. Je ne voulais pas d'un pèlerinage militaire. J'optais donc pour les Vosges et Saverne. Ce nom vient de tres tavernae, *les trois tavernes. Il évoque des pièces enfumées par les pipes et des chopes de bière. C'est bien ainsi que la ville m'apparut lorsque j'y débarquai : filles blondes, tavernes à bière, étalages de cochonnailles. Ces marches de la Germanie constituaient l'exact contrepoint de mon lieu de destination : les marches de l'Espagne.*

*

Marcher ne serait rien en soi, fût-ce pendant près de mille kilomètres, s'il ne fallait emporter un certain nombre de choses indispensables. Il faut être autonome, pouvoir dormir çà et là dans les hasards du crépuscule, se passer, lorsque c'est nécessaire, de ces hôtels-pensions toujours combles en août et fermés en octobre, de ces tristes cafés aux sinistres sandwichs. Mais cette autonomie coûte cher quant au poids. Chemin faisant, j'ai allégé mon sac à dos de tout ce qui m'apparut inutile. J'ai donc éliminé la tente et le tapis de sol trop lourds à porter, pour ne garder qu'un sac de couchage suffisant pour les nuits sans pluie et les granges des fermes. Le reste? Quelques vêtements de rechange, un peu de pharmacie, une torche électrique, un couteau, des provisions succintes, un gros carnet de notes, des cartes d'état-major et une bouteille plate de whisky que par la suite j'emplis consciencieusement de rhum à chaque étape. Aux pieds, les inusables Pataugas, mes plus fidèles compagnons, qui, au terme de ces mille kilomètres, n'accusèrent qu'une usure raisonnable : deux trous nets et ronds à l'endroit de la plante et quelques déchirures de la toile, dues aux ronces.

Ainsi prêt, je me rendis à Saverne, décidé à parcourir la France sans autre repère que mes cartes, à ne rallier les grandes villes que contraint et forcé. Et le matin du grand départ, je notai sur mon journal de bord : Lieu : *Saverne.* Jour : *Dimanche.* Date : *8 août.* Heure : *9 heures du matin.* Vent : *force 2.* Ciel : *légèrement nuageux.* Terre : *moutonnante et boisée.* Bruits : *son des cloches dominicales, cris du marché, sirènes des péniches.* Chats : *déjà endormis au soleil.* Savernois : *affables mais indifférents à ceux qui partent pour longtemps sur les routes.*

Des Vosges à Alésia

SAVERNE. LES ÉCLUSES. LE CHEMIN DE HALAGE. DABO ET LES HOMMES BLEUS. LA CHASSE FANTASTIQUE. LE CIMETIÈRE ENGLOUTI. LE GRAND SOLDAT. LES CARTES D'ÉTAT-MAJOR. LA NOTION DE « TOUT DROIT ». ERCKMANN ET CHATRIAN. HISTOIRE D'UN BÛCHERON BLEU. SUR LA CHASSE ET LA BOUCHERIE. RAON L'ÉTAPE. LES HÔTELS-PENSIONS DE PROVINCE. DIALOGUE ENTRE UN COLOSSE ET UNE MOMIE. LES FRANÇAIS ET LA MÉDECINE MÉDIÉVALE. LES RUS ET LES TRONÇONNEUSES. LE RÊVE ET LE CAUCHEMAR DES FRANÇAIS. LE CAFÉ D'HOUSSERAS ET LA CHAMBRE DE BROUVELIEURES. LE MUSÉE PAYSAN DE BEAUMONT. LE MOULIN DE LA COMBAUTÉ. LES DEUX ENFANTS À L'ÉPINETTE. VISITE À UN VIEIL ARTISAN.

LES REPOSOIRS. LES DEUX HOMMES DE CORRE. L'INHOSPITALITÉ ET L'ÉGOÏSME DES FRANÇAIS. UNE NUIT AVEC UNE CHAUVE-SOURIS. UN IMPERMÉABLE « DERNIER CRI ». MARCHER SANS MÉMOIRE. RENCONTRE AVEC UNE ARAIGNÉE. UN DIMANCHE À VOISEY.

LES H.L.M. DE LANGRES. UNE PUCE SUR LA PEAU DE LA FRANCE. UNE SOIRÉE AU ROYAUME DE LILLIPUT. QU'APPREND-ON EN MARCHANT? LE POÈTE GUSTAVE ROUD ET LE *Petit traité de la marche en plaine*. « LE CAFÉ DES AMIS. » RENCONTRE AVEC UNE VACHE. LES DÉLICES DE LA FORÊT. LES AMOURS DES LIMACES. CURIEUSE HISTOIRE DU DEVIN TIRÉSIAS. ENCORE UNE VIPÈRE ENDORMIE. AU BON ACCUEIL. ANIMAUX ÉCRASÉS : LE MASSACRE DES ROUTES. LE CAFÉ DE SALIVES. ÊTRE UN PASSANT PRESSÉ. UNE AUBE ET TROIS GITANES. CHANCEAUX : LES « TRAÎNERIES ». ALÉSIA ET NOS ANCÊTRES LES GAULOIS.

des Vosges à Alésia

Je regarde ce lieu du premier départ car je sais que désormais je ne l'oublierai plus, comme tout ce que l'on voit, l'on vit au seuil de l'aventure : un café au bord du canal qui joint la Marne au Rhin, avec ses tables rondes et vétustes, une écluse, un chemin de halage, à gauche une grande maison dont le jardin abrite deux chats endormis. Au bout de ce chemin de terre, juste assez large pour les chevaux qui autrefois y halaient les péniches, au bout de cette lumière vivante entée de hêtres et de sapins, je vois déjà s'échelonner une multitude de paysages à travers l'épaisseur de la France, comme en une toile primitive : prairies, montagnes, troupeaux rentrant des champs, villages émergeant de la brume, vallées d'ombre où piaillent les buses.

Dès les premiers mètres, je me suis arrêté pour regarder l'écluse. Une foule de badauds suit des yeux le lent passage d'une péniche. Qu'y a-t-il donc dans les écluses qui puisse encore nous fasciner ainsi? Sur ce canal, j'en compte des dizaines entre Strasbourg et Nancy. Ce sont elles qui rendent si longs, si lents les voyages en péniche : douze jours pour faire ces cent quarante kilomètres! J'en dépasserai trois avant de m'engager dans la forêt, me répétant ce mot : *écluse* comme s'il venait d'un autre temps. Tous ces suffixes en-*use* évoquent en français ce qui glisse, fuse ou siffle, le crissement des ailes de buse, le glissement de l'eau sourdant des vannes de l'écluse. Et l'objet lui-même avec ses vannes, ses chaînes, ses crémaillères doit éveiller de vieilles attirances ou peut-être de vieilles craintes car comme les moulins et les barrages, les écluses retiennent l'eau captive et l'énergie captée.

Et dans l'ombre vive du chemin, je me répète cet autre mot : *halage.* Il y a beau temps qu'aucun cheval ne hale plus sur ces sentiers les lourdes péniches de houille de Strasbourg à Paris. Nul n'y passe aujourd'hui, à part quelques pêcheurs. Celui-ci sera le premier de tous ces chemins oubliés qui parsèment la France. Dernier repère avant de le quitter pour m'engager dans la forêt : une maison éclusière, toute blanche, avec un jardin potager gardé par un chien aboyeur. Des chiens aboyeurs, j'en rencontrerai des centaines au cours de cette marche. J'en parlerai plus tard pour ne pas entamer la joie de ce départ. Des odeurs de cuisine émanent de la maison, mêlées aux senteurs de goudron, de barques et d'eaux dormantes du canal. Ensuite, pendant quatre jours, jusqu'à Épinal, ce seront les senteurs sèches de la forêt, des ronces et des fougères.

*

Dans les Vosges, j'ai surtout vu des hommes bleus. Je veux dire des hommes aux yeux bleus, un azur transparent qui serait le trait dominant des races germaniques et du paysage vosgien. Et il est vrai qu'en descendant vers le midi, à partir d'une frontière bien difficile à définir (et qui d'ailleurs ne l'a jamais été mais qui coïnciderait peut-être, *grosso modo,* avec celle de l'Occitanie), les yeux bleus font place aux yeux marrons, ocres et denses comme une terre automnale. Oui, j'ai vu beaucoup d'hommes bleus et celui qui me parle en ce moment, dans le café de Dabo où je viens d'arriver au terme de la première journée de marche, cet homme a un regard d'un bleu intense, un regard de bleuet pensant.

Dabo est un village. J'en ai parcouru l'unique rue, le soir, aveuglé par le soleil couchant, à la recherche d'un gîte où dormir. A l'entrée, en émergeant de la forêt de hêtres et de fougères traversée toute la journée presque sans étapes, j'ai vu d'abord, sur la droite, un hôtel-pension, le premier d'une longue liste. Bien entendu, en plein mois d'août, il est vain d'y chercher des chambres. Une soubrette peu accorte (*accorte* signifiant en effet : *qui a une vivacité gracieuse*) me le fit tôt savoir. Rêvais-je ou y eut-il vraiment dans ses yeux un éclair de malice et de plaisir mêlés quand elle me dit : « Inutile de chercher une chambre à Dabo. Vous n'en trouverez pas. » Cette simple phrase me fit décider de dormir à Dabo. De toute façon, qu'aurais-je fait au milieu de ces mères tricoteuses, de ces progénitures criardes? Plus loin, dans la cour de l'hôtel, deux couples âgés « pensaient », l'œil fixe et vague, enfoncés dans ces chaises longues qu'on appelle toujours — pourquoi? — transatlantiques. Quel océan d'ennui traversaient-ils ainsi? Je parcourus Dabo, ébloui par le soleil couchant, les jambes lasses des vingt-cinq kilomètres de ce premier jour. A gauche, sur la façade d'une maison délabrée, un écriteau : MAISON DES JEUNES. Une femme — entre deux ou trois âges — m'y informe que seul le maire peut m'autoriser à dormir ici. Il tient un café, plus loin, là-bas, sur la place. Je m'y rends. Nous parlons. Il me fixe de ses yeux bleus, ne me pose aucune question. « Il n'y a rien pour y dormir que des tables et des chaises. Si cela peut faire votre affaire, voici les clés. »

Le bâtiment est vraiment délabré et la pièce principale — foyer de loisirs supposés — une ancienne salle de classe. Des tables, quelques chaises, un tableau noir, un jeu de baby-foot. Le tout livré à la poussière, imprégné d'une odeur — que je retrouverai souvent en des lieux identiques — une odeur de cire rancie, de bois sec et de craie. Au-dessus du tableau noir, une grande peinture, de facture naïve, représente *La Chasse fantastique.* J'installe deux tables côte à côte, y étend mon sac de couchage. L'ombre recouvre déjà la pièce. Après avoir rapidement dîné dans un restaurant voisin, je reviens m'allonger face à *La Chasse fantastique.* Vieux thème légendaire des peuples des forêts : dans le ciel, bondissent des biches, des cerfs évanescents traqués par un chasseur fantôme. A terre, deux bûcherons s'enfuient épouvantés en abandonnant leurs outils. Malheur à qui rencontre ce chasseur car il meurt dans l'année! La lune baigne cette scène d'une lumière intense de sabbat. Curieuse idée que d'avoir peint ce thème pour une maison des jeunes. Les fées, les chasseurs fantômes hantent-ils encore ce pays comme au temps des *heimastshlôs,* ces ferblantiers, ces forgerons itinérants qui allaient de village en village pour réparer la vaisselle, étamer les casseroles et qui racontaient aux veillées d'étranges récits peuplés de fauves et de fantômes?

*

De nouveau la forêt — sapins, épicéas, hêtres ou hêtres, sapins, épicéas. Forêt plus vivante, plus riche que celle d'hier. Sous les arbres et les frondaisons, au milieu des fougères et des mûres (et plus loin aussi des myrtilles dont je me gaverai au cours des jours suivants au point d'avoir les mains et la bouche barbouillées de leur encre violette écolier plus que jamais buissonnier), bruissent et bourdonnent des milliers d'insectes. Mes jambes ont oublié leurs courbatures. Je n'ai pas d'itinéraire très précis : le prochain port sera Abreschwiller, si je ne me perds pas en route. J'ai choisi au hasard, sur la carte d'état-major, un chemin tourmenté, tortueux mais qui croise des maisons forestières. Je pourrai y trouver de l'eau, y rencontrer des gardes, demander mon chemin.

Ce qu'on ne soupçonne guère, lorsqu'on marche ainsi tout au long d'un itinéraire de fortune, c'est qu'on suit rarement jusqu'au bout le chemin élu parmi d'autres. Toujours quelque chose — ou quelqu'un — apparaît qui vous détourne de votre but. A quelques kilomètres à peine de Dabo, le sentier aboutit à une grande clairière d'où partent plusieurs voies. Une croix se dresse près de l'une d'elles, la croix Beimbach. Un écriteau mentionne (sans en indiquer la distance) avec une flèche noire : cimetière gallo-romain de l'Altdorfkopf autrement dit : du Vieux Village. A tout hasard, je prends ce chemin qui s'enfonce dans une splendide forêt de hêtres. J'aime la lumière des hêtraies. J'en verrai surtout dans les Vosges car ces arbres disparaissent peu à peu, de plus en plus remplacés par des essences à croissance rapide, comme les pins et les épicéas. Ainsi, même au cœur des forêts, le temps presse les arbres. Oui, j'aime la lumière des hêtraies, moins dense, plus nuancée que celle des sapinières. Les grands troncs fusent vers le ciel, avec cette écorce grise et lisse où glisse le soleil, évoquant des forêts antiques, lieux des gnomes, des esprits et des druides. Et justement, un peu plus loin, au détour du chemin qui alors s'élargit, voici le cimetière gallo-romain, cerné, comme englué dans le glauque des arbres. Les tombes sont en grès rose et taillées en forme de maisons. Certaines portent encore des traces de bas-relief : portrait de défunt, croix celtique. Lumière lourde et calme. Quel était ce Vieux Village dont il ne reste aucun vestige, à part ce cimetière? On sent ce lieu habité d'une présence intacte, d'un passé vierge. Le christianisme n'est jamais venu jusqu'ici. Tout est païen, secret, englouti dans les frondaisons d'une histoire oubliée. Au pied des grands hêtres, dans cette lumière épaisse, ces tombes évoquent des épaves, une cité des morts où les visages que l'on devine sur les grès ont les yeux agrandis des noyés surpris par un naufrage. Je resterai longtemps dans cette petite clairière du Vieux Village, avant de pouvoir m'arracher à ce mirage de pierres, de mousses et d'arbres.

*

Le soir, autour de la table en plein air, au pied du grand tilleul où j'ai posé mon sac, à ce café du Grand Soldat où m'a conduit un garde forestier rencontré peu après le cimetière du Vieux Village — le Grand Soldat, un hameau à quelques kilomètres d'Abreschwiller, pays natal d'Alexandre Chatrian, la moitié d'Erckmann —, j'écoute les voix du cafetier de sa femme, de son beau-frère parlant de leur village. D'emblée cet endroit m'a plu : ce hameau entouré de forêts, aux cheminées qui fument (on fait encore la cuisine au bois dans beaucoup de maisons et jusqu'à l'heure du dîner le hameau a résonné du crissement des scies mécaniques sciant déjà les bûches pour l'hiver) et son unique café et la grande table en bois sous le tilleul. Il n'y a pas de chambre ici mais je sais que j'y dormirai. Il suffit — et ce jeu m'enchante — de rester, de lier connaissance avec ces gens, de gagner leur confiance. Aussi ai-je posé mon sac au pied du grand tilleul, commandé une bière puis nous avons parlé. Il n'y a que huit kilomètres du Vieux Village jusqu'ici et j'ai fait les cinq derniers en compagnie du garde forestier de Beimbach. C'est un homme jeune, formé davantage à l'École des Eaux et Forêts (l'École des Arbres et Ruisseaux comme je l'avais lu une fois dans une traduction) qu'à celle du braconnage. Il me parle des hêtres qu'on ne replante plus n'étant plus des arbres « de rapport » et qui mourront ici peu à peu sans descendants. Pour lui, la forêt est un grand troupeau d'arbres qu'il faut surveiller, assainir, trier, planter, abattre, élaguer, éclaircir, un troupeau immobile dont il connaît toutes les têtes, jeunes, vieilles, saines et malsaines. Quelques jours plus tôt il a fallu abattre un vieux sapin — plus de deux cents ans, me dit-il —, car il menaçait de s'écrouler. Il me laissera au Grand Soldat, en fin d'après-midi.

Oui, d'emblée j'ai aimé cet endroit qui me rappelait d'anciennes dictées de l'école primaire, ce hameau tel que précisément Erckmann-Chatrian le décrivent au début de l'*Invasion :* « Une trentaine de maisonnettes couvertes de bardeaux et de joubarbe vert sombre se suivent à la file. Vous en apercevez les pignons tapissés de lierre et de chèvrefeuille, les rûchers fermés avec des bouchons de paille, les petits jardins, les palissades... » (Seuls les bardeaux — ces toits de planches cloués directement sur les chevrons et sur lesquels poussait la fleur jaune de la joubarbe — ont disparu aujourd'hui, remplacés par la tuile et l'ardoise.)

Dans la pénombre du café, un homme bleu est assis. Un autre arrive, son sosie : même visage blond aux yeux bleus, même accent rauque et chantant, même lenteur des gestes. Où trouver à manger? Je n'espère pas encore qu'ils m'invitent à leur table. Il n'y a aucune épicerie ici mais la femme, venue sur le seuil de la porte écouter notre conversation, me propose la bicyclette de son fils pour descendre jusqu'à Abreschwiller. Le fils n'a pas l'air d'apprécier mais il n'ose rien dire. J'enfourche la bécane et je descends vers la vallée ensoleillée. Le soir, ils viendront s'asseoir à côté de moi, à la fraîche. Odeurs de tilleul, de feux de bois, du poulailler tout proche. Depuis la guerre, ici, tout a changé. La vie s'est améliorée. Les hivers sont moins difficiles et le hameau moins isolé. Le chasse-neige passe chaque jour pour que le car de ramassage puisse emmener les enfants à l'école d'Abreschwiller. La télévision est dans toutes les maisons. Mais chacun pour sa nourriture, vit encore beaucoup sur lui-même. Chaque maison a son potager, ses arbres fruitiers, ses poules, parfois un porc ou deux qu'on tue pour Noël. A mesure que les voix s'élèvent tour à tour — voix grave des hommes, lente, hésitante parfois comme si chaque mot était pesé, tourné et retourné, voix plus rapide, plus nette de la femme (en me parlant de la vie hivernale, du chasse-neige, de la télévision, elle donnait l'impression de lire un livre invisible dans l'ombre) — je sens que, pour dormir, la partie est gagnée. L'homme fait un geste vers son fils, un garçon de douze ans resté tout ce temps silencieux. Je prends mes affaires et le suis. Il m'emmène à l'écart du hameau dans un chalet inoccupé qui appartient au Club vosgien. Je vais dormir dans une vraie maison. Devant la porte, un gros tronc à peine équarri, de ceux qu'on appelait *tronces* autrefois. Je m'assieds et regarde la lune, entourée d'un immense halo de lumière, une lune de chasse fantastique et de chasseur fantôme. J'ai brusquement l'impression d'être chez moi, en un lieu familier, au seuil de cette maison vide, avec la forêt toute proche et la lune amicale. En sera-t-il ainsi jusqu'aux Corbières?

*

Au début, je me méfiais un peu des cartes d'état-major. Je les regardais comme des compagnes indispensables mais austères. Toutes ces courbes, ces lignes, ces hachures, ces quadrillages n'évoquaient pour moi qu'un paysage abstrait, mathématique qu'il fallait résoudre ou déchiffrer comme une équation picturale. Les couleurs apportaient une note plus concrète. Les forêts y sont vertes et les rivières bleues, ce qui est conforme à la nature des choses. Les routes cantonales y sont blanches, ce qui est aussi conforme à la poussière qui souvent les recouvre. Mais les départementales y sont jaunes, les nationales rouges. La convention réapparaît. Il est vrai que pour les nationales, ce choix devient prémonitoire vus les milliers d'animaux écrasés, de gens écrabouillés qu'on peut y rencontrer. Le reste est un désert blanc parcouru de lignes droites, brisées, courbes, lovées, désert ponctué de signes multiples que j'appris à connaître. Car ces signes ne sont pas, comme pourrait le faire croire le mot état-major, les représentations codées de bataillons en marche, de cavaliers au trot ou d'intendances clandestines mais l'indication de tout ce qu'un paysage peut comporter d'accidents naturels : vaux et vallées, collines et montagnes, falaises, gouffres, carrières, marécages, voire sables et rochers recouverts à marée haute (et qu'il est bon de localiser si le marcheur ne veut s'y abîmer, engloutir, enliser) et aussi d'accidents artificiels, dus à la main ingénieuse de l'homme : ponts, barrages, écluses, réservoirs, châteaux d'eau, tours, ruines, moulins à vent, éoliennes, phares, pylônes, forts, églises, chapelles, calvaires, dolmens, menhirs, maisons isolées ou groupées, gares, port, tunnel, mine, émetteurs radio, aérodromes et hydroaérodromes. Oui, tout est signe dans ce monde à deux dimensions où la troisième est comme prisonnière, ligotée dans un réseau serré de hachures et de courbes : les accents circonflexes et noirs des conifères, les ronds verts des feuillus, les ceps miniatures des vignes, les touffes bleues des marécages, les rayures obliques des broussailles, les points rectilignes des vergers. A quoi il faut ajouter la croix des chapelles isolées, les étoiles des phares, l'oméga voûté des carrières souterraines, alphabet d'espace, de vent, de terre et d'eau qu'il suffit de savoir épeler pour voir venir à soi le paysage.

*

De nouveau la forêt, plus lumineuse que jamais. Le Grand Soldat, son tilleul, ses conversations nocturnes sont déjà loin. Loin aussi Abreschwiller et le petit train qui longe la Sarre Rouge. Un autre hameau au milieu des forêts : Lettenbach. Le chemin passe le long d'un parc. A contre-jour, au pied d'un arbre immense, une femme lit, allongée, la tête coiffée d'un grand chapeau. Ainsi découpée contre la lumière de la prairie, avec la tache blanche de sa robe, elle évoque une silhouette impressionniste, quelque toile de Pissarro avec pour titre : *Par un matin d'été.* Sur la droite, une église avec un clocher en bulbe, écaillé de bois. Les prés étincellent, à la lisière des épicéas. Au bord d'un ru, une couleuvre, dérangée par mon arrivée, glisse en silence vers les fourrés, éclair bleu sur le vert de l'herbe. Je m'engage sur une pente assez raide en direction du col des 2 Croix. Mais très vite le chemin bifurque en deux voies nettement divergentes. La carte n'en montre qu'une. Laquelle prendre? A Lettenbach, j'avais demandé mon chemin à deux femmes qui plumaient des volailles devant chez elles. « Continuez, me dit l'une d'elles. C'est tout droit. » Mot fatal! *Tout droit.* Derrière ce mot si simple se cachent deux façons totalement contradictoires de concevoir la marche, deux visions inconciliables du cheminement. Car il signifie ou bien tout droit *en direction,* c'est-à-dire en allant le plus possible dans la direction choisie, quel que soit le chemin, ou bien tout droit *en restant toujours sur le même chemin,* même s'il tourne, retourne ou revient en arrière, autrement dit quelle que soit sa direction. Savoir à quelle « école » appartient celui qui vous renseigne est tout l'art de la marche. Le premier point de vue, qui semble le plus logique (le point de vue que j'appellerai directionnel), est en réalité un point de vue abstrait de citadin, aussi peu réaliste que la notion *à vol d'oiseau,* reposant sur l'absurde axiome que les oiseaux volent toujours tout droit. Car souvent les obstacles naturels vous empêchent de progresser ainsi. « L'école directionnelle » tend à nier le paysage, à supprimer les monts et les vaux, à faire de vous cet oiseau imaginaire volant selon les principes d'Euclide, par le vol le plus court d'un arbre jusqu'à un autre. Le paysan, disons le rural, appartient à la seconde « école ». Raisonnons simplement : la direction et les tournants importent peu dès l'instant où un chemin vous mène exactement là où l'on veut aller. Ne jamais le quitter (même si un autre paraît vous mener plus vite), le sentir à ses pieds comme un fil d'Ariane, le suivre aveuglément (mais en gardant les yeux ouverts), voilà ce que veut dire : tout droit. Tout cela, bien sûr, je l'appris peu à peu, à mes dépens. Mais pour l'heure, j'ignorais à quelle « école » se rattachaient les deux femmes aux volailles. Et comme déjà je pressentais que, dans ce cas, il arrive toujours quelque chose ou quelqu'un pour vous tirer d'affaire, j'attendis. Au bout d'un quart d'heure, j'entendis des bruits de troncs roulés, de bois heurtés, de piétinements, deux cents mètres plus haut dans la forêt. Un bûcheron bleu dételait son cheval. Un cheval d'apparence valétudinaire. « Et pour cause, me dit l'homme. Devinez son âge. Il a vingt-trois ans... Vous avez bien le temps d'aller aux 2 Croix. Asseyez-vous et bavardons. »

*

Étrange destin des noms. Ce sont eux que j'ai tout d'abord remarqués, au cours de ces trois premiers jours : noms des sommets, des vallées, des lieux-dits. De Saverne à Raon-l'Étape où j'arriverai au soir du troisième jour, ces noms sont tous germaniques. On parcourt un pays français mais dont les terres portent une autre histoire. Forêts et bois s'appellent Wasserwald, Bannwald, les maisons forestières Schweizerkopf, Schaeterplatz, les lieux-dits Altdorfkopf, Kuhberkopf. Et puis, soudainement, ces noms s'arrêtent à la limite de la forêt de Turquestein, au-dessus de Raon-la-Plaine. En quelques mètres, on passe de Langschiess à la Large Pierre, de Romelstein à la Tête de la Vierge. Cette frontière linguistique suit presque exactement le cours de la Sarre Blanche, une rivière bordée de scieries qui se jette plus loin dans la Sarre. Si bien qu'en franchissant ce qui n'est guère qu'un gros ruisseau, on change brusquement de pays comme en ces jardins botaniques ou ces *arboreta* où l'on va, en quelques mètres, des Alpes au Japon.

Et ces noms : Dabo, Abreschwiller, Saint-Quirin, Altdorfkopf évoquent irrésistiblement Erckmann et Chatrian. C'est ici le pays de l'*Invasion,* du *Passage des Russes* et des *Contes populaires.* Épopée d'une France frontalière où les Celtes blonds aux yeux bleus s'opposent sans cesse aux Germains roux. Épopée d'une France germanisée mais non germanisante où le dialecte alsacien que l'on parle partout, les noms des lieux-dits et certaines coutumes pourraient faire croire qu'on traverse une enclave germanique et que la France commence au-delà de ces forêts bleues. Erreur. Le sentiment national semble aussi vif qu'au temps où Jean-Claude Hullin, héros de l'*Invasion,* et son armée de bûcherons résistaient à l'avance des Prussiens et des Russes. L'est — cet horizon de forêts et de nuages lourds — a souvent apporté ici, dans la cohorte des vents froids et des orages, l'Autrichien, le Prussien, voire le Cosaque et le Kalmouk qui campèrent dans ces régions à la chute de Napoléon.

A l'école primaire, Erckmann-Chatrian (ces deux noms accolés recélant déjà un mystère, comme ceux de Jérôme et Jean Tharaud : comment écrivaient-ils à deux? signe d'autres temps où les noms allaient souvent deux par deux : les marques d'auto, les moteurs d'avion et les écrivains réalistes), Erckmann-Chatrian, donc, alimentaient fréquemment, avec Anatole France et Pierre Loti, les dictées quotidiennes. Leurs Vosges baignaient toujours dans la lumière azurée de matins printaniers, au milieu des caquètements des basses-cours et des gazouillis de la sylve. Les voici donc ces « grands bois noyés dans l'azur des vallons », ces « voûtes des grands chênes et les branchages sombres des sapins » où les merles, les grives et les chardonnerets « bâtissaient leurs nids et se réjouissaient ». Pourtant, lorsqu'on les parcourt ainsi pas à pas, jour après jour, les Vosges ont quelque chose d'un peu triste. Ballons dodus, raclés par les érosions, creux et bosses harassés, ce paysage paraît sénile. Il exprime une nonchalance appréciée du marcheur (car les pentes n'y sont pas trop raides) mais qui donne à ces ossatures, à ces vallonnements la douceur incolore des horizons usés.

Ces horizons — d'un azur délavé ponctué de sombre par les arbres, comme si le bleu profond des conifères déteignait insensiblement sur l'aquarelle du ciel — le bûcheron me les montre de la main tandis que son cheval expirant se repose un peu plus loin. « Toutes ces forêts, je les connais par cœur. J'y travaille depuis que j'ai quatorze ans. Ici, aucun tracteur ne peut monter. Il faut tout faire soi-même, abattre, écorcer. Le cheval fait le reste. Lui, il grimpe et descend partout. On a le temps. Les arbres, je les aime. J'en vis mais je n'aime pas les abattre. » Avec son gendre et ses deux fils, il travaille en famille, abat, écorce, empile et transporte le bois partout où on le lui réclame : sapins de vingt ans pour les poteaux, épicéas massifs pour les charpentes, hêtres pour les cheminées, les cuisinières. Il n'a jamais quitté cette région, sauf une fois quand il est allé à Paris. Au retour, il s'est arrêté à Orly. Il en parle avec admiration et des yeux éblouis. Mais vite, il a retrouvé la forêt. « Tenez, me dit-il en désignant plus loin des baies d'un rouge sombre. Avec ça, on fait le meilleur schnaps de la terre. »

Plus loin, après le col des 2 Croix, retrouvé grâce au bûcheron bleu qui m'accompagna un moment car les chemins bifurquent çà et là en raison des coupes et des sentiers de trace, je traverserai dans la torpeur du début de l'après-midi, la réserve de sangliers de la forêt de Saint-

Quirin. Sept cents sangliers y vivent en semi-liberté et s'y engraissent — les inconscients — pour les futurs massacres des chasseurs. D'ailleurs, c'est maintenant une pratique courante : l'habitude de tout massacrer a contraint les sociétés de chasse à créer des réserves à gibier, autrement dit à nourrir et choyer des bêtes à seule fin de les massacrer ensuite. On me répondra que c'est précisément ce qu'on fait avec les animaux d'élevage depuis l'époque néolithique. Exactement. Et c'est pourquoi la chasse ressemble de plus en plus à l'industrie de la boucherie. Car les bêtes — les sangliers notamment — nourries par l'homme, semi-apprivoisées — ne se méfient plus des chasseurs et se font tuer souvent à bout portant. L'irresponsabilité et la bêtise des hommes dès qu'ils se croient chasseurs (et automobilistes — voici un bon sujet d'études et de réflexions : pourquoi un homme constitué normalement sur le plan mental se mue-t-il en pithécanthrope agressif dès qu'il a un fusil ou un volant entre les mains?) font qu'il est impossible de réglementer efficacement la chasse, d'interdire par exemple la destruction de telle ou telle espèce pendant plusieurs années, pour permettre sa reproduction. Car les chasseurs constituent un État dans l'État, une véritable « force de dissuasion » qui, toute inorganisée, confuse et braillarde qu'elle soit, fait trembler sur leurs bases les administrations. Ceci explique pourquoi la France est un des pays les plus en retard quant à la protection des espèces animales car les écologues s'y heurtent sans cesse à la puissante caste des chasseurs. Il faut savoir que *tuer* semble être un droit sacré, inaliénable alors que *protéger* n'est qu'un pis-aller. Et d'ailleurs lorsqu'on protège — comme en cette réserve de boucherie de Saint-Quirin — ce n'est que pour pouvoir mieux tuer ensuite.

Telles sont les réflexions vengeresses que je roulais dans ma tête tout en traversant les bois silencieux. A cette heure de la journée, les sangliers dorment, tapis dans la fraîcheur d'un creux, d'une bauge ou d'un val. Aussi n'en verrai-je aucun jusqu'au terme de la réserve où une grande barrière en bois traverse le chemin. Juste à côté de la barrière, un bûcheron écorce de grands troncs tout saignants de résine. Je lui demande à tout hasard le sentier menant à la maison forestière de Malcôte. Mal m'en prit : « C'est très facile, me répond-il. Vous prenez ici, entre les deux sapins et après c'est *tout droit.* »

*

Qui dira, chantera, psalmodiera jamais l'ennui des petits hôtels-pensions de province? Petits hôtels avec leurs odeurs de chats incontinents, de poussière, d'encaustique rancie, de bouillon dix fois réchauffé, de poules au pot néolithiques. Avec leurs lits en fer aux ressorts épuisés et maussades grinçant au moindre geste, leurs lavabos où l'eau chaude ne fonctionne jamais, où l'eau froide geint à travers des canalisations atteintes d'une artériosclérose irrémédiable. Avec leurs salles à manger Henri II, leurs buffets garnis de salières dont les trous sont toujours bouchés, de pots où la moutarde durcie se craquèle comme le fond d'un marécage du Miocène. Oui, qui dira, chantera, psalmodiera la joie, l'exaltation, l'extase de passer ses vacances en un lieu pareil quand de surcroît il pleut? Raon-l'Étape fut cette étape morne, morose, migrainogène après trois jours de marche dans la forêt ensoleillée. Serais-je si vite devenu homme des bois ou des sylves pour ne plus supporter la claustration des villes? Hier soir, après avoir atteint en fin d'après-midi la maison forestière de Malcôte, (entourée de grandes fleurs sauvages et violettes que je retrouverai souvent au cours de cette marche, sur le plateau de Langres, en Bourgogne, dans le Morvan et qu'on nomme communément Laurier de Saint-Antoine, Antoinette, ou plus savamment Épilobe en épi) et surpris le garde en surgissant du fond de la coupe où il travaillait, j'ai gagné avec lui sa maison, je me suis désaltéré à la source coulant juste à côté, j'ai regardé les Antoinettes puis je me suis retrouvé sur la route cantonale; une auto s'est arrêtée au même instant, un curé la conduisait et sans dire ouf, me voici assis à côté de lui. « Où allez-vous? demande-t-il. — Et vous? — A Raon-l'Étape. — Alors, moi aussi. » Hier soir, donc j'ai dû chercher partout une chambre car tout était complet, bien entendu, sauf dans ce petit hôtel tenu par deux femmes âgées où il restait une unique chambre.

*

Eh bien, cet ennui, cette monotonie, cette grisaille, ce temps lourd, comme on dit eau lourde, réduit aux noyaux denses et pesants des durées froides, ces odeurs dont l'amalgame défie tous les folklores, même les plus millénaires et se perpétue, identique, à travers les provinces (je l'énumère une fois de plus si un jour quelqu'un veut recomposer les ingrédients osmiques de l'ennui des hôtels provinciaux : *moutarde rance, cire durcie, urine de chat,* la trilogie *vaisselle/poubelle/Javel, bouillon réchauffé;* on peut, mais c'est facultatif, ajouter *mégots refroidis*), cet ennui, ce temps lourd, ces odeurs, je les chanterai. Car, comme les forêts, les sources fraîches, le glissement des couleuvres à l'orée des épicéas, l'odeur des troncs écorcés, des ronces sèches et des sureaux, ces odeurs font partie de tout voyage pédestre en France, quand on tient à éviter les hôtels internationaux au fronton constellé d'étoiles.

*

L'hôtel-pension de Raon-l'Étape n'a nulle étoile à son fronton. Il n'a d'ailleurs pas de fronton. Je loge dans une pièce sous les combles. Mansarde à peine aménagée où figurent par contre sur les murs les règlements, interdictions, sommations et autres avertissements désignant à coup sûr le lieu comme une chambre d'hôtel. Les deux femmes qui tiennent ce lieu sont âgées, affables, avenantes et alertes. L'établissement, à part un ou deux voyageurs de passage, semble occupé en ce mois d'août par des vacanciers âgés, depuis longtemps à la retraite et qui cumulent ainsi les temps morts de leur vie : retraite + vacances = sur-loisir, hyperinactivité. On sait qu'à force de se superposer les eaux les plus blanches paraissent vertes puis bleues puis noires. Ainsi, en ces consciences, la superposition des transparences de leur vie, des vides accumulés, doit sûrement, comme je le constate ici même, donner le noir, le dense et l'abyssal ennui.

Le matin, bien avant le repas de midi (il s'est mis à pleuvoir dans la nuit et au réveil j'ai décidé de rester à Raon, pour me reposer bien que de Saverne jusqu'ici je n'aie guère parcouru que soixante kilomètres, répartis en trois jours, soit une moyenne de vingt kilomètres par jour, ce qui n'est pas énorme mais pourquoi irais-je plus vite? mes jambes se ressentent un peu de cet effort nouveau et de toute façon cette pluie ténue et insistante interdit tout départ), les clients attendent dans la salle à manger l'heure, précisément, de manger. Il y a deux couples âgés. L'un des hommes, un être ridé, ratatiné mais apparemment bien vivant, a quatre-vingt-quatorze ans. Il se déplace en traînant les pieds, le corps raidi, tendu, comme une momie brusquement tirée de son tombeau, encore entravée de ses bandelettes. Un autre retraité, qui approche les quatre-vingts ans mais qui, à côté de l'homuncule, paraît lui un colosse, rassure la momie qui nourrit, semble-t-il, des inquiétudes sur sa santé. J'ai noté cette conversation estivale d'avant le déjeuner car elle me parut éclairante et apéritive :

« Tant que vous urinerez normalement, dit le colosse à la momie, vous n'aurez rien à craindre.

— Uriner, uriner, ce n'est pas le tout, bégaie l'autre.

— Je sais, il y a aussi le reste mais bien uriner, c'est le plus important. Avez-vous bien uriné ce matin?

— Ma foi, fort bien.

— Alors, bon pied, bon œil pour la journée.

— Bon œil ça va encore, bon pied, c'est beaucoup dire », marmonne la momie en faisant effort pour atteindre un buffet Henri II.

Cet échange de propos me rend songeur. Depuis que je suis enfant, j'entends les adultes se plaindre de leur santé, y compris les plus vaillants et les plus âgés (alors qu'en toute bonne logique, plus on est âgé, plus on devrait jubiler; c'est signe que le corps est bon, l'organisme vigoureux et à cent ans, on devrait s'écrier : j'ai la vie devant moi!) Le plus curieux dans ces conversations d'adulte sur la santé et les maladies, est que chacun — sans rien y connaître — y va de son conseil, de son idée, de ses théories plus ou moins bizarres sur le fonctionnement de l'organisme, comme si la médecine n'avait jamais existé. Il serait intéressant de faire une enquête auprès des Français (et de ceux qu'on appelle les Français moyens) pour voir comment ils imaginent le fonctionnement du corps, le rôle du sang, de l'oxygène, bref ce qu'ils croient quant au corps et à l'organisme. On serait sûrement très surpris des réponses. Car malgré les livres sérieux, la radio, la télévision, je suis certain que la plupart des gens ont en eux tout un monde, toute une vision du corps héritée de « on-dit », de traités de médecine populaire, de phrases glanées et entendues ici et là et qui n'ont aucun rapport avec la vision scientifique des choses. Ma mère, par exemple, eut beau passer sa vie à voir des médecins, elle conservait, quant au corps et à son fonctionnement, une image qui n'avait rien de médical et tenait surtout du traité de sorcellerie médiévale et des recettes populaires. Pourtant sans même avoir fait d'études spécialisées il n'est pas impossible à quiconque de comprendre dans ses grandes lignes le fonctionnement d'un organisme vivant. Mais de même que la plupart des conducteurs s'occupent de fignoler la carrosserie de leur voiture au lieu de s'intéresser à sa mécanique, rares sont ceux qui cherchent à s'informer sur le fonctionnement de leur corps autrement que par des « on-dit » et des superstitions traînant en nos esprits depuis l'époque des cavernes. Il est vrai que la médecine officielle ne fait rien pour lever cet interdit puisqu'elle établit un véritable barrage du savoir à l'égard du profane. Ce dernier — lorsqu'il veut s'informer ou comprendre — a tendance à aller vers le plus facile : les médecines dites populaires qui sont, presque toujours, l'œuvre de charlatans.

*

Le bruit de la cognée contre les troncs, signalant un bûcheron dans le silence de la forêt, ce bruit-là on ne l'entend plus. Les tronçonneuses l'ont remplacé. Leur vacarme présente évidemment un avantage : on le perçoit de loin ce qui permet au voyageur égaré de le repérer plus aisément. Mais il y a dans ce bourdonnement obstiné comme la vibration d'une nuée de guêpes énervées, le cri d'un instrument impatient d'en finir avec l'arbre, et trépignant de rage entre les mains du tronçonneur. Rien du choc cadencé, patient, de la hache ou de la cognée qui prend l'arbre en coin, le grignote, le ronge peu à peu, et l'abat en un combat presque loyal. Parfois des arbres écrasaient leurs abatteurs comme il arrive que des taureaux encornent leur toréador. Aujourd'hui, les arbres meurent sans combat, fauchés net en quelques minutes. Ce bruit des arbres qui s'abattent, je l'ai entendu maintes fois au cours de cette marche. Plus souvent que le chant des oiseaux qui se fait de plus en plus rare.

A quelques kilomètres de Raon-l'Étape, je me suis perdu

au cœur d'une hêtraie juste après le col de Trace et le Rocher des Fées. Ici, certains sentiers sont balisés par un club local et vous ramènent immanquablement à votre point de départ. Devant l'imbroglio de ces chemins, j'ai attendu un instant, tendu l'oreille et perçu dans le lointain le bourdon d'une tronçonneuse. Un bûcheron et ses deux aides algériens travaillaient dans une coupe. Juste à côté, un wagon en bois, sommairement aménagé, avec trois couchettes, une petite cuisine, un poêle à bois. Tout l'été, ils vivent là, de la forêt, isolés, ne descendant qu'une fois par semaine dans la vallée, pour le ravitaillement. Pour une fois, le bûcheron ne me dit pas : « Continuez, c'est tout droit. » Il m'accompagne quelque dizaines de mètres jusqu'à un chemin de terre, une laie spacieuse entre les hêtres et les épicéas et me dit : « Vous voyez ce ruisseau, suivez-le, il descend jusqu'à la route de Saint-Benoît. Là, vous retrouverez votre chemin. » J'ai suivi ce ruisseau, ce ruisselet plutôt, et pour être sûr de ne pas le confondre ensuite avec un autre, j'ai goûté de son eau. Elle a un goût d'humus et de terreau, dû aux feuilles mortes de son lit. Au cours de cette marche, j'ai appris à goûter l'eau des sources et des rus. C'est un goût qu'on oublie avec les eaux javellisées de nos villes. Ici, les sources ont un goût de terre, un goût d'ombre encore vierge qui me change du mauvais rhum acheté ici et là dans les épiceries. Et puis, j'ai appris aussi à reconnaître un filet d'eau selon son bruit. Car le ru chante à peine. Il coule sur des terrains très peu pentus, avec un cours nonchalant qui se traduit par un murmure. Il faut avoir l'oreille fine lorsque la soif vous saisit dans les heures chaudes de la marche pour percevoir le bruit ténu de l'eau sur l'herbe des prairies, parmi le crissement des insectes, le glissement du vent. Le ruisselet — ou le ruisseau, qui est son frère aîné — ruisselle. Autrement dit, il s'écoule sur une pente plus prononcée et bruit davantage. Son cours est moins patient, plus tourmenté. Il contourne des branches, se heurte à des rochers, s'émiette en fines cascades. Celui que je suis patiemment me mène au bout de deux heures sur la route annoncée. Je l'ai devinée d'assez loin car une auto vient d'y passer. Déjà, ce bruit m'agace et les images qu'il éveille : auto, route, goudron. Je ne veux pas quitter cette forêt. Mais le chemin, pris de l'autre côté de la route, serpente inconsidérément dans des directions imprévues. Il tourne peu à peu vers l'ouest et me ramène finalement sur la route asphaltée juste devant un panneau annonçant : Saint-Benoît-la-Chipotte.

*

Sous un soleil accablant de début d'après-midi, je marche sur cette route goudronnée, anonyme. Je la hais déjà parce qu'elle m'isole de la forêt mais je dois la suivre pendant six kilomètres au moins jusqu'au hameau de Housseras avant de pouvoir retrouver l'ombre des bois. Ici et là, sur ses bords ont poussé des villas prétentieuses. Est-il possible que ces conglomérats de pierre meulière, ces perrons en béton et ces marquises en plexiglas, ces touffes de troène et ces chiens en faïence figés dans les jardins, est-il possible que ces horreurs incarnent le rêve des Français? Eh bien, la réponse est OUI car c'est écrit sur les façades : MON RÊVE ou MON PLAISIR. Inscription suivie ou précédée presque toujours d'une autre : ATTENTION, CHIEN MÉCHANT. Ici, il ne saurait y avoir de « rêve » sans chien méchant pour le garder et le muer ainsi en cauchemar. En passant devant ces grilles et ces portails, escorté par les aboiements rageurs des roquets gardiens de rêves, je me dis que ces cerbères protègent plutôt l'entrée des enfers que celle du paradis. C'est d'ailleurs leur fonction. Heureusement, j'apercevrai bientôt entre les pins les maisons du hameau de Housseras, juste à l'orée de la forêt. Hameau entièrement désert à cette heure. Seule, une petite fille qui s'apprêtait, devant l'église, à monter sur sa bicyclette, s'arrête, interdite, à ma vue, un pied à terre et l'autre en l'air, comme l'image d'un film brusquement stoppé. Maisons basses aux volets clos. Géraniums et glaïeuls dans les cours désertées. J'avise un café. J'entre. La salle est fraîche et vide. De vieilles tables en marbre. Un comptoir minuscule. Je pose mon sac et m'installe sur deux chaises. Personne ne vient. Je décide d'attendre. Appeler troublerait le silence et le repos des mouches. Seul un taon a remarqué mon entrée pourtant discrète. Nous combattons quelque temps puis il finit par s'en aller. Le silence revient.

La sieste des heures. Phrase verlainienne lue dans quelque poème. Oui, le temps lui-même somnole. Café dormant comme on dit eaux dormantes. Sous leur surface s'agite un monde invisible. Ici, dort une histoire d'autrefois comme si j'avais pénétré, par une faille du temps, au siècle précédent. Au mur, deux gravures — punaises rouillées par les années — représentent un combat de la guerre de 1870 et les funérailles de Gambetta (janvier 1883 comme l'indique une inscription juste en dessous). Finalement (avertie par quel signe car je n'ai fait aucun bruit depuis mon arrivée?) une femme rougeaude et forte passe la tête par une porte et me demande, sans y croire, si je veux quelque chose. Si je lui réponds : *Non,* je ne veux rien, je sens que je peux rester ici jusqu'au soir. Mais j'ai soif et je réclame une bière. Elle me l'apporte et disparaît sans bruit, me laissant seul avec les mouches, les funérailles de Gambetta et la sieste des heures.

*

Pour finir, je n'ai pas dormi à Housseras. J'en avais très envie bien que la journée ne fût guère avancée mais on n'y trouve pas de chambre. J'ai dit à la femme rougeaude que je ne cherchais pas un hôtel mais seulement un lieu pour dormir. Chez quelqu'un. Ou dans une pièce abandonnée. Elle m'a regardé, presque angoissée, comme si elle devait remuer tous les tréfonds de sa mémoire, remonter jusqu'à sa prime enfance pour passer en revue les maisons du hameau. Au bout d'un temps, elle m'a dit : « Non, vraiment, je ne vois pas où vous pourriez dormir. On ne s'arrête jamais ici pour dormir. Mais vous allez trouver plus bas, à Brouvelieures. Ce n'est pas loin. »

Voilà pourquoi, ce soir-là, je me suis retrouvé à Brouvelieures dans la chambre d'un parent de la femme aux cheveux argentés qui aide à l'unique café-restaurant de l'endroit. Cette chambre, elle pourrait figurer dans la vitrine d'une boutique d'ameublement pour jeunes mariés. On doit en trouver des dizaines de milliers en France. Tout y est net, impeccable, anonyme et glacé. Est-ce là qu'on peut trouver le bonheur de l'amour, dans cet intérieur asexué où les objets n'ont d'autre fonction que d'occuper l'espace : poissons en verre filé sur le buffet, corne dite d'abondance en fausse corne, cerf en porcelaine bramant son désespoir devant un chromo, un crépuscule de Corse? Le mobilier est de si mauvais goût qu'il a dû être imaginé, au sortir d'une nuit blanche, par un menuisier décidé à en finir avec le genre humain. Mais qu'importe, après tout! Un voyage en France, c'est aussi cela : fréquenter la laideur française.

*

Voici la fin des Vosges. Les Vosges meurent doucement dans ce matin ensoleillé, en un paysage où la rudesse, les noirceurs des forêts doivent composer désormais avec des vallées larges et des rivières aux noms chantants : la Vologne, la Mortagne, l'Arentelle. Ici, meurent les ballons vosgiens, mués en collines rondouillardes, en éminences potelées, entrecoupées çà et là de forêts opiniâtres. Oui, les Vosges meurent doucement — et comment pourraient-ils mourir autrement? Je n'ai vu dans ce voyage en France, à part de rares exceptions, que des naissances, des maturités, des morts douces dans le sein de la terre. Je descends vers Épinal dans une vallée ensoleillée, sur une route bordée d'épicéas, ourlée d'un ruisselet brodé tout au long du chemin par la main d'une vouivre attentive, devinant au loin, à gauche, à droite, sur les versants embués, les villages de Frémifontaine, de Faucompierre et de Xamontarupt. Partout, des scieries et l'odeur de la résine et de la sciure, ailleurs des fagnes où l'eau croupit dans un bruissement de libellules. Ici, on dit plutôt *feignes* que fagnes pour désigner ces prairies ou ces chaumes marécageuses où le pied s'enfonce dans la tourbe à tout moment. D'ailleurs, tout à l'entour, cette région est un pays de feignes, à en juger par le nombre de lieux-dits ou de hameaux portant le mot *faing :* Faing-Vent, Faing-Neuf, Méroufaing, Molfaing, Mailleufaing, qui en est sûrement dérivé.

Tout en marchant et en réfléchissant à la curieuse consonance de ces deux mots : faing et feigne (de plus, j'adore les fausses étymologies et bien que feigne, comme fagne, vienne de fange, je me plais à penser que les feignes sont en réalité des marécages qui feignent d'être de vraies prairies) tout en marchant ainsi, pensant à feigne, à feinte, à faing, à feint et aux autres lieux-dits aux noms évocateurs : Langefosse, la Basse du Loup, la Colline des Rouges Eaux, au-dessus de Pleinegoutte, une auto s'arrête d'elle-même à ma hauteur et le conducteur me fait signe de monter. Pourquoi les automobilistes veulent-ils me prendre à tout prix avec eux alors que je marche exprès pour mon plaisir? Je l'explique à l'homme qui semble désemparé un court instant. Mais il insiste. Il me déposera un peu plus loin, à Faucompierre où il habite. Je monte et à peine reparti, il entame, avec les vitesses, le récit de sa vie.

Curieux, aussi, le besoin qu'ont souvent les gens de s'épancher, de me prendre à témoin de leurs problèmes, de leurs malheurs. Ai-je une tête de père confesseur? Au demeurant, cet homme est sympathique. Il tourne vers moi un visage émacié, ornementé d'yeux d'un bleu intense, et s'écrie : « Quelle chance vous avez de pouvoir vous promener à votre guise! Moi aussi, j'adore marcher dans la forêt. Il y en a partout ici, jusqu'aux portes de mon village. Mais je trouve à peine un jour par an pour y aller. Je suis débordé. — Que faites-vous? — Garagiste. Il n'y a pas de dimanche pour les autos, vous savez. Ça roule jour et nuit, été, hiver, toute l'année. Pour nous pas de retraite. J'ai dû tout acheter, le terrain, la maison, le matériel. J'en ai pour un bout de temps avant de payer tout ça. Ma femme, elle, n'est pas d'accord : « Travaille tant que tu peux pour le moment mais arrête-toi quand tout sera à nous et tu pourras dire merde à tout le monde. » Voyez, c'est ici. On est arrivés. Allez, bonne route! »

*

Avant Épinal, la forêt regorgeait de scieries. Ici, après Épinal, dans la région de Luxeuil, de Fougerolles, de Saint-Loup-sur-Semouse, les vallées regorgent de moulins à eau. Les cours d'eau sont abondants, souvent même impétueux. De grandes fermes isolées, établies sur de vieux défrichements car elles sont souvent entourées de forêts, parsèment ce paysage domestiqué où les arbres fruitiers, les vergers se mêlent aux sapins et aux épicéas. L'une de ces fermes, au petit hameau de Beaumont, a été aménagée en musée régional. Un écriteau l'indiquait sur la route et j'ai fait le détour. Il y a là quatre maisons, une habitée, une désertée et les deux autres occupées par le musée et son annexe. A l'instant où j'arrive à l'entrée du hameau, le soleil perce les nuages et illumine soudain les vergers. La pluie, une pluie légère mais tenace, m'a surpris au début de l'après-midi et maintenant, partout, les champs brillent, l'herbe scintille, et je me souviens m'être arrêté avec surprise pour regarder, un peu plus loin des silhouettes de sapins émergeant du brouillard comme des soldats de carton-pâte montant la garde aux frontières des nuages. Sur le seuil du musée, une vieille paysanne écosse des haricots. Elle habite le hameau et fait office de gardienne, l'après-midi. C'est une ferme authentique dont l'intérieur a été réaménagé selon le style local avec deux grandes pièces consacrées à l'artisanat. L'ensemble concerne avant tout la région que je viens juste de traverser, située autour du Val d'Ajol, de Fougerolles et de Saint-Loup et qu'on nomme ici vallée de la Combauté. L'importance des ruisseaux explique le nombre des moulins et de tous ceux qui en vivaient : meuniers, meuliers et rhabilleurs de meule. Rien qu'à Fougerolles, il y avait trente-quatre rhabilleurs au début de ce siècle, c'est-à-dire des artisans qui, tous les quinze jours, devaient rajuster, poncer les meules. On fabriquait aussi des tonneaux, des sabots (qu'on fumait, curieusement, avec un feu de copeaux dans lequel on jetait des soies de porc pour teinter le bois), des paniers et tous objets de vannerie, en utilisant notamment des écorces de ronce et de noisetier. On faisait aussi du tissage — il y a une très belle pièce consacrée à cet artisanat — y compris avec des fibres d'orties. Dans un coin, des bancs de bois larges, légèrement incurvés, qu'on nomme bancs à truands, sur lesquels on pouvait s'allonger et dormir (*truands* signifiant paresseux dans le langage vosgien).

Dehors, deux granges servent d'annexe pour les objets plus volumineux, meules en pierre et vis des moulins. Et plus haut, dans un pré, presque neuf (car il a fallu le reconstituer planche par planche) un *chalot* terme local qui vient certainement de chalet, mot lui-même bien abâtardi puisqu'il évoque aujourd'hui de somptueuses bâtisses en bois verni destinées au repos — montagnard ou non — des industriels épuisés alors qu'à l'origine il désignait un simple édicule en bois servant d'abri — comme le sont les burons en pierre de l'Auvergne — sens qu'on ne retrouve actuellement que dans nos jardins municipaux avec les *chalets* dits *de nécessité.* Ces chalots, qui ont tous disparu aujourd'hui, étaient de petites constructions de bois, au toit très pentu et exclusivement assemblées avec des chevilles et des mortaises, ce qui permettait de les démonter et de les remonter ailleurs. Ils étaient surélevés car, servant de greniers à grain, ils évitaient ainsi l'humidité du sol. Chose curieuse, ce type de construction dont la simplicité et la logique semblent évidentes, n'a existé en France que dans cette seule région et ailleurs uniquement en Norvège et dans l'Himalaya!

Pour tout dire, je n'ai jamais éprouvé pour les musées de passion dévorante. Seuls me plaisent en général ces petits musées de province où s'amoncellent les objets les plus hétéroclites dont le fouillis recèle parfois des raretés ou des spécimens de premier ordre. Ils sont les derniers vestiges de ces Cabinets de curiosités, si nombreux à partir du XVIIIe siècle et où l'on collectionnait tout ce qui paraissait étrange, insolite, monstrueux ou cocasse. Ce qui rend en général les musées ennuyeux (je parle essentiellement des musées d'histoire locale et de folklore) c'est qu'ils ôtent aux objets exposés leur cadre naturel. Il est logique d'exposer des peintures, sculptures, bijoux, tapisseries puisque ces œuvres sont faites justement pour être vues, que leur fonction est en somme esthétique. Mais les milliers d'objets dont l'homme a entouré sa vie, les uns pour le faire vivre, les autres pour l'aider à rêver, n'ont pas été conçus pour être vus. Leur forme, leur matière, leur finition sont dictées par l'usage auquel ils sont destinés. C'est pourquoi — une fois morts c'est-à-dire inutilisés — ils réclament, pour retrouver leur sens un cadre qui soit le leur et c'est pourquoi aussi cette petite ferme de Beaumont révèle bien plus de choses sur la vie quotidienne d'une famille paysanne du siècle dernier que le musée vosgien d'Épinal. Et puis, quand on en sort, il y a cette senteur de pré mouillé, de fleurs froissées, les odeurs de la vie qui, elles, ont bien déserté les musées.

*

Marcel Saire est meunier. Il habite un moulin près de Fougerolles-le-Château. C'est lui, (comme me l'apprit, sur le seuil de Beaumont, la vieille paysanne aux haricots), qui eut l'idée, avec un ami médecin, de restaurer cette ferme et d'en faire une maison-musée. C'est un homme aux yeux clairs qui voue à ce passé un culte raisonnable. Je dis raisonnable parce qu'il ne s'agit pas chez lui d'une dévotion aveugle mais avant tout du souci de préserver ce qui peut l'être, de recueillir les témoins moribonds du siècle précédent. Pour cela, il parcourt la région, fouille les granges et les greniers, récupère jusqu'aux objets les plus détériorés, dès l'instant où ils sont anciens et où ils ont servi. Il s'occupe lui-même ensuite avec quelques amis de les remettre en état ou de les restaurer. Mais son moulin est un moulin moderne, en pleine activité. Il ne moud pas le blé comme on le faisait il y a cinq cents ans. La Combauté, qui coule dans son jardin, alimente seule tout le moulin, sans autre moteur que la force de l'eau. Mais cette force est captée, transmise, multipliée par un monde de courroies, de roues, de poulies, un monde assourdissant où s'efface le bruit de l'eau, où l'on n'entend plus que les frottements, glissements, tremblements, halètements d'un monstre immobile, sécrétant frénétiquement ses sacs de farine comme la reine des termites ses milliers d'œufs.

Une des grandes joies de Marcel Saire est sa collection d'épinettes. Le val d'Ajol est la région traditionnelle de l'épinette des Vosges, ce petit instrument de musique dont le principe rappelle celui de la cithare — on le pose sur ses genoux ou sur une table et on en joue en pinçant les cordes avec les doigts — mais qui ressemble étrangement aux lyres orientales, aux lyres de la région du Pont, sur la mer Noire, notamment. De cette ressemblance, il n'y a strictement rien à déduire. Les Grecs de la mer Noire n'ont jamais dû venir jusque dans les Vosges ni les bûcherons d'ici aller sur les rivages du Pont-Euxin. Mais je vois, avec surprise, que dans cette région on joue toujours de l'épinette et qu'on continue à en fabriquer. A vrai dire, ce n'est guère là qu'un instrument d'accompagnement, aux possibilités fort limitées : cinq cordes en tout, une de *do*, une de *mi*, trois de *sol*. Il y a quelques années, vivait encore à Fougerolles une vieille femme qui passait pour la meilleure joueuse d'épinette de toute la région. « C'est elle, me dit Saire, qui l'a enseignée à mes enfants. D'ailleurs, venez chez moi. Ils vont vous en jouer. » Les enfants du meunier — un garçon et une fille d'une dizaine d'années — semblent habitués à ces concerts impromptus. Chacun, avec précaution, sort son instrument de sa housse, le pose sur la table, l'accorde. Leurs gestes sont précis, méticuleux. Et sans même se consulter, ils entament un morceau célèbre, un classique de l'épinette qui a nom *Chant de Dorothée*. C'est le nom d'une jolie fille de l'endroit qui a créé jadis cette chanson, dont raffolait, paraît-il, Napoléon III. L'air est plaisant mais les sons un peu grêles. Ils évoquent des crissements d'insectes, un bruit d'élytres montant des prés chauds, un monde cristallin. Mais peut-être cela vient-il du jeu de ces enfants? Quelques instants plus tard, après avoir quitté le moulin partagé entre les notes aigrelettes de l'épinette et le sourd bruissement des turbines, j'irai voir, au hameau voisin, au cœur du val d'Ajol, le dernier fabricant d'épinettes. Il vit avec sa femme dans une maison aux volets verts, au bord d'une petite route. Dans la cuisine où il travaille, il y a une dizaine d'instruments, terminés ou en cours de fabrication. Il y en a en merisier, d'autres en sapin. Il y en a d'ornementés de motifs floraux, gravés par l'artisan, d'autres incrustés de nacre. L'homme, ancien menuisier-ébéniste, est depuis longtemps à la retraite mais il continue de faire des épinettes à la demande. « Aujourd'hui, me dit-il, ce n'est plus qu'un passe-temps. Autrefois, on en jouait dans toutes les fêtes, aux mariages et aux anniversaires. On en jouait aussi le soir, à la veillée. Il y a encore des groupes folkloriques qui s'en servent mais la plupart des gens qui m'en commandent les mettent à leur mur ou sur un meuble. Ils ne savent pas en jouer. » Il prend un des instruments, l'accorde prestement, plaque quelques accords. Les sons sortent, forts, brutaux comme un orage de grêle. La cuisine sent le lard, la sciure et le vernis à bois. Dehors, les arbres mouillés de pluie et la route luisante apportent, par la fenêtre ouverte, une odeur d'herbe grasse, de terre brassée, de foin légèrement pourrissant. De nouveau, je me dis : marcher en France, c'est cela. Après la chambre sans âme et sans odeurs de Brouvelieures, me retrouver ici, près de cette fenêtre, dans cette maison vieillote aux senteurs quotidiennes, avec cette femme qui me regarde, mains croisées sur le ventre et ce vieillard qui joue, plongé dans un monde à lui.

*

Depuis Luxeuil, le paysage s'est étendu, étiré contre l'horizon avec çà et là quelques boursouflures, quelques bosses. Dans la forêt, les hêtres, les érables, les charmes et les châtaigniers ont remplacé les conifères. Sur ce plateau qui s'étend de Luxeuil à Langres, peu de fermes isolées mais des hameaux ou des villages, très proches les uns des autres, émiettant la forêt çà et là en bois ou en bosquets. Partout, les clochers pointent. Les noms de ces villages n'ont pas la saveur, le sel géologique de ceux des Vosges. Plus de-*faing,* de combes, de-*rupt* mais des noms incolores, j'allais dire des noms anonymes : Polaincourt, Saponcourt, Raincourt, Richecourt, Auchenoncourt, un chapelet de-*court* égrené entre bois et labours.

J'écris ces lignes, assis sur l'herbe humide devant une chapelle, juste après le hameau de Villars-le-Pautel. Il tombe une pluie fine, une bruine qui finit par tremper les os. J'ai fait halte ici, posé mon sac au pied d'un des trois beaux tilleuls qui abritent l'endroit. Sur la porte, au-dessus de la grille vétuste qui la ferme, une inscription : 40 JOURS D'INDULGENCE. A l'intérieur, deux socles vides, ceux de saint Pierre et de saint Joseph, des fleurs desséchées dans un vase, un bout de tuile. Quel dommage que ces chapelles et reposoirs soient toujours fermés! Ils feraient d'excellents abris pour la nuit. Aujourd'hui, je ne trouve sous les tilleuls qu'un refuge précaire contre la pluie, juste assez dense pour que je puisse écrire sans trop mouiller mon carnet. J'entends la cloche de Villars. D'ailleurs, tout le jour, en marchant, j'entendrai les cloches des villages se relayant, avec le cri des buses, pour escorter ma route.

*

Les deux hommes du café de Corre ne m'aperçurent pas au début. Ils étaient là, accoudés au comptoir, plongé chacun dans sa rêverie, s'ennuyant manifestement par ce soir d'août un peu triste, dans ce village sans grande animation, sur lequel se couchait un grand soleil rouge. Ils s'ennuyaient quand la serveuse me dit — d'un ton navré, celle-là : « Je suis désolée. Il n'y a pas une seule chambre libre. Mais vous en trouverez sûrement à Ormoy. Ce n'est pas loin. — Combien? — Trois kilomètres. » Je dus prendre un air accablé, proche du désespoir. Ce soir-là, j'étais épuisé. Trente-cinq kilomètres à pied depuis Luxeuil, dans des conditions parfois difficiles : d'abord une forêt sans intérêt — du nom de Sept Chevaux, puis une route jusqu'au village de Briancourt (je le traversai sans m'arrêter, tournant juste la tête pour rendre à un vieillard assis devant sa porte le salut empressé que de lui-même il m'adressa) puis un chemin à travers champs jusqu'au hameau de Varigney où un chien noir s'en prit à mes mollets et gâcha mon humeur folâtre, puis une montée jusqu'à Dampierre-les-Conflans (un village unique en son genre : le seul qui ne possède aucun café!) enfin une laie à travers le bois de l'Étang à l'orée duquel un orage très violent avait brisé, arraché des pruniers, la veille. J'y marcherai en grapillant des quetsches sans même avoir à me baisser ni à poser mon sac puisque les arbres se sont inclinés jusqu'à moi. Une halte au village suivant sous une treille puis de nouveau la montée jusqu'à Polaincourt (juste avant d'arriver au village, quand le sentier s'élargit et se divise en deux, à cette fourche, une vipère dormait sur le chemin, si perdue en ses rêves ophidiens que je pus me baisser, l'observer de tout près à mon aise sans même qu'elle se réveille) et de nouveau, les jambes déjà lasses, la route de terre toujours montante vers la Ferme Rouge et le village de Corre. Cette route traverse une série d'enclos où paissent des taureaux. Des taureaux jeunes, d'un an tout au plus, fougueux et d'humeur agressive. Heureusement, pensai-je, ces barrières ont l'air bien fermées. A cet instant précis je vois surgir en contre-jour, dans un nuage de poussière, une troupe de taureaux, apparemment lâchés. Ils ont dû fuir de quelque enclos mal entouré. Le chemin est étroit et mon sac m'interdit toute fuite précipitée. Par chance, quelques mètres plus loin, j'avise un sentier sur la droite avec un orme. Je m'y engouffre, ôte mon sac et me cache derrière l'arbre. La meute passe sans me regarder, à l'exception d'un taureau qui s'immobilise un instant pour me fixer d'un œil indécis. Mais les autres le poussent en avant et il disparaît dans un nuage en direction de Polaincourt.

Oui, je dus prendre un air harassé quand la soubrette me dit : « Il n'y a plus de chambre », et inspirer à ces deux hommes une sorte de sympathie — l'un était fort, coloré, plutôt bavard, l'autre plus grand, sévère et réservé — car une fois dehors tandis que j'observais le ciel partiellement recouvert de nuages en me demandant où dormir à la belle étoile, ils sont sortis, sont venus me trouver : « Si vous voulez, dit le gros, on vous emmène en voiture jusqu'à Ormoy. Ça ne nous dérange pas. On est en vacances et on n'a rien à faire. » A Ormoy, pas de chambre. « Allons à Vaugécourt. Je connais le patron du bistrot. Il a des chambres. » A Vaugécourt, pas de chambre. Pourtant c'est un hôtel mais il est fermé pour réparation. J'explique que je ne cherche pas une chambre avec confort mais un lieu où dormir, que je paierai de toute façon, même s'il n'a pas de lit. Mais le tenancier me regarde comme si je lui parlais lapon. « Pas de chambre », fait-il et il retourne à ses clients. Je sens que mes deux convoyeurs s'impatientent. Nous remontons en voiture. « Quand même, il y va un peu fort. Pas de chambre! Il aurait pu nous rendre ce service. Depuis le temps qu'on le connaît. C'est incroyable! » Oui, c'est incroyable. L'indifférence. L'égoïsme. Je devine ce que l'autre a dû marmonner dans ses méninges sclérosées : celui-là, il n'a qu'à rester chez lui s'il veut dormir dans un lit au lieu de traîner sur les routes. Je pressentis ce soir-là (et j'en aurai dans les semaines suivantes la confirmation éclatante) l'indifférence et l'égoïsme des Français, leur méfiance et même leur hostilité à l'égard de tous ceux qui voyagent ou qui se déplacent sans être touristes ou vacanciers. Ceux-là, les touristes et les vacanciers (dits encore aoûtiens, estivants, villégiaturistes, ce dernier terme plutôt en désuétude) sont toujours des clients passés présents ou futurs. Aussi, on les dorlote, on les mijote, on les mignote. D'ailleurs on sait d'où ils viennent et où ils vont : de chez eux vers chez eux. Mais l'étranger, le marcheur, le vagabond (et nous reparlerons plus tard de tous les termes inventés par les sédentaires pour désigner la gent nomade) qui passe de village en village, sans *feu* ni *lieu* et qui ose justement réclamer un feu et un lieu (en le payant d'ailleurs), celui-là qu'il s'en aille ailleurs, au diable notamment.

Dans tous les pays que j'ai connus et traversés pendant tant d'années, l'Italie, la Tunisie, la Grèce, la Turquie, l'Égypte, la Yougoslavie, jamais on ne laisserait un étranger dormir seul dans un village à la belle étoile. S'il n'y a pas d'hôtel, on lui trouvera une chambre quelque part : dans l'école, chez le prêtre, à la mairie ou à la maison communale ou mieux encore chez l'habitant. Mais en France pourquoi se donnerait-on du mal pour un étranger qui n'est ni touriste ni vacancier ni estivant ni villégiaturiste? A travers le visage buté, le refus obstiné de cet homme (alors qu'au premier étage il y avait nombre de chambres vides) j'ai vu transparaître l'image d'une certaine France égoïste, bornée et chauvine. Image que, malheureusement, je retrouverai fréquemment sur les routes et dans les villages, au moins pendant la première partie de ce voyage.

Le plus drôle, c'est que mes deux convoyeurs, exaspérés par ce refus, décident de s'occuper de moi eux-mêmes et de me trouver coûte que coûte une chambre. Et je crois déjà savoir où car en vivant ainsi de rencontre en rencontre et d'imprévu en imprévu, on acquiert une sorte de sixième sens qui vous fait pressentir, deviner plus vite et plus intensément les sentiments des autres et même les hasards objectifs des chemins. Nous retournons donc à Aisez-et-Richecourt où mes deux amis — puisque désormais nous le sommes — passent chaque année leurs vacances. Chacun d'eux — ils sont beaux-frères — habite et travaille à

Fontenay-sous-Bois : mais ils sont nés ici, ils y ont leurs parents et y reviennent chaque été. Ce sont des enfants du pays et je comprends mieux à présent leur réaction devant le refus du cafetier, à Vaugécourt. « Vous avez bien raison de marcher, me dit le plus bavard des deux. Au moins, vous évitez ainsi les accidents d'auto. Rien qu'à Corre, cette année, depuis moins d'un mois, trois accidents avec un mort et cinq blessés. On a une nièce, en ce moment, qui est à l'hôpital d'Épinal, dans le coma depuis plusieurs jours. Le docteur a dit : “ Si elle en réchappe, elle ne pourra jamais plus avoir une vie normale. ” »

Oui. La mort aoûtienne, me dis-je. La nuit après le bal. Un conducteur ivre ou simplement trop gai. Une route étroite, toute en tournants. Un peu de pluie pour la rendre glissante. La mort tend ainsi tous ses pièges et ses collets le long des routes. On se jette contre un arbre. Et c'est la mort ou l'agonie dans l'herbe poissée d'essence et de sang. Juste à côté, les grillons chantent. Et parfois des autos passent et n'osent s'arrêter comme si la mort elle-même haletait sur le bord du chemin.

Nous arrivons près d'une ferme, à l'entrée du hameau. En face, une grande maison avec un jardin. Je suis les deux hommes dans la cuisine. Tout le monde est déjà à table. On parlemente. Le fermier qui est aussi maire du village, se lève, et prend une lourde clé dans un placard. Nous traversons la route, rentrons dans une cour emplie de matériel abandonné. Sur le côté, un bâtiment délabré avec deux pièces vides. « On y logeait les journaliers, autrefois, à la moisson. Maintenant, elle nous sert de réserve à grains pour les poules. Mais vous avez une pièce vide, ici. Il y a même de l'eau », fait-il en désignant dans le noir, près de la fenêtre, un lourd évier en pierre. « Rapportez-moi la clé demain. Bonne nuit. »

Me voici seul dans ce lieu vide, empli de poussière et de toiles d'araignée. J'aurais préféré cent fois une grange avec du foin. Je balaie tant bien que mal et déblaie un des coins. J'étends sur le plancher mon sac de couchage. Il est encore tôt pour dormir et de plus j'ai une faim du diable. Avec cette histoire de chambre introuvable, je n'ai plus pensé à dîner. Je fais l'inventaire de mes provisions : deux portions de crème de gruyère, un fond de lait concentré en tube, du rhum et quelques figues sèches. Je m'allonge et mastique. Mes yeux s'habituent peu à peu à l'obscurité de l'endroit. C'est alors que je remarque dans un coin, accrochée au plafond, immobile, une grande chauve-souris. Je me dis : je ne suis plus seul dans cette pièce abandonnée aux odeurs de greniers oubliés. Et bizarrement, cela me réconforte.

*

Demandez à quelqu'un de fermer les yeux et de dire spontanément, sans aucune réflexion, ce qu'évoque pour lui le mot *marche*. Le plus souvent, il répondra : sentier, soleil, vent, ciel, horizon, espace. Je me suis amusé à cette expérience et j'ai été surpris par ces réponses. Car *marche* pourrait évoquer aussi bien pluie, tempête, sueur, fatigues, ampoules, cors aux pieds, entorses, chute, enlisement, engloutissement. Mais il semble que ces dernières associations — qui eussent été courantes aux siècles précédents — ne viennent plus à l'esprit aujourd'hui. Comme si le seul mot de *marche* libérait des rêves inexprimés ou non vécus, des besoins d'espace et d'horizon et surtout des désirs de liberté, d'imprévu, d'aventure.

Je pensais à ces mots en quittant Aisey-et-Richecourt et la chauve-souris que je laissais endormie au plafond (après avoir rendu la clé au maire et avalé un café chaud dans sa cuisine, première chose que l'on m'ait offerte depuis le début de ce voyage). Depuis l'aube, où son bruissement sur les toits de la pièce vide m'a réveillé, il tombe une pluie fine, presque glacée. Pas un souffle de vent. Sur le rebord de la route, je frôle de grandes ombellifères ruisselantes et figées. Un instant, je m'arrêterai près l'oratoire aux 40 jours d'indulgences pour prendre quelques notes et revêtir, pour la première fois, l'imperméable de route acheté à Paris. C'est un imperméable *dernier cri,* conçu en tous points pour les randonneurs qui, marchant toujours, comme on sait, avec impétuosité, sont contraints d'avancer contre pluies et grêlons (comme d'autres le font contre vents et marées). Sur les routes vicinales, la lutte est plus modeste que sur l'océan déchaîné mais elle n'a pas moins son héroïsme lorsqu'il tombe, par exemple, une pluie fine et glacée. Car enfin nul ne me force à marcher ce matin sur cette route anonyme, dans un paysage de brume, entre des villages endormis, des champs trempés où même les vaches n'osent s'aventurer puisque je n'en vois aucune autour de moi. Je fais cela pour mon plaisir, il faut bien que je m'en persuade. Par chance, l'imperméable en question me protège intégralement, des cheveux aux chevilles, moi et mon sac à dos. Il dispose d'un système à double fente permettant de fourrer ses mains dans le soufflet ventral comme dans une poche marsupiale. Le capuchon se ferme par un cordonnet sous le menton jusqu'à ne plus laisser dépasser que le nez et la fente pour les yeux. Il est fait d'un tissu léger, pliable et froissable à merci, de couleur kaki, et tient facilement, une fois roulé, dans la poche. Ainsi affublé, chasublé, je ressemble à quelque moine vagabond et bossu, allant de place en place prêcher la bonne — ou la mauvaise — parole. Mais mon apparence est la dernière chose dont je me soucie dans ce matin sinistre. De toute façon, avec ou sans chasuble et scapulaire imperméables, le seul fait de marcher par ce temps sur une route, est pour beaucoup proche de la folie. Or, je me moque de passer pour fou. Je dirais même que cette idée me fait plutôt plaisir. Car une des raisons profondes qui me pousse à marcher, c'est entre autres d'affronter l'inconnu des rencontres, de provoquer des contacts chaque jour imprévus, différents, de vivre en somme une sorte d'épreuve, passionnante et rebutante tout à la fois : être toujours l'étranger, jugé, admis ou refusé, selon son apparence, essayer de révéler ce que l'on est dans les quelques instants d'un dialogue sur une route, dans un café ou une cour de ferme. Au fond, être nu, réduit à ce présent intense et misérable, avancer sans passé et sans avenir, sans justement cette aura ambiguë qui vous nébulise dans les relations citadines puisqu'on y est toujours celui qui a fait ça ou qui fera cela. Ainsi avance-t-on sur les routes mouillées, privé de temps, comme un bernard-l'ermite sans coquille, sans mémoire.

*

A peine ai-je quitté l'oratoire et mis à l'épreuve l'imperméable dernier cri, que déjà la brume se disperse. La pluie cesse peu à peu et même, à l'approche de Melay, je vois le soleil apparaître un instant entre les effilochures des nuages, éclairer, juste au sommet d'une légère pente, la petite chapelle de Notre-Dame-des-Vignes. (Et je me dis aujourd'hui, en relisant ce livre et en le corrigeant, que la dernière halte de ce voyage fut, quatre mois plus tard, dans les Corbières, inondées de soleil, une pause au pied d'une autre chapelle, perdue au milieu des cyprès et qui s'appelait : Notre-Dame-de-l'Olive. Itinéraire symbolique, dionysiaque qui me mena ainsi, par le nom des chapelles, de la Vigne à l'Olive.) Je regarde à travers la grille, j'aperçois des bancs, un autel, une chaire et un grand vitrail. J'irai m'adosser au midi, contre le mur, sous le soleil revenu. Je somnolerai quelque temps. Au réveil, je constate que sans m'en rendre compte je me suis installé sous une immense toile d'araignée avec, en son centre, une grosse épeire, de celles que l'on nomme justement porte-croix. Vus d'en bas, les rayons où perlent encore des gouttes s'étoilent contre le ciel en une rosace immaculée, je pourrais presque dire idéelle si je ne la voyais si proche de moi, quoique sans poids, sans substance apparente et pourtant présente, frémissante, inamovible entre ses points d'attache avec ce cœur immobile au centre des rayons, pattes tendues sur les fils frissonnants. Oui, l'image, brusquement imposée au réveil, d'une rosace fragile et stable, plaquée là contre les nuages comme une vision secrète que ce matin, au pied de cette chapelle campagnarde, je suis seul à voir, percevoir, admirer. Au cours de ce voyage, je n'aurai pas seulement souvenir des gens, des centaines de gens rencontrés ni de leur vie si brièvement partagée, mais de tous les êtres aperçus, animaux et insectes (cette vipère de la veille, endormie à la fourche de deux sentiers et cette autre que je trouverai dans la grande forêt d'Auberive, endormie elle aussi, et cette épeire de ce matin et tant d'autres insectes que j'ai regardés, suivis dans leur marche, leurs repas, leurs amours, parce que marcher c'est d'abord savoir s'arrêter, regarder, prendre son temps — un temps bien différent du temps humain — savoir attendre, garder en soi cette patience de l'araignée ou ce sommeil sans rêves (?) des vipères), j'aurai souvenir de tout cela et retrouvé mes curiosités et mes passions d'enfant quand je suivais des heures durant, dans le jardin de mes parents, le cheminement des fournis, la construction d'une toile d'araignée, le travail d'une courtilière. Et ainsi allongé contre le mur de la chapelle, n'osant bouger pour ne pas effaroucher l'animal, je sentis tout le bonheur de cet instant, du temps retrouvé par cet éphémère côtoiement avec une araignée. Je me glissai avec précaution sous la toile, pris mon sac et me mis debout. Je repartis vers Melay dont le clocher pointait en bas, dans le vallon ensoleillé. Sa cloche se mit à sonner la messe, à toute volée. C'est vrai : c'est dimanche aujourd'hui. Je l'avais oublié.

*

Un dimanche, cela ne se voit guère dans un paysage. Ce repos hebdomadaire imposé à nos vies (ou réclamé par elles), cette parenthèse ouverte et refermée entre le samedi et le lundi, les plantes, les arbres, les forêts, les animaux l'ignorent. Seuls les chiens, aux jours de la chasse, doivent sentir le dimanche à cette agitation qui prend leurs maîtres, tôt dès l'aube. Quand j'arrive à Melay, la place est noire de monde. Je m'arrête un instant au café, près de l'église, sans autre raison que de me mêler à cette foule dominicale, à la fumée des cigarettes, au bruit des conversations. Je commande une Suze, mon apéritif préféré, parce qu'il est amer et jaune et qu'avec son goût de gentiane, j'y puise l'illusion de boire la saveur des montagnes. Je profite de cette pause pour ôter mon imperméable. Le ciel semble entièrement dégagé à présent, le soleil est haut, le jour est encore chaud en cette fin du mois d'août. Je repars, traversant des rues où par les fenêtres entrouvertes passe l'odeur des rôtis du dimanche. Plus loin, à quelques kilomètres, il y a un village, Voisey. Je m'arrêterai pour déjeuner ou manger un sandwich car je n'ai pratiquement rien mangé depuis vingt-quatre heures.

Si l'on veut profiter de la marche, il faut savoir sacrifier ses repas. Le plus simple est de bien déjeuner le matin lorsque c'est possible, et de dîner le soir quand on rencontre un restaurant. Dans la journée, je ne mange jamais. Je prends seulement avec moi ce qu'on appelle des *en-cas,* au cas précisément où, contraint de dormir dehors ou dans un lieu sans restaurant, je ne trouverais rien à manger. Il faut pour cela des provisions succinctes, condensées, nourrissantes. L'idéal est le lait concentré en tube, la crème de gruyère, les fruits secs. Parfois, j'y ajoute un saucisson sec ou une boîte de pâté. Pour boisson, l'eau des sources, des fontaines (il y en a pratiquement dans chaque village) et le rhum qui emplit ma bouteille plate de whisky. Jamais de pain (c'est bien trop encombrant) ni de vin (qui pose des problèmes de transport). Ainsi puis-je me passer à l'occasion des restaurants ou des cafés. Mais aujourd'hui mon sac est vide. J'ai terminé les dernières provisions hier soir, dans la pièce obscure, en compagnie de la chauve-souris. A Voisey, je m'installe dans l'unique café de l'endroit qui fait aussi tabac et restaurant. Je commande un sandwich, une bière. Puis je m'installe pour écrire et prendre quelques notes. Il est deux heures de l'après-midi. Des paysans consomment encore au comptoir. Dans la deuxième salle, des jeunes jouent aux flippers. Ils y joueront tout l'après-midi, dans un ennui mêlé de rires, comptant les heures. Il y a là toute la faune habituelle d'un village. Curieusement, les cheveux longs sont en minorité. Chacun est vêtu avec goût, parfois avec recherche. Deux filles, égéries probables de la bande, regardent dans le vide au-dessus de leur verre de bière. J'essaie de deviner qui sont ces jeunes, à leurs gestes, leurs mots, leur apparence. Tâche assez difficile quand on ne dispose que de peu de temps. Mais déjà les caractères se précisent : il y a un brun silencieux, hautain, le buste figé dans une pose avantageuse, indifférent en apparence à l'agitation qui l'entoure; il y a un bellâtre blond, tapageur qui, de toute évidence, veut se faire valoir auprès de cette fille décolorée, évanescente, qui feint de s'intéresser là-bas à la manœuvre d'un tracteur. Elle a mis des bas, des souliers jaunes, s'est fait les ongles avec un vernis vert. Un troisième larron, qui boite et semble idiot, erre, les cheveux en broussailles, du comptoir au juke-box comme un porc-épic effaré; un quatrième, aux yeux bleus, au visage ouvert, assis près d'une grande fille brune, lèvres cerise riant très fort en secouant ses cheveux, tourne et retourne son verre. De temps à autre, ayant remarqué que je l'observe, il m'observe à la dérobée, à son tour. Un peu plus tard, il se lèvera, viendra droit vers moi, se penchera sur mon épaule pour voir ce que j'écris. J'ai déployé sur la table ma carte d'état-major. Il me demande si je suis géomètre, si je travaille par ici. « Non, lui dis-je. Je me promène. Je marche à travers la France et j'écris. — A travers toute la France? — Oui. — Depuis longtemps? — Deux semaines environ. — Et après, où allez-vous? — En Méditerranée. » Je lis dans ses yeux l'incrédulité. « Mais qu'est-ce que vous faites dans la vie? — Je suis écrivain. Je regarde, je vis, j'écris. Comme à présent. — Alors, par exemple, vous allez parler de nous, ici, dans votre livre? » J'hésite à répondre. Comme s'il devinait mes pensées, il ajoute : « Je ne vois pas ce que vous pourriez écrire sur Voisey. Ici, il n'y a rien. On ne fait rien. On s'ennuie le dimanche. — Eh bien, j'écrirai sur l'ennui du dimanche à Voisey. » Il a un rire bref et retourne à sa table. Et l'ennui, le verre de bière qu'on tourne sans arrêt entre ses mains, les brèves sorties sur la place, le retour vers les flippers illuminés, le retour sur la place, le retour au comptoir, le silence avec les yeux fixes, des sourires lointains éclairant les visages pour une chose qu'on voudrait drôle, une autre bière commandée, un autre verre tourné entre les mains, le juke-box, la place, la terrasse, le comptoir : un dimanche à Voisey.

*

Cette brume finira-telle? Je suis parti tôt ce matin. A six heures. Et je traverse dans ce tranquille brouillard effiloché le long des arbres, un paysage de banlieue, près de Langres, des H.L.M. aux noms fleuris, pour donner à ce purgatoire un air d'Éden : les Iris, les Glaïeuls, les Dahlias, les Hortensias. Je frôle des fenêtres entrouvertes, des chambres où gît encore la tiédeur des rêves, je côtoie des cuisines d'où vient une odeur de café et de linge mouillé, j'aperçois des visages embrumés, des gestes quotidiens. J'ai l'impression de flotter dans un parc de papier peint, une peinture dominicale comme si mes pas glissaient sur l'herbe des pelouses. Aucun enfant n'est encore éveillé. Un grand calme, ouaté de brume, juste marqué par l'étonnement d'une femme qui arrête son geste culinaire pour me regarder un instant. Puis la route, les premières voitures (celles-là ne dorment jamais) une station d'essence dont le grand coquillage émerge du brouillard. Le garagiste est affairé autour de monstres silencieux.

Il n'y a pas de stations d'arrêt pour les marcheurs. Peut-être un jour, quand la marche deviendra à la mode, par dégoût des voitures, enthousiasme ou résignation, que les sentiers se couvriront de randonneurs aux poumons dilatés, peut-être alors imaginera-t-on des stations-pédicures, décorées d'emblèmes appropriés : un gros orteil, un grand pied signalant qu'on peut y recevoir des soins et des massages. Alors, on posera son sac, on se déchaussera et des femmes aux mains expertes se pencheront sur nos organes locomoteurs : orteils, plante, pied, cheville, mollet, cuisse. Vision enchanteresse d'hôtesses des sentiers remplaçant les nymphes et dryades qui se font très rares aujourd'hui. Rien n'est plus déprimant que de marcher sur de l'asphalte. Je ne suis pas Kérouac pour aimer la litanie des routes, des stations d'essence, des gares routières, les attentes au long des longues routes d'Amérique, l'ivresse des voitures empruntées ou volées. Il est vrai que les distances, en France, permettent d'éviter les voitures. Au rythme où je marche depuis le début du voyage, j'ai fait sans me presser et sans me fatiguer une moyenne de vingt à vingt-cinq kilomètres par jour. Cela fait deux cents kilomètres en dix jours, et six cents en un mois. Ces calculs sont théoriques car on doit de temps en temps s'arrêter pour reposer ses jambes. Mais il est parfaitement concevable de traverser à pied toute la France en deux mois environ, sans être ni un héros ni un fou ni un monstre. La France, on le sait bien, est un pays modéré : il faut la traverser ainsi, mètre par mètre, pour saisir, par son propre corps, ses jambes, ses yeux, qu'elle est un géant mesurable. Pas l'Amérique ni l'U.R.S.S. ni la Chine où, pour être à la dimension du pays, il faut multiplier son corps par des traîneaux, des chevaux, des autos. Ici, les paysages se succèdent à une échelle perceptible et, depuis que je marche, je me sens, sur la peau de la France, comme une puce sur le corps d'une femme. Des extrêmes mais des extrêmes compatibles, qui appartiennent au même monde.

*

Langres. Je n'aimais pas ce nom. Il porte en ses syllabes la langueur d'un ogre, la pluie sur le granit, l'ennui ancré dans le cœur d'un plateau. J'y suis arrivé vers le soir, venant de Meuse où j'avais dormi, sous un soleil illuminant les vieux remparts. J'y suis resté tout un jour pour m'y reposer, y laver mes affaires, y essayer les restaurants, inventorier les filles. J'y ai dormi dans un cagibi éclairé par une lucarne donnant sur une ruelle fermée, un réduit tout juste habitable. C'était la dernière « chambre » libre. Et pour cause, qui oserait dormir dans ce placard sentant le cafard et le camphre? Sur l'esplanade, juste à une des entrées de la ville, les forains se sont installés. Je n'aime guère les foires : haut-parleurs criards, odeurs de frites et de gaufres, crécelle des loteries égrenant leurs lots de mousseux tiède ou d'ours pelucheux, miracles et terreurs à bon marché, châteaux hantés, femmes à dix têtes, monstres hébétés. C'est pourquoi je passai la journée à me promener dans la ville, par ce beau jour ensoleillé, avec un zeste de vent frais venant des Vosges.

Mais après le dîner, n'ayant nulle envie par cette soirée d'été, de réintégrer ma taupinière, je fis un tour jusqu'au terre-plein. Il y avait encore du monde, bien que le gros de la foule fût venu surtout dans la journée. Je regardai les baraques croulant sous les nougats, les pains d'épices et les pistaches, un grand panneau où était annoncé le combat titanesque d'une femme-singe contre une femme-panthère (sur le fronton au-dessus de l'estrade, elles étaient peintes à gros traits, femelles échappées tout droit de l'*Ile du Docteur Moreau* de Wells et, bien entendu, une file d'hommes faisait queue pour assouvir leur libido, sous les haut-parleurs diffusant les cris, piaillements, hurlements, gémissements, ricanements d'une jungle d'opérette) quand un peu plus loin je tombai sur un autre panneau (page suivante).

Ainsi passai-je quelques instants, ce soir-là, au royaume de Lilliput. Une femme rapetissée, réduite, miniaturisée, telle était Mme Angélina. Une parfaite reproduction de nous-mêmes (malgré une tête un peu grosse et des traits épais sans qu'on puisse les appeler difformes) à une échelle réduite. Une maquette d'homo sapiens, en somme, comme il en est d'avions ou de bateaux, exhibée dans les foires au lieu d'être mise en vitrine. Car que faire de sa vie lorsqu'on est, lorsqu'on naît lilliputien ou -putienne? Il n'est que deux voies : le bocal au formol si l'on meurt, la foire si l'on survit. Quelque part, dans les arcanes protoplasmiques de l'hérédité, les rouages, enchevêtrements, imbrications, intrications des gènes et molécules et spirales nucléiques, une erreur de transmission, un message mal perçu, un malentendu a provoqué ce changement d'échelle. Encore, ce changement, les rares fois où il a lieu, ne fait-il que nous réduire, non nous grandir. Les lilliputiens sont des phénomènes très rares, beaucoup plus rares que les nains qui eux sont des monstres génétiques dont la petitesse est due à un arrêt subit de leur croissance (ce qui explique les disproportions, les difformités de leur corps) alors que les lilliputiens sont conformés, proportionnés exactement comme un être normal, à la taille près. Pourquoi cette bizarrerie n'opère-t-elle que vers le plus petit et non vers le plus grand? Pourquoi ne naît-il jamais de goliathéens ni de goliathéennes? Serait-ce une tentative de la nature (à condition qu'elle soit viable et que ces maquettes vivantes puissent se reproduire, ce qui n'est pas le cas, semble-t-il), une

ATTENTION

Pour la première fois en ville, vous pourrez voir
la PLUS PETITE FEMME DU MONDE.

LA LILLIPUTIENNE

Spectacle unique

Madame ANGELINA
est une vraie poupée
vivante âgée de 38 ans

60 centimètres de haut
Son poids : 13 kg 500

Ne manquez pas d'aller l'applaudir
dans ses danses et chants modernes

Elle n'a rien des naines que vous
avez pu voir dans les cirques ou
au théâtre

C'est une

AUTHENTIQUE LILLIPUTIENNE

Entrée continuelle et permanente

tentative pour créer une humanité seconde, gnomique, homonculaire, ce qui résoudrait parfaitement, notons-le, les problèmes d'espace et de démographie des siècles à venir? Cette solution serait évidemment préférable à l'autre, la gigantesque, la goliathéenne, vu le rétrécissement quotidien de notre espace vital. Les savants, qui ont plus d'un tour dans leur sac à protoplasme et nucléole, devraient s'occuper sérieusement de la chose. Je m'étonne même qu'aucun n'y ait songé. La réduction, la miniaturisation de l'homme, voilà la solution. L'avenir est aux Petits Poucets, non aux ogres condamnés au sort des dinosaures du secondaire. D'ailleurs, dirait un esprit malin sans sourire (ou en souriant jaune), plus les hommes sont nombreux à vivre au même endroit et plus ils sont petits : regardez les Chinois. Rapetissons, rapetissons nos enfants, enfantons des gnomes, des nains normalisés et L'AVENIR NOUS APPARTIENDRA!

Toutes ces idées me passaient par la tête, ce soir-là, en une ronde vertigineuse qui me menait des étoiles à l'éclat blanc des protoplasmes, aux tourbillons des noyaux, aux franges fornicatrices des molécules avides de s'unir, de s'imbriquer dans le silence et l'harmonie des sphères génétiques, tandis que Mme Angélina, prototype de l'Ève future, Vénus infraterrestre de nos désirs refoulés (et donc comprimés, rapetissés, homonculisés, tout se tient) se trémoussait dans une robe satinée, dansait des twists et des rumbas. Car elle dansait des twists et des rumbas au lieu de nous parler d'amour sous les feuilles, au creux des nénuphars ou des coques de noix, elle dansait, oscillait, jouait des hanches sur des rythmes exotiques avec sur le visage un sourire triste et figé et cela me parut tout à coup absurde, sous la lumière blafarde de cette baraque foraine à Langres.

*

Qu'apprend-on véritablement sur les routes? La marche peut être plaisir ou corvée, promenade ou déplacement forcé mais peut-elle être aussi moyen de connaissance, connaissance des autres s'entend, de ceux que l'on rencontre. Autrefois, cela ne faisait aucun doute. Les chemins de

France n'étaient pas seulement les voies de déplacement des colporteurs, marchands, pèlerins, vagabonds, mais un réseau d'initiations subtiles, de rencontres enseignantes. L'écrivain et poète suisse Gustave Roud, pratiquement inconnu en France malgré la magnificence de ses textes, a écrit sur la marche des pages qui sont pour moi comme une bible des chemins. Elles figurent dans un livre paru en 1932 qui s'intitule *Petit traité de la marche en plaine.* Je connaissais déjà Gustave Roud mais j'ignorais cette œuvre qui me fut adressée de Suisse par une lectrice de *Chemin faisant.* Et aussitôt plongé en elle, la sympathie inspirée par ce livre — sympathie au sens fort du mot : ressentir et connaître *avec* — a fait resurgir en moi cet état second (mais qui pour tous, si nous savions vivre devrait être l'état premier) où l'on se sent à la fois libéré du temps — comme au seuil de l'éternité — et chargé de toutes les particules de la mémoire, état ressenti et provoqué lors de ces rencontres imprévues avec une fleur, un animal, une lumière, un paysage, un visage, un sourire ou un regard absent qui fixe l'espace sans le voir. Gustave Roud a ressenti et exprimé les mêmes choses bien avant moi, frère dans le temps, lorsqu'il écrit dans le *Petit traité :*

« La marche est tissu imprévisible de sursauts, d'acquiescements, de dérives plus fructueuses que des poursuites. Source étrange de connaissance, hasard maître des merveilles! C'est par l'extrême de la soif que vous connaissez la fraise sous la feuille, par l'extrême épouvante de vous-même que vous connaissez l'église et son ombre, c'est aux confins de la lassitude et du sommeil que vous connaissez la vague morte bue par le sable d'Août. Connaissance par l'extrême de la ressemblance mais aussi par l'extrême de la différence. C'est au moment où tout en vous est retombement, glissement vers le sommeil, que vous connaissez l'élan rapide, le suspens léger de la lune au ciel de minuit. Il faut l'asphyxie de toute l'âme par une pensée qui flambe des heures et l'étouffe de sa fumée, il faut l'oreille rompue par la phrase intérieure pareille aux coques des pavots, pour connaître le chant aérien dans les feuillages et sa déchirante liberté. »

Sans peut-être le ressentir aussi intensément, les compagnons qui arpentaient routes et chemins de France aux siècles précédents le faisaient pour apprendre, non pour se promener. Mais on voit bien aux *Mémoires* du compagnon Agricol Perdiguier, dit Avignonnais-la-Vertu *, que cet apprentissage n'était pas seulement celui d'un métier et des compagnons du même devoir mais aussi celui des chemins, des étapes, de la grande et dense philosophie de l'errance. Quelque chose — une conscience neuve des autres, un sentiment de différence enrichissante (accentué justement pas l'effort nécessaire pour le découvrir ou le vivre) émergeait du simple fait de marcher. Mais aujourd'hui, ces rencontres existent-elles vraiment et sont-elles aussi enseignantes qu'autrefois? Qu'ai-je appris depuis que je marche?

Je me pose ces questions à l'orée d'une forêt brumeuse, dans un minuscule café de village curieusement situé au fond d'une cour de ferme et dont l'enseigne *Au café des amis* tracée en lettres malhabiles au-dessus de la porte m'a attiré d'emblée. Quand on marche, n'est-on pas l'ami de tout le monde? J'ai donc ma place ici, sans conteste possible. Aussi entrais-je et m'installais-je dans cette pièce propre et cirée, avec ses tables en bois et les odeurs de chicorée venant de la cuisine. J'y suis seul avec le facteur qui devant le comptoir en bois, regarde son verre de vin rouge avec intensité comme s'il recelait le secret de l'énigme du monde. Une femme sort de sa cuisine, mince et jeune, semble-t-il, car il est parfois difficile de mettre un âge sur certains visages de femme à la campagne. Je lui demande un café au lait. « Nous avons du bon miel de pays. En

* (Édition de Poche 10/18.)

voulez-vous avec du beurre? » Bien sûr. Et elle m'apporte un grand bol crémeux, une motte de beurre, un pain entier et un pot de miel. « Régalez-vous, fait-elle. Ici, tout est naturel. — Pour sûr, ajoute le facteur, tournant vers moi des yeux soudain pétillants. Ici, les gloutons, c'est nous, pas les enzymes. Pas vrai, patronne? » La patronne sourit d'un air machinal, comme quelqu'un qui connaît la plaisanterie par cœur. Puis elle retourne à sa cuisine aux odeurs de chicorée.

Au-dehors, la brume semble se dissiper. Je regarde la carte. Je suis à Perrogney, à douze kilomètres de Langres dont j'ai quitté tout à l'heure les H.L.M. ensommeillées. Rien à signaler jusqu'ici. Ou plutôt si. Une rencontre historique. Juste à la sortie de Noidant-le-Rocheux, dans une prairie mouillée de brouillard, à la lisière d'une haie cotonneuse (le tout baignant dans un silence de mort) j'ai rencontré une vache qui me regardait. Elle était immobile, debout, près de la haie, avec dans les yeux une telle expression d'ennui, de solitude, de désarroi que je m'arrêtai pour mieux la détailler. Et nous restâmes ainsi, quelque temps, yeux dans les yeux, elle patiente, étonnée et moi, mi-amusé, mi-rageur, dans cette aube mouillée qui n'en finissait pas. Alors, pour fixer cet instant, je pris mon appareil et la photographiai. Le résultat fut à l'image du sujet : un cliché terne, flou, inutile et absurde. Voilà, ce matin-là, ce que j'ai appris sur la route.

*

Délices de la forêt ensommeillée à l'aube. Depuis une heure, je marche au milieu de la mousse, des fougères, d'un humus tendre et accueillant. Je côtoie de grandes feuilles où perle la rosée, des toiles d'araignée tout embuées d'aurore et sur le sol, j'évite des couples de limaces, agglutinées en une étreinte interminable dans un grand mucus de bave violette. Tout au long du sentier traversant cette forêt, je rencontrerai ces couples enlacés, fondus, soudés par la glu de l'amour, aveugles et sourds, lovés l'un en l'autre en des spirales insecables. J'ai essayé — non sans quelque vergogne, je l'avoue — de séparer l'un de ces couples. De telles étreintes m'intriguaient. Mais mes doigts glissèrent sur la bave violette, les corps gluants qui se rétractèrent un instant, comme si mon intervention les avait soudés plus encore l'un à l'autre. Les limaces, comme les escargots, sont des mollusques hermaphrodites. Chacun d'eux possède donc des ovaires et des testicules. Mais il ne peut se féconder lui-même. Cette solution — faire l'amour avec soi-même — la nature semble l'avoir réprouvée, épargnant ainsi aux limaces et aux escargots les désarrois du couple solitaire. Dans un seul cas, elle a fait exception : pour les bullines, mollusques aquatiques des pays chauds, qui possèdent le privilège (?) de se féconder eux-mêmes. Devons-nous les envier ou les plaindre? Pour les limaces et escargots la nature a choisi une autre solution. Pour être fécondée, il faut à chaque limace les spermatozoïdes d'un autre mâle tandis qu'elle-même, en tant que mâle, éjecte les siens dans le vagin du partenaire. Ainsi connaissent-ils, ces mollusques, un plaisir double en une seule étreinte. Là, je crois qu'on peut véritablement les envier. Ce désir d'être à la fois mâle et femelle a d'ailleurs tourmenté les hommes depuis toujours. Pour preuve : le vieux mythe grec de Tirésias, qui n'est pas sans rapport avec mon expérience sur les limaces. Un jour que Tirésias se promenait sur le Cithéron, près de Thèbes, il surprit deux serpents en train de faire l'amour. Le malheureux — curieuse idée, mais après tout, j'ai eu exactement la même à propos des limaces — se mit en tête de les désunir. Il y parvint mais fut aussitôt changé en femme. Sept ans plus tard en repassant au même endroit (ce ne saurait être par hasard, Tirésias, en tant que devin, ne faisait jamais rien au hasard et nul doute qu'il ne fût hanté, moins par la perte de son premier sexe, que par la vision des amours interdites) il surprit de nouveau des serpents accouplés. Aussitôt, il retrouva son ancien sexe. Le mythe ne dit pas si l'expérience se répéta ainsi tous les sept ans. Mais Tirésias devint par le fait le seul homme ayant été femme, ayant connu l'amour total. Si bien qu'un jour où Zeus et Héra se disputaient pour savoir qui jouissait le plus dans l'amour, de l'homme ou de la femme (Héra affirmant évidemment que c'était l'homme et Zeus que c'était la femme), ils demandèrent l'avis de Tirésias. Et voici ce qu'il répondit : s'il fallait diviser la jouissance de l'amour en dix parts, la femme en aurait neuf et l'homme n'en aurait qu'une. Ce ne fut pas du goût d'Héra qui, furieuse, rendit aveugle le devin. Ainsi désormais n'irait-il plus traîner sur le Cithéron pour voir ce qu'il ne devait pas voir. En tout cas, j'ignorais à quoi je m'exposais, ce matin-là, en voulant à tout prix séparer des limaces enlacées.

Mais les limaces recèlent d'autres mystères. Chez elles, c'est la femelle — j'entends la part femelle de son individu, le vagin — qui est armée d'un dard en calcaire, implanté sur un tubercule approprié et terminé par une fine pointe. Le pénis, lui, n'est qu'un muscle mou rattaché au corps par un tendon. Tout cela sert avant tout à copuler, à féconder et pondre des centaines d'œufs mais aussi certainement à éprouver de doubles sensations. La danse des escargots avant qu'ils ne s'accouplent, pressant l'un contre l'autre leur sole de reptation tandis que leurs tentacules se frôlent, se caressent, s'enlacent, montre bien qu'il y a rituel donc plaisir. Il aura fallu que, ce matin-là, je marche dans cette forêt toute perlée de rosée, pour m'attacher à ces amours mollusculaires, ces étreintes totales, qui laissent au cœur des mammifères unisexués, déchirés, que nous sommes un goût d'amertume, un sentiment de frustration devant les sensations insolites et intenses que vous devez connaître, ô limaces!

*

Et au-delà de cette forêt aux limaces engluées, aux étreintes superbes, forêt traversée de fuites furtives, légères (feuilles mortes froissées, bruits discrètement saccadés marquant le pas d'un animal courant ou bondissant, renard ou chevreuil mais que jamais je ne pourrai surprendre bien que j'essaie de marcher en silence ou le moins bruyamment possible), brusquement un grand horizon égayé de soleil et parcouru de vent. Sur la droite, d'immenses cultures, sans un seul bâtiment en vue; à gauche, une prairie où paissent des chevaux et des poulains. Après la traversée de la forêt mouillée, brouillée de plantes et d'animaux, cet horizon paraît dénudé et ce grand espace que je foule en silence, au milieu d'herbes hautes, en traçant parmi elles un sillage qui se referme lentement. Je fais halte près d'un petit bois, m'assieds le dos contre un arbre, en plein soleil, pour détailler ce paysage. Depuis mon départ de Saverne, c'est le premier espace rencontré qui ne soit que terre et que vent, sans clochers, sans maisons. Champs ouverts, traversés de chemins herbus. Les blés moissonnés laissent apparaître des chaumes crissant d'insectes. Je suis ici au cœur de ce plateau de Langres dont je m'étais fait une idée bien différente. Je l'imaginais comme une étendue grise et somnolente, une sorte de Champagne terne et pluvieuse alors que depuis Langres j'ai traversé des forêts profondes, habitées d'animaux, des vallons verdoyants, de vieux villages aux calcaires patinés de lichens, des étangs et des lacs toisonnés de roseaux. Juste après le village de Santenoge, gardé à son entrée par un Christ en plâtre assis au fond d'une niche grillagée en posture d'*Ecce homo,* j'ai côtoyé un ruisseau et longé un plan d'eau éblouissant dans la lumière du crépuscule, sur une route aux odeurs d'herbe et de fleurs froissées — senteurs sucrées des sureaux et des ombellifères oscillant au milieu des perles jaunes des mélilots. Et juste au détour du chemin j'ai découvert le petit hameau de Villars-Montroyer, que m'avait signalé deux bûcherons rencontrés le matin même dans la forêt domaniale d'Auberive (quelques instants après m'être accroupi auprès d'une vipère endormie au milieu du chemin, toute lovée sur elle-même et m'être dit : rien ne bouge et rien ne tressaille en elle, aucune écaille aucun poumon, serait-elle morte? Non, *les vipères endormies ne respirent qu'à peine,* au seuil de la mort ophidienne, mais pourquoi tant de vipères dorment-elles au milieu des chemins, serait-ce un signe comme autrefois la venue des comètes ou les pluies de grenouilles?) deux bûcherons occupés à installer des mangeoires pour les cerfs et chevreuils car cette partie de la forêt doit devenir une réserve naturelle et je me suis arrêté pour bavarder avec eux, les regarder un instant travailler et partager leur vin pendant la pause. C'est alors que l'un d'eux m'a dit : « Surtout ne restez pas à Auberive pour dormir, il n'y a qu'une auberge c'est le coup de fusil, allez donc jusqu'à Villars-Montroyer, il y a un petit café qui fait restaurant, ils ont des chambres, je connais la patronne, vous y serez comme un coq en pâte, évidemment on vous demandera vos papiers, que voulez-vous, ils sont bien obligés, ce sont les règlements puisqu'ils font hôtel (et en disant cela, ses yeux noirs me fixèrent intensément). — Aucune importance, lui fis-je. J'évite les coups de fusil, non les hôtels. — Alors, allez-y de ma part. Si vous voulez attendre une heure ou deux qu'on ait fini, je vous y emmènerai en voiture. » Mais j'ai préféré continuer, traverser la forêt silencieuse, prendre entre deux rangées de hauts peupliers d'Italie la route de Santenoge et découvrir le soir, dans ce paysage ruisselant d'or, de mélilots, de libellules, le hameau de Villars et le café *Au bon accueil.* Je le recommande à tous ceux qui passeraient par là. C'est un gîte de fortune, isolé au seuil de la forêt, avec une ou deux chambres qu'on n'a pas dû retapisser depuis 1925 à en juger par le papier aux rosaces jaunies — mais encore intact et dans sa teinte originelle juste derrière le lit, où le soleil ne l'atteint pas — un papier modern'style, la cuvette en porcelaine pour se laver car il n'y a pas d'eau courante et au mur une gravure de *L'Illustration* représentant *La première étape,* une scène d'auberge au temps des diligences. En ouvrant la fenêtre qui donnait sur la forêt toute proche, les sapins et les épicéas et en respirant cette odeur de foin et de terre chaude, j'eus le sentiment du bonheur intense de cette marche, qui vous fait découvrir, au crépuscule, un lieu comme celui-ci, accordé à la lenteur des choses, à un temps préservé, gîte, étape, refuge bien plus qu'hôtel ou restaurant. Oui, le plateau de Langres m'a réservé cette surprise : contredire son nom de granite et d'ennui et m'offrir ce coin détourné, cette halte imprévue et, dans l'aube de cet aujourd'hui, ces animaux furtifs et ces limaces enlacées.

*

Tout à l'heure, les chevaux et les poulains s'ébrouant dans l'infini du plateau, l'avancée géométrique d'un bois de charmes (et s'il y avait eu quelques bouleaux, j'aurais pu me croire en Russie, dans cette plaine qui débute à l'orient de Moscou, en direction de Vladimir, même paysage de champs illimités, ponctués de sapins et bouleaux, échiquier noir et blanc car même ici, en plein été sur ce plateau de Langres, on devine la froidure de l'hiver) et maintenant en ce milieu d'après-midi, après le repos du bosquet, l'ombre, le silence, l'étrange atmosphère de ce café de Salives où je viens d'arriver. Comme Housseras, le lieu paraît abandonné, presque désert bien qu'on soit au mois d'août. Nul ne vient en vacances ici, semble-t-il, et pourtant ce village est joli, après les paysages ternes et nus de Bussières et Vesvrotte. J'ai traversé ces deux hameaux en plein midi, par des chemins déserts, sans l'ombre d'un humain. A Vesvrotte, l'envie me prit d'entrer dans une de ces fermes silencieuses, de forcer ces maisons aux volets clos, endormies dans la sieste, d'entrer et de dire : « Me voici. Puis-je passer un moment avec vous? » Mais j'ai préféré m'arrêter de nouveau un peu plus loin, à l'orée du village, près d'un fossé, au pied d'un grand osier, pour grignoter un morceau avec quelques goulées de rhum. Depuis ce matin (exactement depuis le départ du café de Villars, la chambre aux rosaces jaunies et la forêt aux limaces étreintes) je n'ai rencontré âme qui vive. Et sur la route jusqu'à Salives, je ne rencontrerai non plus âme qui vive. A part les alouettes grisolant dans l'azur, mes seuls compagnons seront, sur le macadam brûlant, les débris morts des animaux. Chaque fois qu'il m'est arrivé de marcher sur une route goudronnée, qu'elle soit nationale, départementale ou communale, j'ai eu l'impression de fouler un cimetière d'animaux. Il faut marcher ainsi, mètre par mètre, pour se rendre compte du nombre incroyable de bêtes tuées et écrasées par les voitures. Hérissons, crapauds, oiseaux, escargots, limaces, insectes de toute sorte, on en compte des centaines, jusque sur les plus minuscules routes de campagne. C'est un véritable massacre dont nous n'avons aucune idée. Ainsi marquée de taches, d'auréoles, d'écrabouillis de toutes couleurs, l'asphalte ressemble à ces ardoises ou à ces schistes empreints de mille fossiles et où se lit l'histoire d'un sol. Mais quelle histoire lit-on sur l'asphalte? Il m'arrivait parfois de poser mon sac, de me mettre à genoux sur la route et de regarder, comme à travers un microscope, ces champs de bataille où les corps morts ne sont plus que dessins, lignes, cercles ou rosaces amalgamés au goudron. Les escargots, surtout, formaient de beaux dessins, des spirales éclatées où les débris de la coquille brillaient comme de faibles étoiles dans les bras gris des nébuleuses. Plus loin, les ailes membranées d'un gros insecte, fossilisé de son vivant, irradiaient le sombre goudron comme la toile d'une araignée funèbre. Oui, quelle histoire peut-on lire aujourd'hui sur les routes, si ce n'est celle d'un ruban de massacres, d'un marbre dont les veines sont celles d'animaux morts?

*

Sans jamais me prendre pour Rimbaud, j'ai toujours aimé les dessins naïfs et les peintures idiotes. Et dans ce café de Salives, vétuste et silencieux (j'ai hésité à y entrer car on ne lisait même plus sur la façade les lettres, presque effacées du mot CAFÉ et un instant je crus m'être trompé, avoir pénétré par erreur dans la pénombre d'une simple maison), le bois des murs est couvert de dessins, dans le style des dessins enfantins mais quelque chose me dit, à la facture trop appliquée du trait, qu'ils sont plutôt ceux d'un adulte maladroit. La patronne, qui vient d'arriver et m'a surpris en train de les détailler, semble fière de sa décoration. « N'est-ce pas qu'ils sont beaux? me dit-elle. C'est mon beau-frère qui les a faits. Il a de l'imagination. Où va-t-il donc chercher tout ça? » Tout ça, ce sont trois scènes de chasse représentant une panthère aux aguets sur une branche dans une forêt tropicale, un sanglier sortant d'un bois et une chasse aux canards, dans un marais. Ces dessins me rappellent quelque chose, quelque chose de mon enfance. Mais oui : ils reproduisent tout simplement les vignettes illustrant les différents types de fusils, dans le vieux catalogue de la Manufacture d'Armes et Cycles de Saint-Étienne. C'est là que je les ai vus, autrefois, que je les contemplai pendant des heures. Cette panthère surtout, couchée sur sa branche et guettant sa proie sur le sol, fut pour moi la toute première image de l'Afrique et de ses aventures. Je ne dis mot de tout cela à la patronne, pour ne pas trop la décevoir. Entre-temps, un vieux est entré et a commandé un vin rouge. Je le sens qui m'observe tandis que je fais le tour de la pièce et regarde une vieille affiche publicitaire de la bière Champigneulles. Au moment où je prends mon sac pour partir, il me dévisage et me demande : « Vous travaillez dans la région? — Non, pas dans la région. Un peu plus loin, vers Lamargelle. » Il hoche la tête et me fait un signe amical. « Bon courage », ajoute-t-il, tandis que je franchis la porte. Il n'y a que les vieux aujourd'hui pour prendre les choses aussi simplement, pour ne pas s'étonner d'un homme qui marche sur les routes. Et cette idée me réconforte — et celle de ce travail que je suis censé faire à Lamargelle — tandis que je dévale les ruelles chaudes du village. J'oubliais un détail : sur la vitrine du café, un mot griffonné au crayon disait : *Le coiffeur est passé le 16. Il passe tous les quinze jours.*

*

Je quitte toujours les cafés, les villages et le moindre hameau avec un sentiment de regret et d'insatisfaction. Curieusement, malgré les lenteurs, les imprévus de ce voyage, j'ai l'impression de tout traverser en vitesse, de ne rien voir véritablement ou plutôt de ne rien partager vraiment. Ces conversations, ces regards échangés avec les inconnus, pendant quelques instants, je voudrais qu'ils m'entraînent plus loin, qu'ils me lient à eux autrement, que je ne sois pas seulement celui qui passe. Mais cette seule idée est absurde ou démente. Comment pourrais-je vivre à moi seul la vie de tous, suivre le temps nécessaire l'existence de chacun d'eux, être moi-même et tous les autres en même temps? Il me faudrait plusieurs vies ou plusieurs corps pour cela. Partager la vie des autres, leurs travaux, leurs problèmes, côtoyer longuement chacun, sentir le temps de chaque village et ses saisons : rêve impossible. Une vie entière suffirait à peine à traverser la France ainsi. De sorte que même en marchant, en flânant comme je le fais, je ne peux m'empêcher de sentir que le temps me presse, qu'il est présent en chacun de mes pas et qu'il m'appelle sans cesse vers un autre horizon. Bien sûr, il m'est arrivé de rester un jour, deux jours, parfois plus dans un endroit particulièrement accueillant, au milieu de gens hospitaliers, surtout dans toute la moitié sud de mon parcours, à partir de l'Auvergne. Le Bourbonnais, le Forez, les Causses, le Minervois, les Corbières furent des lieux infiniment plus enseignants, plus riches de rencontres que les forêts des Vosges ou le plateau de Langres. Malgré tout et surtout dans ce dernier cas — j'ai éprouvé à chaque fois, à chaque départ, cette impression amère, ce sentiment paralysant d'être un *passant pressé*.

J'y pense particulièrement aujourd'hui, en ce matin où le soleil vient enfin d'apparaître, au cœur de la forêt domaniale de Jugny tandis que je prends des notes, assis sur un grand tronc couché au pied d'un orme. Cette clairière m'a plu dès qu'elle m'est apparue. Cet orme immense à sa croisée, sa solitude la désignent comme un lieu de halte, de repos (y eut-il autrefois un reposoir ici?) ou un lieu d'attente et de guet pour y trousser les voyageurs aux temps anciens. Je suis sûr que des générations de voyageurs ont dû s'arrêter là, à mi-chemin de Lamargelle et de Chanceaux. Et j'ai le sentiment, en écoutant ce silence juste froissé par l'ondoiement des branches, d'être la millième ombre venue s'ajouter aux fantômes d'autrefois.

Et je sais pourquoi, en ce moment, je regrette si intensément de ne pas m'attarder dans les lieux traversés, de ne pas me livrer davantage au charme des rencontres. Parce que justement ce matin, en quittant Lamargelle où j'ai dormi dans l'unique hôtel du village, j'ai rencontré, dans le brouillard levant, trois jeunes gitanes en train de faire de l'auto-stop. Leurs silhouettes émergèrent de la brume, à côté de la station d'essence encore fermée, sombres et graciles, comme trois Parques adolescentes. La plus âgée courut vers moi (elle devait avoir seize ans à peine) et me demanda l'heure. « Je n'ai jamais l'heure, lui dis-je. — Alors, monsieur, comment vous faites pour la savoir? — Je la devine ou je m'en passe. — Où vous allez, monsieur? — Devant moi. Je marche. Je traverse la France à pied. » A cet instant, les deux autres se sont approchées. Brunes, fragiles, grelottant dans le froid de l'aube, avec des mines chiffonnées, des cheveux emmêlés (elles avaient dû dormir dehors, blotties contre le mur de la station d'essence, entre les carcasses des voitures) mais le regard vif, mobile, inquisiteur. Elles me regardaient — avec mon harnachement, mes gros souliers de toile, mon imperméable dernier cri et mon sac de couchage — comme un astronaute débarqué de quelque astronef invisible. Elles portaient, en tout et pour tout, un minuscule corsage tout fripé et des jupes longues et froissées. L'aînée avait une jupe plus courte laissant voir ses jambes minces, couvertes d'un fin duvet noir et je la détaillai, immobile devant moi, avec son corps grelottant, menu mais ferme et bien formé, les seins pointant drus sous le corsage comme des coings verts évoquant des odeurs de draps vierges dans les armoires paysannes. Elle soutint mon regard sans broncher (elle a l'air habituée, me dis-je, à ce qu'on la regarde ainsi, des yeux accoutumés au désir des hommes), et me détailla à son tour. « Partons, lui dis-je. Vous ne trouverez pas de voiture à cette heure. Où voulez-vous aller? — A Dijon. — Vous y serez bientôt. Ce n'est pas loin. A peine quarante kilomètres. Venez marcher pour vous réchauffer. » Nous sommes partis ensemble. Elles étaient pieds nus. Mes Pataugas, à leur côté, semblaient des bulldozers. Je pris la main de la plus grande, sans tourner la tête. Elle ne la retira pas. Je sentais ses doigts glacés, légèrement crispés.

Un peu plus loin, à un kilomètre environ, commençait sur la droite le chemin que je devais prendre, pour gagner la forêt. J'eus envie de les emmener avec moi, comme mes filles incestueuses. Elles ne semblaient pas apeurées. Je m'arrêtai à l'entrée du chemin. L'autre me regarda, sa main toujours blottie dans la mienne. « Oh! monsieur, me dit-elle, venez avec nous à Dijon. Il faut qu'on y soit tout à l'heure. Venez avec nous! » A cet instant, l'une des deux autres fit un signe à un camion qui venait d'arriver. Il s'arrêta. Une trogne hilare passa par la portière avant. « Elles vont à Dijon, dis-je au chauffeur. Prenez-les. — D'accord. Qu'elles montent à l'arrière dans la benne. Je n'ai pas de place devant. » J'hésitai un instant. Les deux autres, faisant la courte échelle, étaient déjà montées dans le camion. Je pris l'aînée par la taille, la hissai jusqu'au rebord. A cet instant, tandis que mes mains l'enserraient, juste sous ses seins, elle m'embrassa, me mordit le poignet avec une sorte de passion. Puis elle bascula dans la benne et le camion partit. Elle se releva, me regarda et me cria : « Merci, monsieur! Merci! » Et maintenant me voilà, assis sur ce tronc, au pied d'un orme, à penser à la route de Dijon, à la benne aux trois Parques, au fin duvet noir de ces jambes, à la main glacée que j'ai tenue juste le temps d'un kilomètre. Imbécile! pensais-je.

*

Les cultures recommencent, les champs s'écartent jusqu'à l'horizon, le plateau de Langres s'achève en ce paysage aux chaumes arasés, traversé de sentes et de parfums. A cet étirement, à cette ordonnance nouvelle qui rejette les arbres et exalte les blés, on devine l'approche de lieux habités, d'une route importante, inscrite à l'horizon en ces maisons alignées contre les peupliers. Des corneilles tournoient dans le ciel comme une bourrasque de plumes et de cris tandis que je descends vers cette route dont les autos bourdonnent au loin. Où sont mes trois gitanes? Pourquoi ne les ai-je pas suivies? Je m'en veux et me sens de mauvaise humeur. Je ne suis pas seul à l'être d'ailleurs car à Chanceaux — où je m'arrête dans un café sur le bord de la route, dehors, en plein soleil pour étirer mes jambes — je vois surgir, hors d'elle-même, une fille ronde et blonde, trimbalant, houspillant un marmot silencieux mais au visage noyé de larmes. « J'arrive en pleine tragédie matinale, me dis-je. Que se passe-t-il dans ce café? — Qu'est-ce que vous voulez? me crie la harpie. — Un sandwich au saucisson avec du beurre et un verre de rosé, si je n'abuse pas. » Elle disparaît avec son mioche sans dire mot. Une vieille femme sort à cet instant du café et s'assied à ma gauche. Elle marmonne entre ses gencives édentées des invectives que je ne comprends pas. La fille revient en ouragan, un sandwich dans une main et le marmot dans l'autre. Elle en profite pour foudroyer la vieille du regard. Un bref dialogue s'ensuit où je crois percevoir le conflit des générations à propos de l'éducation des enfants : « Ce gosse est toujours fourré dans le hangar, dit la vieille. Pas étonnant. Il s'ennuie dans ton café. Un café, c'est pas pour des enfants. — Il s'ennuie pas du tout, hurle l'autre. Il s'y plaît car il est très bien avec nous. Il va dans le hangar parce qu'il y a des traîneries. » J'entends ce mot pour la première fois, employé dans ce sens. Une traînerie, dit savamment le dictionnaire, c'est le fait de laisser traîner les choses dans le temps, de faire durer, de traînasser. Ici, sur les lèvres de la blonde mégère, il veut dire laisser traîner dans l'espace, laisser ici et là des choses qui traînent, tout ce fatras qu'on trouve toujours dans les terrains vagues, les cours ou les hangars. Je m'émerveille de ce mot, cueilli sur cette bouche coléreuse comme une fleur insolite. C'est ainsi que vivent les langues, qu'elles évoluent, qu'elles créent des mots nouveaux ou renouvelés. Je me prends à rêver sur tous ces mots possibles que le français dit correct n'utilise ou n'invente jamais. Et j'imagine déjà un lexique des mots *potentiels* de la langue française, grâce à cette *traînerie* entendue ce matin, après l'amour perdu des trois gitanes.

*

Me voici enfin (par un matin gris et lourd avec des nuages bas, pressés, dirait-on, de crever et de tout inonder), me voici au sommet du mont Auxois, sur le site d'Alésia, rêvant ou m'efforçant de rêver à nos ancêtres les Gaulois. Ici, tomba Vercingétorix, encerclé par les légions de César. Ici prit fin l'indépendance de la Gaule. Ici se termina la liberté des hommes bleus. Leur liberté mais non leur esprit, leur sensibilité ou leur culture. Yeux bleus et cheveux blonds mis à part (car ils ne sont pas l'apanage des Gaulois) il y a encore en nous quelque chose de nos ancêtres, dans ces résurgences qui, périodiquement, marque notre refus ou notre détachement de la culture latine. J'en parle en connaissance de cause moi qui, depuis plus de vingt ans, ai épousé la Mère Méditerranée, tout en vivant intensément, dans mes choix et ma propre vie, l'aventure surréaliste. Entre le marbre et le granite, les grandes cités de pierre et les villages en bois, la domestication des ombres (par les cadrans solaires) et la liberté de la nuit, les dieux de marbre aux formes humaines et les statues de bois à peine dégrossies, les stèles d'une culture écrite et les chants sans cesse rechantés des cultures orales, entre Mycènes et Alésia, entre l'Acropole et Bibracte, rien ne paraît commun et rien ne saurait s'accorder.

Et pourtant, la France s'est faite peu à peu de ces deux mondes affrontés, comme griffons des armoiries, deux mondes qu'on lit encore quelquefois dans notre paysage (ou plutôt dans la façon dont l'homme l'a marqué) entre la piste du chasseur et la voie du commerce. La première a le tournoiement imprévu du gibier, se déplace loin des lieux habités, épouse le paysage comme une sente *à pas de lièvre.* La seconde est rectiligne, elle va de ville en ville par les crêtes ou les lieux dégagés, indifférente au paysage comme un trajet *à vol d'oiseau.* Et je me demande si, dans la distinction dont je parlais plus haut à propos de la notion de *tout droit,* si différente selon les êtres et les lieux, entre le cheminement qui suit le paysage à travers ses sentiers et celui qui le nie en coupant au plus droit, on ne retrouve pas ces deux mentalités longtemps contraires et que l'histoire a mêlées, métissées comme se recoupent et se mêlent sur les cartes les vieilles voies de transhumance et les routes modernes.

Mais trêve de réflexion et de morosité. Je ne suis pas venu ici pour pleurer sur nos ancêtre les Gaulois. D'autres l'ont fait bien avant moi avec des accents que je trouve un peu grandiloquents. Alésia est un site sans grandeur, sans âme, sans fantômes. Si l'on veut essayer de retrouver quelque chose des Gaulois, j'entends quelque chose que le paysage porte encore, même après tant de siècles, c'est à Bibracte qu'il faut aller, sur ce mont Beuvray dominant les plateaux du Morvan. Car Alésia, avec la grotesque statue de Vercingétorix à laquelle le sculpteur aurait donné les traits idéalisés de Napoléon III (idéaliser les traits d'un tyran, voilà une entreprise méritant un châtiment que Dante n'a pas prévu dans les cercles de son Enfer), Alésia ne nous offre que des vestiges gallo-romains. Les fouilles ont révélé une ville entière avec son théâtre, son temple, une crypte, une basilique, des ateliers et des fours d'artisans. A côté du théâtre, juste au début du plateau d'Alésia, on peut voir aussi, recouverts d'herbes au point qu'on a du mal à en lire le tracé, les vestiges du premier village gaulois, antérieur à l'occupation romaine du site. Est-ce défaite ultime, nouvelle humiliation que cette résurgence accordée aux ruines gallo-romaines, retournées, restaurées et par endroits presque ressuscitées, et refusée à celles des Gaulois sur les lieux mêmes de l'holocauste? Non, ce n'est pas à Alésia qu'il faut venir chercher leurs traces. Il faut les deviner en nous, dans cette part de nous-mêmes qui nous porte parfois aux défis insensés, aux expériences hasardeuses, à des quêtes ultimes.

D'ailleurs, tandis que je descends à travers le village d'Alise-Sainte-Reine, par ce matin maussade et que je bavarde avec deux ouvriers occupés à réparer une conduite d'eau, le présent se charge vite de m'arracher aux envoûtements du passé. Juste en face, sur le mur, j'avise deux affiches collées côte à côte par le hasard poète. Je lis sur l'une : ALISE-SAINTE-REINE. Dimanche 5 septembre. Messe solennelle, pèlerinage et représentation de la Passion de Sainte-Reine, martyre d'Alésia au Théâtre des Roches. Et sur l'autre : SEMUR-EN-AUXOIS. Dimanche 29 août. Sexy-boom avec élection de miss Mini-short.

La France n'est pas toujours le pays des coteaux ni des contrastes modérés. Réflexion faite, dimanche, j'irai à Semur-en-Auxois.

Sacy

Approche de Sacy. Rencontre avec un vieillard. Une enfance oubliée. Des racines retrouvéees. Le gout du vin burgonde.

Nitry-Sacy. Rétif de la Bretonne. Gens et coutumes du village. Un authentique écrivain-paysan. Pour un manuel de conversation citadin-paysan. Le maitre d'école. Le vieillard Brasdargent. Réflexions sur l'inutilité d'une longue vieillesse.

Habitants et amis d'aujourd'hui. Lucien Morin, conteur de la mémoire ancienne. Comment on marchait autrefois. Je repars seul vers le Morvan.

En débouchant de la hauteur qu'on appelle le Tartre, à quelques kilomètres de Vermenton, par le raccourci des crêtes et des forêts, on découvre en contrebas, au confluent de quatre vallées le village de Sacy. C'est là que j'habite aujourd'hui. C'est là que vivaient autrefois l'oncle et la tante de mon père. Cet oncle était artisan ébéniste et les anciens du village se souviennent encore du père Sarrazin, ancien compagnon qui avait parcouru à pied toute la France avant de revenir s'installer dans ce village. Il eut un fils, Ferdinand, tué à vingt ans à la guerre de 1914. J'ai retrouvé dans le grenier les lettres que sa mère lui écrivit au front et la dernière de toutes, qui revint au village avec, en travers, en grosses lettres, la mention fatidique, d'un humour involontaire et noir : LE DESTINATAIRE N'A PU ÊTRE ATTEINT EN TEMPS VOULU.

*

Sacy n'est pas très loin de Semur-en-Auxois : une bonne journée de marche, si on y part dès l'aube et si on ne s'attarde pas en route. Mais, pour une fois, je manquai à mon vœu de traverser toute la France à pied. De Semur, je pris un car pour Avallon d'où je téléphonai à Sacy pour qu'on vienne me chercher en voiture. Cette région, je la connais depuis des années et j'avais hâte de faire halte chez moi et de me reposer quelques jours avant de repartir vers le Morvan.

Je n'habite entièrement Sacy que depuis six ans. Mais pendant des années, j'y suis venu régulièrement, dans la maison de mes parents d'abord puis dans celle, mitoyenne, qui est maintenant la mienne. Quand je n'avais pas de voiture, je venais par le train et descendais à Vermenton, distant de huit kilomètres. Et au printemps ou en été, quand le temps était beau, je me rendais à pied jusqu'à Sacy, en coupant par les crêtes. Le chemin grimpe le long des vignes, sitôt quittée la route nationale, et longe la crête des collines, à travers des forêts de pins. On dépasse la côte de Chante-Merle puis, arrivé en haut du Tartre, on coupe le Vau Rainin pour suivre un minuscule sentier au-dessus de la côte des Prés qui aboutit au cimetière. Le village apparaît dès le haut de la côte et chaque fois j'éprouvais une joie indicible à guetter cette apparition au débouché de la forêt.

J'ai aimé ce village du premier jour où je le vis, entre autres pour une raison fort simple. La première fois que je m'y rendis pour voir la maison que ma grande-tante, à son décès, avait léguée à mes parents, je vins à pied par cette route des crêtes, afin de mieux connaître la région, de mieux découvrir le village. C'était un jour de juin ensoleillé. La forêt regorgeait de lumière et d'oiseaux et j'avais l'impression, par moments, d'être le premier à fouler ces mousses, ces aiguilles tant cette forêt semblait déserte et sauvage. En arrivant au village, dans l'unique rue qui le traverse, j'avisai un vieillard assis seul au soleil sur un vieux tronc d'arbre équarri. « Bonjour, lui dis-je. Je cherche la maison d'Henriette Menant. Où est-elle? » Il me regarda longuement, un sourire malicieux dans les yeux et me dit :

« C'est bien toi, Jacques? » Je n'en revins pas. Comment ce vieillard pouvait-il me connaître? « Tu ne te rappelles pas. Tu étais trop jeune. Je suis le père Delphin. Tu venais en vacances ici, tout petit et je t'ai souvent pris sur mes genoux. Je t'ai reconnu depuis l'église. Celui-là, c'est Jacques, je me suis dit. Tu marches exactement comme ton père et ton grand-père. » De ce jour, j'ai aimé Sacy pour l'accueil et le sourire de cet homme. Après tant d'années de voyages et d'absence, il venait de m'ouvrir toutes grandes les portes d'une enfance oubliée.

*

Pendant près de vingt ans, je me suis senti sans racines. Je me voulais ainsi, sans autres attaches en ce monde que pour des liens ou pour des lieux librement choisis. Ces liens, ces lieux, ce furent surtout ceux de la Grèce. J'y ai vécu, séjourné des années. Parfois, allongé sur des rochers brûlants ou à l'ombre des arbres, je regardais la mer trembler sous le soleil, les murs éblouissants des maisons passées à la chaux, et il m'arrivait alors de penser à Sacy comme à un pays très lointain, un peu étrange, en tout cas étranger à mes goûts, à mes préoccupations du moment. C'est ici que je suis né, pensais-je, en Grèce. Je suis un enfant du soleil, de la chaleur, des terres sèches et brûlées, de la mer tiède. Je ne suis pas un enfant des forêts. Aujourd'hui, après plusieurs années d'absence (d'absence de la Grèce où je ne suis plus retourné depuis huit ans *) je sens que ce village et ce terroir, ce minuscule finage entre quatre vallées, entre la Cure et le Serein, instillent peu à peu en moi leurs vignes, leurs forêts, leurs pierres jaunes et tendres, comme un sang séculaire revenant dans des membres longtemps ankylosés. Demain je repartirai vers la

* Je viens d'y revenir enfin — en 1976 — mais ces retrouvailles égéennes n'ont en rien modifié ce que j'ai écrit ici de la Bourgogne.

Grèce ou ailleurs, en Turquie, en Égypte, dans ces pays que j'ai connus car ils me sont toujours indispensables. Mais j'y repartirai autrement, en quittant non un lieu de plaisance, mais un terroir retrouvé. D'ailleurs, mon corps même, ma peau se transforment ici. En Grèce, j'étais hâlé avec une peau tannée par la mer et par le soleil. Ici, je vois mon visage et mon derme prendre peu à peu les rondeurs et les profondeurs rubicondes de ceux qui nouent avec les vignes, l'air frais, la pénombre des caves des alliances charnelles. Dans ma bouche et dans mon palais, le bouquet jaune du chablis, la verdeur sèche de l'aligoté, le sombre tannin du gamay ont remplacé l'ambre clair du vin résiné, le sang épais du *mavrodaphni* (ce vin que j'aimais tant en Arcadie, noir, presque coagulé mais corsé, rugueux, un vin de fauve, pensais-je et quand je demandai son nom au paysan qui me l'offrait, près de Némée, il me dit simplement : ici on l'appelle *Sang d'Héraclès*). D'ailleurs en écrivant ces lignes, j'ai sur ma table un Chablis 1970, découvert récemment chez un vigneron ami *. J'en sirote quelques verres entre les phrases. Il a déjà un goût de vin vieilli, patient, qui raconte une tout autre histoire que celle des vins blancs de Grèce. Là-bas, à chaque gorgée, on a le goût des pins, des troncs écorcés, un lourd parfum de térébinthe très surprenant la première fois mais qui fait naître au fond du gosier la chaleur des broussailles et le cri des insectes, cet arrière-goût de musc qu'a le vrai résiné lorsqu'il a fermenté dans des outres de chèvre. Ici, c'est plus un goût de bois vieilli, travaillé, le goût d'ombre des lentes fermentations.

*

Longtemps, en raison des sources qui l'entourent, de sa situation au creux des collines, de ses vallées dont le sol

* Et, pour m'aider à relire et corriger ces lignes, à l'occasion de cette réédition, une bouteille de Chablis 1973.

retient l'eau, Sacy passa pour un village inhospitalier, insalubre, à côté de Nitry, le bourg voisin, situé sur un plateau calcaire, sec et sans marnes. Nitry-Sacy : leur histoire, comme tant d'autres, est celle de ces rivalités, de ces conflits, de ces différences infimes de mentalité, insensibles à quiconque y passe, mais évidentes, aujourd'hui encore pour quiconque y vit. Village de plateau — village de vallée; village de cultures — village de forêts; village rond, ramassé autour de l'église centrale — village étiré tout au long de la route, avec l'église à l'un des bouts. Rétif de la Bretonne, qui est né à Sacy (sa maison natale existe toujours face à l'église et la ferme de la Bretonne — dont il prendra le nom quand il se mettra à écrire — où la famille s'installera plus tard, en dehors du village, sur la route de Joux-la-Ville), Rétif a fait de ces deux bourgs des descriptions antagonistes et quelque peu forcées. Pour lui, Nitri (comme on écrivait à l'époque) a « un air pur, léger que procure la situation élevée d'une plaine bien découverte où tous les vents ont également la liberté d'agiter l'air » alors que Saci « jouit d'un air trop dévorant, à cause des collines multipliées dont son finage est coupé, plus agité et moins pur parce qu'un vallon de prairies où les eaux stagnent six à huit mois de l'année, envoie des vapeurs grossières et malfaisantes ». Même opposition, plus nette encore, selon lui, entre les habitants. Les gens de Nitri « sont naturellement enjoués et folâtres » alors que ceux de Saci sont « lourds, pensifs, taciturnes » *. Selon Rétif, la nourriture contribue également à former ces tempéraments contraires. Car à Nitri, où l'air est pur et agité, « les grains, le laitage, les œufs, la chair des animaux donnent une

* C'est une des manies de Rétif de voir partout un lien étroit entre la nature de l'air et l'esprit de ceux qui y vivent. Un air léger rend les gens enjoués et inventifs, un air lourd les rend taciturnes et bornés. De là, peut-être, vient l'expression : *les hébétés de Sacy* employé autrefois (plus rarement aujourd'hui) par les habitants des villages voisins.

nourriture saine » alors que « la voracité des Saxiates, qu'ils satisfont avec une quantité prodigieuse d'un pain noir peu cuit, où l'on a laissé le gros son, surcharge leurs vaisseaux d'un sang pesant qui circule avec une lenteur plus sensible chez les femmes ». Il faut croire, sur ce dernier point, que cette loi souffrait des exceptions, à en juger par la panoplie de nourrices, femmes et filles *tempéramenteuses* qu'il met à son actif de mâle, dès l'âge de onze ans. Il ajoute même à propos des femmes de Sacy : « Elles ont la plupart un son de voix hommasse, dur qui, joint à leur patois désagréable, à la difformité de leur accoutrement, en fait de rebutantes créatures. » J'ajouterai que sur ce point précis, les choses ont tout à fait changé.

Relisant aujourd'hui Rétif, je me rends compte que ce village n'a guère changé d'apparence depuis le XVIIIe siècle, exception faite pour ces fils électriques innombrables, posés en dépit du bon sens et qui fourmillent dans la rue du village. De même, les familles qui vivent encore ici portent toujours les noms cités par Rétif : Boujat, Bourdillat, Champeaux, Carré, Dondaine, Rétif. Beaucoup de coutumes anciennes ont même subsisté jusqu'à la dernière guerre, comme la *vaine pâture,* terme qui depuis l'enfance m'a toujours enchanté et qui consistait à laisser les troupeaux du village, quel qu'en soit le propriétaire, paître librement dans les champs des uns et des autres, une fois les récoltes achevées. A l'inverse des philosophes de son temps qui écrivirent beaucoup sur la nature sans en rien connaître, Rétif savait exactement, lui, de quoi il en retournait car il fut le seul écrivain paysan de son siècle. Il en avait parfaitement conscience et savait combien les citadins d'alors — philosophes ou non — étaient loin de la vie rurale : « Tel Parisien, écrit-il, instruit des usages des Iroquois, ignore tout des usages français dans nos villages. » Cette phrase, il pourrait d'ailleurs la récrire aujourd'hui sans en changer un mot. Voilà longtemps (et pas seulement depuis que je vis à Sacy) que je suis frappé par l'ignorance grandissante des citadins à l'égard de la nature et du monde rural. Elle est d'autant plus frappante qu'on assiste depuis une décennie à une sorte de retour à la terre chez certains jeunes, retour qui la plupart du temps, en raison de cette ignorance, de cette naïveté à l'égard du monde naturel, se traduit par la déception et l'échec. Presque plus personne aujourd'hui (je parle de ceux qui vivent dans les villes) ne sait reconnaître un arbre, un oiseau, une fleur, un champignon et ne s'intéresse même à son existence. Cette méconnaissance, voire cette indifférence s'étendent au milieu humain et rural. Peu de gens aujourd'hui savent « lire » un paysage, observer la vie d'un village, regarder les outils, l'architecture, détailler les coutumes d'un milieu différent. Cette méconnaissance devient telle qu'il faudra éditer un jour un *Manuel de conversation entre citadin et paysan* exactement comme on le fait pour les voyages à l'étranger. Y figureraient non les phrases absurdes et grotesques qu'on trouve en général dans ces manuels comme : *J'aime cette jaquette. Pouvez-vous m'en faire une sur mesure?* ou *Demain nous irons en auto à Auteuil pour le Grand Prix de l'Hippodrome,* mais le minimum de notions et de concepts restés communs à un citadin et à un paysan et leur permettant de communiquer autrement que par gestes, de longues conversations sur le temps, des rudiments de vocabulaire agricole et rural *, bref, tout ceci pour préciser combien j'approuve et trouve plus que jamais actuelle la phrase citée plus haut de Rétif. C'est que ce dernier a grandi à Sacy, dans ces prés, ces pâtures portant toujours les mêmes noms : le Boupart, la Montgré, le Tartre, le Vau Franc. Il y a vu le travail des champs, écouté les contes des veillées, observé le parler

* Pour comprendre, par exemple, la différence entre une *pelle* et une *bêche* qui semble échapper à un nombre grandissant de citadins ou, plus subtile, entre une *hache*, un *merlin* et une *herminette!*

paysan et connu à onze ans dans le foin d'une grange (s'il faut en croire ce qu'il raconte) les premiers délices de l'amour. On lui doit des pages merveilleuses et savoureuses sur tout ce qui peut constituer la vie quotidienne — et même intime — d'un village au temps de l'Ancien Régime : coutumes de mariages, nourritures, patois, contes, jeux d'enfants, techniques de labourage, condition matérielle de la vie paysanne, on trouve tout cela alors qu'on le chercherait vainement dans toutes les autres œuvres de l'époque.

*

Je ne veux pas ici m'appesantir sur Rétif (avec qui je me sens, à mesure que les années passent, des liens plus forts et surtout d'étranges ressemblances : son hérédité paysanne, sa passion pour les femmes, son besoin forcené de justice, son amour des livres qu'il poussa jusqu'à les imprimer lui-même, sa curiosité débordante pour le monde qui l'entourait, son refus de tout dogme contraignant, de toute ornière mentale, bref un frère et un ancêtre et qui plus est du même village) et je ne citerai que deux extraits de ses nombreux livres (puisqu'il en écrivit près de deux cents) : *La Vie de mon père* et *Monsieur Nicolas.* L'un concerne l'école de Sacy, très vivante à cette époque car il y avait beaucoup plus d'enfants et de jeunes qu'aujourd'hui. Le maître s'appelait Jacques Bérault. En ce temps-là, explique Rétif, la dureté de la vie contraignait beaucoup d'habitants à faire plusieurs métiers. Aujourd'hui, tous les artisans demeurant à Sacy (il y a trois maçons, deux peintres plâtriers, un maréchal-ferrant) vivent uniquement de leurs activités. Du temps de Rétif, « point de professions exclusives : les Chevanne étaient maçons et vignerons, les Cornevin tisserands et laboureurs, les Costol laboureurs et cordonniers ». Le maître d'école, lui « travaillait à fendre l'osier ou à préparer des échalas en faisant lire les plus jeunes enfants dont il savait par cœur le syllabaire latin ». Le plus curieux pour nous était son mode de paiement qui dépendait du stade d'instruction des enfants. Il touchait « trois sous par mois quand les élèves n'écrivaient pas encore, cinq sous quand ils écrivaient. La communauté y ajoutait quinze bichets de froment et quinze bichets d'orge par an. Mais malgré cela, l'honnête homme avait à peine de quoi vivre ».

Certains habitants avaient évidemment des surnoms ou des sobriquets. L'un d'eux était un vieillard de cent cinq ans, surnommé Brasdargent, car, à cet âge encore, il était assez vigoureux pour soulever les gerbes et charger seul sa charrette. Ce vieillard impressionnait beaucoup Rétif, par son grand âge mais aussi sa sagesse et ses réflexions. Un soir — Rétif avait douze ans — tous deux rentraient vers Sacy par une nuit pleine d'étoiles. Et le vieillard lui dit : « J'aime une belle nuit ! Le jour me montre les ouvrages du Créateur. Mais la nuit me le montre Lui-même ! » Le père de Rétif disait d'ailleurs de Brasdargent : « Quand il parle, il me semble entendre un être au-dessus de l'humanité, un être qui n'est déjà plus de ce monde et *qui a commencé son éternité.* »

Ce même vieillard fit un jour une réflexion pleine de sagesse sur l'inutilité de la vieillesse. Rétif et lui marchaient sur la route et le garçon lui dit : « Quelle chance vous avez, père Brasdargent, d'avoir vu tant de choses et de vous en souvenir ! » Le vieillard lui répliqua : « Mon enfant, n'envie pas mon sort ni ma vieillesse. Il y a quarante ans que j'ai perdu le dernier des amis de mon enfance et que je suis comme un étranger au sein de ma patrie et de ma famille : mes petits-enfants me considèrent comme un homme de l'autre monde. Je n'ai plus personne qui se regarde comme mon pareil, mon ami, mon camarade. C'est un fléau qu'une trop longue vie. Je vois commencer la cinquième génération. Il semble que la nature ne veuille pas étendre si loin notre sensibilité. Ces arrière-petits-enfants me semblent des étrangers. De leur côté, ils n'ont aucune attache pour moi; au contraire, je leur fais peur et ils me fuient. Voilà la vérité, mon cher petit, et non les beaux discours de nos bien-disants des villes à qui tout paraît merveille, la plume à la main! » Rétif, ici, le fait évidemment parler selon son propre cœur. Mais on sent que cette idée vient du vieillard, non de l'imagination d'un enfant ou d'un adulte : l'inutilité de survivre à la mort lorsqu'on survit *seul*. On ne devient pas ainsi un patriarche mais un monstre, un homme hors de l'humain. Il n'est — il ne peut être — de survie ni d'immortalité que collectives.

*

Sacy comptait donc autrefois des philosophes en herbe et en épi et maints autres habitants à la personnalité curieuse ou attachante, dont Rétif dresse la liste dans ses souvenirs de jeunesse. Cette tradition n'est pas morte. Il y a toujours à Sacy et dans les environs des artisans, des paysans, des vignerons dont la personnalité, les réflexions, l'esprit, l'humour surtout rappellent étonnamment les traits rapportés par Rétif. L'un d'eux, Lucien Morin, à qui j'ai dédié ce livre ainsi qu'à Marcel Champeaux, ancien cordonnier de Sacy, aujourd'hui retraité et dont la cave est l'une de mes adresses permanentes à Sacy, Lucien Morin est la mémoire vivante de son village. C'est un conteur né, qui se souvient parce qu'il aime se souvenir, qu'il aime observer et savoir et qui détient en lui un trésor d'histoires, de chansons, d'anecdotes, de souvenirs. Dans sa cave, profonde, grande comme une crypte où se célébreraient de profanes agapes (cave dont il faut préciser qu'elle est emplie d'un vin réservé à sa maison et aux amis pour le boire en bavardant et non pour l'acheter car il n'est pas vigneron, il est homme de vigne, ce qui n'est pas la même chose), dans cette cave, j'ai passé bien des heures à écouter ses récits, ses réflexions, toute la mémoire vivante d'un village. Se souvenir du passé n'a évidemment rien de remarquable. Mais il est plus rare, déjà, que la mémoire ait conservé, dans sa nature, la forme orale, qu'elle soit mémoire des proverbes, des dictons, des chansons (les chants des flotteurs de bois de la Cure, par exemple, qui jusqu'au début du siècle — *au temps où Vermenton était un port* pourrait-on dire comme dans les contes — convoyaient le bois du Morvan jusqu'à Auxerre par flottage sur la Cure et sur l'Yonne) en un temps où les livres, les informations de la radio, la routine des bruits saturent l'oreille ou l'atrophient selon les cas. L'oreille qui fut longtemps, plus que les yeux, l'organe royal du souvenir.

Justement, avec Morin, en parlant un jour de la marche, il me citait des faits, des habitudes qui aujourd'hui feraient figure de prouesses. Exactement comme au temps de Rétif qui, à plusieurs reprises, donne, quant à la marche, des chiffres à faire frémir le plus aguerri des randonneurs. Il était courant à l'époque de se rendre à pied de Sacy à Paris lorsqu'on était pressé. Car le coche d'eau qui partait d'Auxerre — long bateau plat, peint en vert, aménagé en cabines et pièces successives pour les voyageurs, le commis de l'administration, la vivandière, les nourrices (elles avaient une pièce réservée) et les mariniers conducteurs — mettait quatre à cinq jours pour se rendre d'Auxerre à Paris, tiré par des chevaux. Le père de Rétif, lui, mettait exactement trois jours, soit dix-huit lieues par jour (environ 70 kilomètres). Et Rétif précise : « Dans la vigueur de l'âge, mon père a fait plusieurs fois à pied en un jour les vingt-deux lieues qu'il y a de Sacy à Dijon (88 kilomètres). A soixante-quatorze ans, il allait à Auxerre et en revenait le même jour : c'est à quatorze lieues à pied. Voilà des hommes! On dit que la nature dégénère. Ce n'est donc qu'à la ville. » Curieux aussi l'équipement qu'il fallait revêtir pour marcher sans tremper ses provisions de route et ses affaires. Personnellement, j'ai traversé toute la France avec sur moi un pantalon de gros velours qui résista vaillamment à toutes les intempéries, un tricot de corps ou une chemise écossaise et un pull-over. Dans mon sac : un autre pull-over, un tricot de corps, une chemise de coton, deux paires de chaussettes. Et l'imperméable *dernier cri.* Rien d'autre. Lorsqu'on marche, il est inutile de vouloir faire le dandy. Pas de cravate donc ni de chemises fines. Ni de veste. Les sacs à dos n'ont jamais été faits pour conserver au linge ni la blancheur X ni le repassage Y. Rétif, lui, partait sur les routes beaucoup mieux loti que moi, en fin de compte. Dans une peau de chèvre à l'épreuve des intempéries, il portait, un jour qu'il regagnait Paris à pied depuis Sacy, tout un lot d'affaires de ville soigneusement pliées : « Nous partîmes à la pointe du jour, écrit-il, nous étions en sarrau de toile grise, en guêtres, sans bas, chaussés de souliers à triple semelle garnis de clous, un bâton à la main, un sac sur le dos dans lequel étaient six chemises grossières, quelques cravates, des mouchoirs et des bas de fil pour les dimanches. »

Des bas de fil pour les dimanches! Voilà ce qui m'a manqué dans mon sac. Quand, dans la cave de Morin, au cours de ma brève halte à Sacy, je lui ai dit : « Je serai absent quelque temps, je repars demain sur la route, je vais vers le Morvan », il s'écria : « Si j'avais du temps, je viendrais avec toi. Deux ou trois jours. Ça me plairait de marcher comme ça. Et puis, avec toutes les relations que j'ai dans la région, on ne manquerait ni du boire ni du manger! »

Marcher avec Morin! Oui, on aurait formé un couple de chemineaux étranges à la mode d'autrefois. Lui, corpulent, visage coloré, exubérant, toujours joyeux, chantant d'une voix tonitruante sur les chemins. Moi, à côté de lui, compagnon moins corpulent peut-être mais tout aussi joyeux. Le lendemain, tandis que je marchais dans la forêt au Duc, en débouchant au Vieux Dun et en découvrant les hauteurs bleutées du Morvan, je pensai : dommage qu'il ne soit pas là. Car à nous deux, lui la main à charrue et moi, la main à plume, nous aurions fait un seul poète.

Du Morvan au Gévaudan

Sur le fil des chemins : une Ariane invisible. Hymne au laurier de saint Antoine. Les graffiti. Les buvettes, chaumières de la soif. La « Petite Halte » de Mézauguichard. Le Morvan : granite, digitale et fougères. Vieux Dun et le souvenir des Éduens. Échenaut : rencontre avec un Éduen. Les mots régionaux oubliés : un lexique de vent, de roc et d'eau. La poésie moderne et les poupées du langage. Montsauche. Des voitures dans la forêt. Glux-en-Glenne. Exode et déploration des villages. Bibracte et le mont Beuvray. Une mode ridicule : les majorettes. Rencontre avec la Loire. Les accidents d'auto et la fatalité moderne.

Arfeuilles. Une nuit a la Maison des Jeunes. Je suis un original. Le romancero des provinces : noms souvenus, noms oubliés. Le Bourbonnais, pays des sources. Épalle, hameau perdu. Les narses et les nerses. La Roche-saint-Vincent. Vision du pays ambivare : le vrai voyage commence enfin. Où il est de nouveau question de nos ancêtres les Gaulois. Lavoine. Visite a une mère nourricière. Histoire de Pion, hameau rebelle. Comment on y traitait gendarmes et huissiers. Réflexions sur la marche et le temps retrouvé. Réflexions sur la lecture et la marche, sur les digitales et la mort empourprée. Les Bois Noirs. Les croix de fer des colporteurs. Le puy de Montoncel. Hymne aux vents. Chabreloche : ici commence l'Occitanie.

Ambert. Le syndicat d'initiative. L'Éden du Livradois. Retour en arrière. Viscontat où l'on parle... français. Planchez-en-Morvan et le premier patois. Faubouloin, ancien lieu sacré. Vers Ambert. Réflexions sur les chiens et la France canine. Pierre-sur-Haute : le cœur blanc du Forez. Les colchiques ou safrans des prés. Une visite au moulin Richard-de-Bas. Une famille de transhumants. Une nuit dans une jasserie. Les paysans et la nature. Rencontre avec un berger. La prière du pastoureau. Le berger et le garagiste.

Les villes traversées, des haltes fastidieuses. Réflexions sur la nourriture des chemins et la gastronomie française. Le blason des routes. Un voyage en télègue. Ennui et découragement. De Marsac a Brioude, le pays de Gaspard des Montagnes. Mort et résurrection de Saint-Bonnet-le-Bourg. Un artisanat retrouvé.

Un chant matinal : l'appel aux bêtes. Rencontre avec une fermière de Vazeilles. Histoire des routes et de l'errance. Ambulants, divagants, nomades et sédentaires. Marcher : être prophète? La Vierge de Montmeyrol. Les floraires. Védrines. Le Gévaudan. Planèzes, dévèzes et grèzes. Saint-Flour. Les Pénitents Blancs de Marsac.

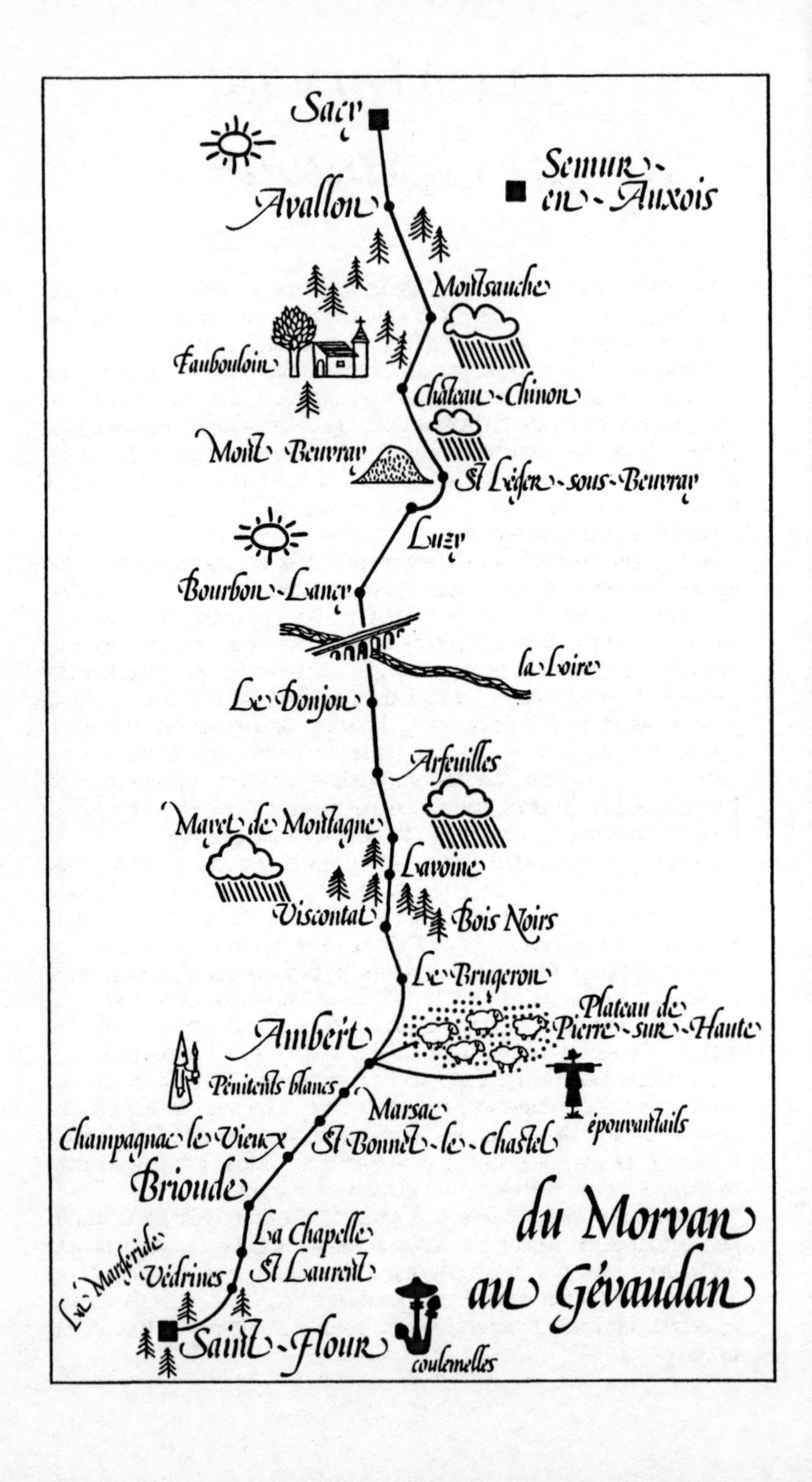
Sacy
Semur-en-Auxois
Avallon
Montsauche
Faubouloin
Château-Chinon
Mont Beuvray
St Léger-sous-Beuvray
Luzy
Bourbon-Lancy
la Loire
Le Donjon
Arfeuilles
Mayet de Montagne
Lavoine
Viscontat
Bois Noirs
Le Brugeron
Plateau de Pierre-sur-Haute
Ambert
Pénitents blancs
Marsac
épouvantails
Champagnac le Vieux
St Bonnet-le-Chastel
Brioude
La Chapelle
St Laurent
La Margeride
Védrines
Saint-Flour
coulemelles
du Morvan au Gévaudan

Ne peut-on être las d'un paysage? Las des collines, des arbres, d'une terre qui s'émeut à peine, d'une géologie arasée par des millénaires de sagesse schisteuse, de platitude calcaire? Regarder le paysage français, tel que je l'ai fait depuis les Vosges, c'est feuilleter un livre ancien aux pages très jaunies, tenter de saisir, dans les courbes de l'horizon, le lieu des anciens combats, des vieilles hargnes de la terre. C'est arriver très tard sur un sol assagi. Ce sol est bon pour le marcheur : que ferais-je de gorges infranchissables, de pics inaccessibles? Mais il oblige à deviner, retrouver ses formes enfouies, brisées. Marcher des Vosges jusqu'en Bourgogne, c'est faire l'apprentissage d'horizons presque plats, appréhender de grands espaces plus ou moins dénudés qu'il faut meubler du temps répété de ses pas.

Et sur ces terres assagies, morcelées avec parcimonie, où alternent régulièrement bois et labours — et, çà et là, par exception, quelque grande forêt livrée au silence des oiseaux ou aux colères des tronçonneuses — j'ai rencontré jusqu'à présent des gens aimables mais un peu ternes, des silhouettes patientes mais souvent résignées, des inconnus peu soucieux de connaître. La marche a ceci d'imprévu qu'elle favorise — mais limite en même temps — les rencontres. On traverse la France au long d'un sentier ténu, dans un espace réduit à ce que les jambes parcourent plus qu'à ce que les yeux embrassent. Des hauteurs dégagées, je regardais souvent l'horizon, avec ses moutonnements, ses forêts, ses labours ou ses prés comme un Éden à parcourir. Mais très vite l'immensité faisait place à l'étroit d'une vallée, au fouillis d'un bois chaviré par le vent, à un chemin qu'il fallait suivre coûte que coûte et qui vous prive de tant d'autres lieux à connaître. En écrivant cela, je pense à ces oiseaux — si nombreux — qui passent toute leur vie dans un territoire pas plus grand qu'une chambre alors qu'avec leurs ailes, ils pourraient parcourir le monde. Tels sont nos pieds, pour nous, hominiens : des instruments locomoteurs régis par les sentiers qu'eux-mêmes ont tracés.

Plus tard, j'ai appris à aimer ces contraintes, à élire sur la carte un chemin précis, entre mille autres, à ne plus regarder tous ceux qui bifurquaient vers d'autres horizons. Aussi, sur le seuil du Morvan, me disais-je que désormais il me faudrait abandonner l'idée de tout connaître, tout parcourir, tout rencontrer, bref qu'il faudrait me laisser mener par ce fil impérieux des chemins comme si, des lointaines Corbières que je voulais atteindre, une Ariane invisible me tirait jusqu'à elle.

*

Ce fil pour l'heure, m'entraîne dans la forêt domaniale au Duc, au sud d'Avallon. C'est là, dans une laie partant de la route nationale, que j'ai repris l'itinéraire interrompu quelques jours à Sacy. Le temps est beau. La forêt résonne de chants d'oiseaux, du tac-tac régulier des picverts. Déjà, le sous-sol granitique se fait sentir à la végétation nouvelle qui surgit : fougères épaisses parsemant le sous-bois, grandes digitales pourpres ou mauves autour desquelles bourdonnent les insectes. Plus loin, je retrouve des touffes entières d'Antoinettes, de Lauriers de saint Antoine, mais, cette fois, couverts de graines blanches, ouatées, s'enroulant comme des comatules végétales, des aigrettes de nacre où jouent les rayons du soleil. J'aime ce que dit des épilobes ou des osiers fleuris — comme on les nomme aussi — le poète Gustave Roud : « Vers la fin juillet, le chasseur de chanterelles qui débouche de la sapinaie, tisonnant du pied dans la cendre des papillons bleus, voit soudain des épilobes fleurissants et défleurissants debout devant lui comme une troupe de petites filles en sarraux mauverosés, qui reprend souffle entre deux rondes. Mais s'il songe à masquer une chasse manquée par un naïf bouquet de diversion, qu'il ne compte pas sur eux : à peine cueillis, leurs hampes se fanent pour toujours. » J'en ai fait moi-même l'expérience, ce jour-là. Attiré par la magnificence de ces pétales mauverosés, de ces aigrettes dont le vent dispersait les graines, j'ai cueilli une tige fleurie, croyant la garder jusqu'au soir et je la vis se faner aussitôt, presque sous mes yeux. Cette beauté-là, ces pourpres, ces mauves, ces aigrettes enjouées, n'existent qu'enracinés, jouets du vent : ne les cueillez pas car aussitôt vous en tuerez l'éclat vivant comme les irisations des libellules qui s'évanouissent exactement à l'instant de leur mort.

Ainsi, sur ce chemin balisé de taches mauves et argentées, contrastant avec le vert intense des fougères, je sens de nouveau monter en moi cette joie, cette exaltation qui me saisissent parfois devant la liberté du voyage, la solitude, la vivante lumière de cette forêt habitée de couleurs. Une forêt de conte, de Chaperon rouge, mais sans loup noir à l'horizon.

*

Quand je marche ainsi dans ces forêts toujours désertes,

je me dis souvent : qui vient ici, qui passe par ici, à part des gardes forestiers, des bûcherons et, à l'automne, des chercheurs de champignons? Car je n'ai jamais, durant tout le voyage, rencontré le moindre promeneur en ces forêts, même au cours du mois d'août. Pourtant, des inconnus s'y aventurent quelquefois. Un peu plus loin, juste au bord de la Cure (rivière à truites, chantante et pure depuis que les tanneries qui la salissaient autrefois ont disparu de la région), j'avise une halte-refuge. Je m'assieds un instant et regarde les murs, faits de grosses planches de sapin. Et sur ces murs, je lis deux inscriptions que je recopie telles quelles avec leurs fautes d'orthographe :

A BAS LA CIVILISATION, MACHINE INFERNALE QUI NOUS PREND AU BERCEAU ET NE NOUS LACHE QU'AU TOMBEAU.

APRÈS NOUS AVOIR TORTURÉ DANS NOTRE CHAIR ET DANS NOTRE AME, ELLE NOUS EXTERMINE EN NOUS EMPÊCHANT DE PROCRÉÉ.

Et plus bas, de la même main :

MORT AUX JUIFS ET AUX CRÉTIENS LEURS CONTINUATEURS.

Même ici, près de cette rivière, dans ce lieu livré au chant des oiseaux, il a fallu qu'un imbécile épanche son cœur sanguinaire. Qu'a-t-il donc à vouloir *procréé,* cet idiot? Veut-il peupler le monde d'hébétés dans son genre, futurs anti-Juifs, anti-Arabes, anti-Indiens, anti-Autres, anti-Tout? Toutes les inscriptions que j'ai lues au cours de ce voyage, sur les murs des maisons, les cabanes, les rochers, les routes, les troncs d'arbre, étaient des appels à la haine. Depuis le MORT AUX JUIFS qu'on lit un peu partout en France (et jusque sur la grande poutre d'une grange abandonnée au cœur des Causses, ce qui dénote un acharnement peu commun pour aller graver sa haine sous les toits) jusqu'au : HALTE AU VIN BICOT qui couvre les murs du Midi, ou MORT AUX SIONISTES parfois recouvert avec rage d'une inscription : MORT AUX BICOTS (Messieurs, faites vos choix) et même, bizarrement, dans le Minervois, sur un rocher : MORT AUX CATHARES! Mais j'aurai l'occasion de reparler de cette bêtise étalée sur les murs qui livre le cœur anonyme de certains Français.

Juste au sortir de la forêt, je traverse le petit village de Vieux Dun. Vieux mot gaulois, *dunum,* qui signifie colline fortifiée, forteresse. De fait, il y a un oppidum, indiqué sur la carte, au nord de ce village. Mais la soif me prend et j'ai envie de continuer. Pas un seul café dans ce village bien peu gaulois. Par chance, à un kilomètre, en arrivant au minuscule hameau de Mézauguichard, je vois sur la gauche une maison tout ordinaire portant au-dessus de la porte : *La petite halte. Buvette.* Ce seul mot m'enchante. Je déteste le mot café qui n'a d'ailleurs aucun rapport avec ce qu'on peut y boire. Alors qu'avec *buvette,* on sait à quoi s'en tenir. Un endroit où l'on boit, conçu pour boire, pour *buver* a-t-on envie de dire, pour s'imbiber comme une éponge. A quoi le suffixe *-ette* donne un air guilleret, désinvolte qui empêche, le boire de tourner à la beuverie. Et puis ce suffixe *-ette* qui marque en français les diminutifs (alors que le suffixe *-ace* par exemple marque l'augmentatif, une rose, une rosette, une rosace — mais un endroit géant où l'on boirait jusqu'à plus soif pourrait-il en français s'appeler une *buvace?*) ce suffixe donne à la buvette une tonalité modeste et discrète. Leurs propriétaires sont bien souvent des gens âgés portant en eux cette même modestie. Dans un café, que fait-on? On *consomme.* Dans une buvette, on ne consomme jamais, on boit. A tous ces termes citadins et d'allure anonyme — bars, cafés, bistrots — elle oppose le charme de son *-ette*, la désuétude de ses tables et parfois la précarité de son installation. Elle n'est pas, comme les établissements des villes, une H.L.M. de la soif mais la chaumière des boissons fraîches, la chaumine où l'on se désaltère.

*

Ainsi en fut-il de cette *petite halte* au nom prédestiné. Modeste, si modeste que lorsque j'y entrai, encore ébloui de soleil, je crus m'être trompé. Je me retrouvai dans une salle à manger, avec une table unique et ovale où étaient assis des gens âgés. « Excusez-moi, dis-je, croyant interrompre une réunion de famille. Je cherche la buvette. — C'est ici, fit une vieille femme aux cheveux blancs. — Tenez, asseyez-vous », fit un des hommes en s'écartant. Je m'installai autour de la table commune, commandai une bière. Et les autres, sans plus se soucier de moi, continuèrent leur conversation. Elle portait sur la mort. Tous ces gens avaient au moins la soixantaine. Des retraités de la région, venus avec leur femme passer un moment au grand air. Ils avaient l'accent du Morvan, deux des hommes du moins, car le troisième, chauve, vêtu d'une chemise à fins carreaux avec une cravate noire, semblait plutôt un citadin aisé. La discussion allait bon train et deux clans s'opposaient : ceux qui se désintéressaient du sort de leur cadavre après leur mort (deux femmes surtout dont l'une parlait avec une voix douce, effacée, contrastant avec ce qu'elle disait : « Une fois que je serai morte, moi, je me moque de ce que je deviendrai. Mes enfants feront ce qu'ils pourront, ils me mettront où ils voudront. Je leur ai dit souvent : je n'ai pas besoin de fleurs. Quand on est mort, on se moque bien des fleurs! ») et ceux, les hommes principalement, qui ne s'en moquaient pas du tout. Le standing social s'imposait dans la mort comme dans la vie. Le citadin chauve avait pris toutes ses dispositions : « J'ai choisi mon caveau, ça fait longtemps et j'ai mis à ma banque tout ce qu'il faut pour l'enterrement, même le repas de funérailles. Je ne veux pas que mes enfants y soient de leur poche. Qu'est-ce que diraient les gens? Quand on a travaillé toute sa vie, c'est la moindre des choses d'être enterré décemment. Je ne veux pas laisser mon corps à la charge des autres. Pas de fosse commune, ça non! »

« Moi, ça me serait bien égal, chuchota la première vieille. Il paraît qu'on peut aussi se faire incinérer. Au fond, c'est pas plus mal et c'est plus propre. » L'horreur se peignit sur quelques visages. Le cercueil, la tombe, le caveau, les croix de marbre et les fleurs en plastique appartiennent inéluctablement, ici, au rituel de la mort.

« Se faire brûler, dit un des paysans après un long silence, ça se fait dans les Indes. Nous, on n'est pas des Indiens. »

Dehors, le soleil tape encore. Il doit être quatre heures. Je reprends la route jusqu'à Dun-les-Places. Le soir j'arriverai à Montsauche pour dormir, sous un ciel étoilé, dans une nuit riche de tous les parfums de l'été.

*

Longtemps le Morvan fut pour moi comme une tache d'encre sur un buvard : un pays dont les frontières changeaient sans cesse. Où commence-t-il, où finit-il exactement? D'après la carte récemment éditée par l'Office du Parc Naturel Régional, je vois avec surprise qu'il commence très au nord, à quinze kilomètres à peine de mon village de Sacy. Sa frontière nord suit en effet grosso modo une ligne qui passe, au-dessus d'Avallon par Savigny-en-Terre-Plaine, Montréal, Lucy-le-Bois, Sermizelles et Châtel-Censoir. Pourtant si on demande à des habitants de Lucy-le-Bois ou de Sermizelles où ils habitent, la plupart répondront en Bourgogne ou dans l'Yonne, jamais : dans le Morvan. A le parcourir d'ailleurs on éprouve immédiatement, instinctivement, le sentiment que le Morvan commence, en fait, là où débute le granite. Ses frontières actuelles sont plus administratives que naturelles. Car le Morvan, c'est avant tout du granite, des fougères, des digitales, des collines plus audacieuses, des éminences plus affirmées et un air différent de celles de la Basse-Bourgogne. Je l'ai senti, dès le premier jour de ma nouvelle marche, en quittant la forêt au Duc pour arriver sur les hauteurs du Vieux Dun : on est déjà entre 500 et 600 mètres. Les reliefs s'accentuent, les forêts s'épaississent, les ruisseaux et les rus pullulent. Certaines hauteurs sont suffisamment escarpées pour avoir longtemps servi d'abri et de refuge aux Éduens qui vivaient ici. Voilà, j'ai trouvé le mot : depuis hier, *je suis en pays éduen.* C'est cela pour moi le Morvan, avec le souvenir des prés mouillés de l'aube, des grandes forêts d'épicéas, de la folie multicolore des fleurs : du granite, un air vif et la terre d'élection de nos ancêtres Éduens. D'ailleurs, les Éduens existent encore : j'en ai rencontré. Peu, je le reconnais et, pour tout dire, un seul. A l'inverse des Gaulois, des plaines, les Éduens — comme les Arvernes — ont résisté plus longtemps que les autres à la conquête romaine. D'ailleurs, c'est très précisément sur l'oppidum de Vieux Dun, où s'élevait peut-être un sanctuaire éduen remplacé aujourd'hui par une chapelle de Saint-Marc, que fut exterminé le dernier îlot de résistance gauloise après la chute d'Alésia. Et il se trouve que c'est aussi dans cette région éduenne qui va de Vieux Dun à Montsauche, que pendant la dernière guerre la résistance des maquis a été la plus vive contre les Allemands. Au point que Dun-les-Places, Montsauche, et, plus bas, Planchez furent incendiées par l'occupant et que Dun-les-Places, où 27 habitants furent fusillés devant l'église (bâtie d'ailleurs, à ses frais, par un corsaire repenti qui s'y fit enterrer) a été appelé l'Oradour du Morvan. Faut-il voir là une coïncidence? Je ne peux m'empêcher de croire à ces résurgences de l'histoire qui tiennent moins aux lieux qu'aux hommes qui y vivent, ni de penser que tous les brassages, les bouleversements, les métissages du temps ont, çà et là, délaissé des îlots où quelque chose a survécu. Donc, et comme un fait exprès, c'est justement tout près de là, au pied du mont Beuvray, l'ancienne Bibracte — très exactement au hameau d'Échenaut — que j'ai rencontré un Éduen. Je venais d'y arriver, depuis le village de Glux, afin de trouver un raccourci pour gagner le sommet de Beuvray. J'entrai dans la cour de la dernière maison. Je vis une femme. « Attendez, me dit-elle. Je vais appeler mon mari. Il sait ça mieux que moi. » Elle appela et l'homme sortit d'une grange voisine. Un homme que je n'oublierai pas, avec un visage de serpe et de faucille, entaillé, creusé, martelé de reliefs où l'on devinait les os et une chair aussi dure que l'acier. Non, je n'oublierai pas ce visage paysan — terre cuite et yeux d'azur — ni sa voix, issue des tréfonds de son corps. Quand je lui demandai le raccourci du mont Beuvray, voici exactement ce qu'il me dit :

« Tu prends là, aux quatre sapins, tu suis la conduite, tu longes le réservoir et tu coupes aux deux pâtures. » Je m'expliquerai plus tard sur ces mots. Quand je les entendis, sortis de ce visage millénaire, j'eus l'impression d'entendre non un guide mais un très vieux barde.

*

Faisons un intermède éduen. Ici, en ce pays de granite, de sources, d'oppida et de digitales (et peu de choses ont dû altérer ce paysage, à part les forêts de conifères qui sont des créations récentes de l'homme) les Éduens étaient chez eux, répartis sur les hauteurs qui parsèment la région : Bibracte, leur capitale, Vieux Dun et, plus bas, perdu dans une belle forêt de hêtres et de chênes, l'ancienne acropole de Faubouloin. Opiniâtres, têtus, fiers comme tous les Gaulois mais versatiles aussi, capables de bouleverser alliances et projets en une nuit, alliés à leurs voisins les Insubres ou les Ambivares pour résister à l'invasion romaine, puis alliés aux Romains contre les Allobroges ou les Arvernes ou, plus tard, les Suèves et les Helvètes. Il est curieux de voir combien ces tribus gauloises, à l'image des cités grecques, — mais je ne fais là aucune découverte, bien au contraire — ont passé leur temps à s'entre-détruire, à se réconcilier, à reprendre la guerre, le tout grâce à des alliances compliquées — et toujours éphémères — avec Rome. Ces affrontements sans fin cessèrent le jour où Rome, lasse de régner en divisant, décida de régner en unissant tous les Gaulois dans la défaite. Et c'est justement le jour où César se résolut à les combattre toutes et où la partie s'avéra pratiquement perdue pour eux que les Gaulois, les Éduens entre autres, se rallièrent aux autres tribus et élirent à Bibracte, l'acropole éduenne, Vercingétorix pour leur chef commun. Voilà ce que plus haut, à propos d'Alésia, j'appelai le besoin des défis insensés : se faire la guerre entre tribus quand la résistance est possible et s'unir comme un seul homme le jour où elle n'a plus de chances de victoire et disparaître à jamais de l'histoire. Disparaître en tant que communautés constituées, qu'ethnies distinctes. Non en tant que cultures. Je persiste à croire que la Gaule n'est pas tout à fait morte mais qu'il faut aujourd'hui la rechercher ailleurs que sur ces oppida recouverts de fougères et de ronces : en certains visages et, si l'on s'en donnait la peine, à mille détails auxquels on ne prête guère attention : une façon de tenir un outil, de marcher, de s'asseoir, parfois même de parler et, qui sait? une certaine façon de hocher la tête et garder le silence.

*

De Montsauche au Beuvray, le Morvan n'est qu'une grande forêt. A deux reprises, trompé par les reboisements qui ont effacé toute trace des chemins, je me suis égaré sur des pentes tapissées de hautes et coupantes fougères, enchevêtrées de ronces et couvertes de jeunes épicéas. Cette manie de tout reboiser avec des conifères transforme — plus peut-être encore qu'un urbanisme sans âme et sans cœur — le visage de la campagne française. Aujourd'hui, ce ne sont plus seulement les villes, les habits, les coutumes et les Français qui s'uniformisent, mais les forêts elles-mêmes.

Là où il n'y a pas de forêts, on découvre un paysage de prés enclos réservés au pâturage. Il y a peu de cultures par ici. La région est devenue un pays d'élevage, les vaches laitières ayant remplacé ces nourrices si recherchées des mères parisiennes et qui furent au siècle dernier la « spécialité » du Morvan. Champs, prés enclos entourés de haies hautes et vives appelées ici des *bouchures,* interrompues çà et là par des passages que l'on nomme *échalliers*. Je cite ces termes non pour paraître docte mais parce que peu à peu, au cours de cette marche dans la campagne française, je me suis aperçu que j'ignorais tout des noms que donnent, partout, les paysans aux choses de leur vie quotidienne. C'est surtout à partir de l'Auvergne que ces noms, touchant le paysage, les maisons, les matériaux, les plantes (et qui ne sont pas du patois mais des mots français régionaux), se mettent à proliférer. Et on ne peut rester insensible, en dehors de leur contenu utilitaire, à ia beauté ou à la saveur de ces mots. Ils expriment beaucoup plus que la musique de leurs syllabes : ils dévoilent un regard différent, une expérience irremplaçable face au paysage que l'on regarde ou face à la terre qu'on transforme. A côté des termes savants, du glossaire propre aux géographes, émerge un glossaire parallèle, un lexique insoupçonné où sont nommés, inventoriés, les moindres accidents d'un paysage, les reliefs et les creux d'un sol, les caprices des rus et des fleuves, les tragédies du vent ou le mystère des gouffres. Ce lexique, je l'ai découvert au fil des jours en parlant, en écoutant, en lisant des brochures locales et je m'aperçois aujourd'hui, en écrivant ce livre, que je ne le retrouve dans aucun dictionnaire, et dans très peu d'œuvres écrites. Cela est proprement incroyable dans un pays qui passe à la fois pour le plus littéraire du monde et qui s'est longtemps voulu et proclamé celui d'un peuple paysan. Je rêve d'un Dictionnaire du paysage français qui recueillerait avant qu'ils ne disparaissent tous ces mots décrivant notre sol, nos fleuves, nos montagnes, nos herbes, nos maisons et qu'aucun dictionnaire (je précise même : ni le Larousse Encyclopédique, ni le Robert en 7 volumes) ne mentionne, à quelques exceptions près. Et à mesure que je les découvrais, ces mots nouveaux ont commencé de chanter sur ma bouche : *bétoire, capitelle, bout du monde, bouzigue, bâtardis, cheire, doline, dévèze, feigne, fleurine, garissade, griffons, gâtine, groize, lavagne, narce, restanque, roubine, sombre, salobre, tindoul, tioulassé, varaigne*. Je cite ici les plus courants qu'on parvient encore à trouver dans certains dictionnaires mais (sans le moindre effort et en notant simplement ce que j'entendais ou lisais dans les journaux locaux) j'en ai recueilli plus de deux cents qui ne figurent dans aucun lexique.

Beaucoup de lecteurs m'ont écrit pour me les demander. Mais pour les contenter il faudrait que je copie moi-même intégralement les pages du dictionnaire imaginaire dont je parlais plus haut! Disons qu'à ceux déjà cités j'ajouterai ici pêle-mêle et sans vouloir en donner des définitions détaillées, car c'est avant tout leur musique qui m'attire : *agouille, barvoller* (terme pour voltiger : *il barvolle de la neige*, dit-on encore dans la Beauce) *boulbène, bioulade* (terme de la région de Toulouse pour désigner une *peupleraie*, une plantation de peupliers) *barriade, bourrine, censive, chouroun* (nom des *avens* dans le Dévoluy) *chaplis* (équivalent auvergnat du *chablis* bourguignon qui désigne un bois abattu, maltraité par le vent ou tombé en vétusté) *cingle* (falaise formant corniche dans les Causses) *canolle, chaleil, couderc, chalandière, chaintre, dévens, draille* (sentier de transhumance qu'on dit aussi *pégaille, carraïre, alchoubide*) *écraigne, fondis, faïsses, frairie, gonelle, gagnerie, gâtine* (terre noyée par la pluie) *lize* (limon fertile en Aquitaine) *mardelle, mouillères, meigle, planèze, planiol, placître, saligue, soubergue* (plaine surélevée dans le Languedoc) *sansouire* (Camargue), *tuech* (cabane roulante de berger dans les Causses), *turcie* (levée au bord d'un fleuve — Val-de-Loire), *tombole*...

Quel poème ne pourrait-on écrire avec ces mots, j'entends un vrai poème, utilisant leur chair séculaire, non, bien entendu, un texte folklorique! C'est un lexique d'herbes, des phrases de roc et de vent, un livre qui vit et chante bien loin de nos oreilles habituées au franglais, un livre qu'on ne peut découvrir qu'en le cherchant sur les chemins, dans les cafés des vieux villages, sur les lèvres d'un paysan vous expliquant la route à suivre. Pourquoi la poésie moderne tourne-t-elle délibérément le dos à cette chair du langage, elle qui croit remonter aux sources du poème, découvrir la vie des mots en désarticulant, fragmentant, émiettant, pulvérisant les textes, comme si on pouvait découvrir le secret du temps en démontant simplement une horloge! En ressassant ces mots, je me dis une chose fort simple : ils ont servi à désigner à l'origine des choses familières, nécessaires ou simplement présentes quotidiennement aux yeux et aux oreilles mais ils peuvent survivre en dehors de ces choses, le jour (déjà proche) où elles cesseront d'exister. Ceux qui les ont inventés, murmurés, modifiés dans le cours des siècles, ceux-là sont d'authentiques poètes dont jamais nous ne saurons les noms puisqu'ils ont su créer des mots pérennes, des mots qui peuvent vivre en dehors même des choses qu'ils désignent. Donner la vie aux mots, en créer au besoin qui soient ensuite indispensables à ce qui constitue notre vie, me paraît être une tâche aussi poétique que de désarticuler les mots à l'infini — ou plutôt vers un *fini* presque immédiat puisque au-delà des simples lettres, il n'y a rien que ce néant d'une poupée réduite à sa cire et à ses brins de paille linguistiques.

En tout cas, dans tout le cours de ce voyage, ce sera pour moi une des découvertes essentielles des chemins que ce surgissement de mots inconnus — aujourd'hui retrouvés — ces poèmes de terre et d'eau sourdant de la mémoire ancienne.

*

A peine hors de Montsauche, le chemin d'Ourroux s'engage dans une forêt que je ne quitterai guère de toute la journée jusqu'à Planchez. Frondaisons ininterrompues de hêtres, de chênes et de charmes. Et partout, balisant le sentier de leur mauve et de leur écarlate, les épilobes et les digitales dans le vert des fougères. Non, je ne quitterai guère cette forêt mais je n'y verrai pas un seul animal et pratiquement aucun être humain. Si ce n'est un paysan, près du hameau de La Verrerie, à qui je demanderai mon chemin et qui me fera cette réponse : « Le chemin du Bois Villiers? Mais personne ne le prend plus jamais. On ne va pas dans ces bois-là. Et si vous vous cassez une jambe, qui ira vous chercher? » Une telle idée ne m'était jamais venue depuis que je marche. Non l'idée que je puisse me fouler un pied, me faire une entorse ou même me casser quelque chose, mais surtout l'idée que personne, en fait, ne viendrait jamais me chercher. De fait, ce chemin, infréquenté depuis des années, finit par se perdre complètement et je tournerai en rond une bonne heure au milieu des fougères, des ronces et d'un tas de plantes dont le nom, pour l'heure, m'importe peu. Le vieux avait raison, me dis-je. Personne ne passe jamais ici. Par contre, à mi-chemin, dans une vague clairière, je tombe sur un cimetière de voitures. Elles sont là, dans le silence de la forêt, entassées, renversées, avec tous les tons du fer et de la rouille. Le spectacle est si curieux que je pose un instant mon sac pour flâner au milieu de ces carcasses disloquées. En plusieurs d'entre elles, la nature a repris partiellement le dessus : des fougères, des digitales, des pruneliers sauvages poussent au milieu d'un moteur, à travers une portière ou un toit éventré. Maigre victoire : l'acier reste l'acier et aucune plante, aucun insecte vorateur ne viendront jamais à bout de ces carcasses. Car ces voitures, fragiles et éphémères quand elles doivent rouler (puisqu'elles sont destinées à être remplacées), deviennent brusquement inusables, immortelles, dès qu'elles ne servent plus à rien. Elles n'ont pas comme nous un squelette friable. Elles ne sont pas poussière pour retourner à la poussière et aucun prophète automobiliste, aucun dieu motorisé n'a jamais dit aux voitures : vous n'êtes que scorie et vous retournerez à la scorie. Pourtant, quand on les regarde de près, ainsi éventrées, dépouillées de leurs forces vives, de leur substance motrice (et, en les regardant ainsi, je pensais à ces instants passés sur l'asphalte des routes à me pencher sur les milliers d'animaux tués par ces voitures en me disant : piètre revanche que de voir maintenant ces monstres réduits à l'état de fossiles éternels), quand on regarde de près leurs entrailles rouillées, exsangues dans le vent comme charognes rouges, on leur trouve d'étranges ressemblances avec les corps d'êtres vivants : ces yeux vides des phares, ces nerfs des circuits électriques dont les fils arrachés serpentent ici et là, ces intestins des housses. Mais de tous ces viscères aucun jamais ne pourra se décomposer, ne subira les transformations salutaires de la mort. Les voitures mortes ignorent les métamorphoses de la pierre ou du bois et leur métal inerte ne connaît pour destin que cette absurde, cette inutile pérennité.

*

La grande déploration paysanne, la plainte sempiternelle sortie des bouches vieillies, des silhouettes courbées, c'est à Glux-en-Glenne que je les ai surprises pour la première fois. Des Vosges jusqu'à la Bourgogne (était-ce en raison de l'été, de l'afflux des vacanciers mettant un peu d'animation dans la torpeur habituelle des villages, des travaux de la moisson qui ne laissaient prise à la réflexion?) je n'ai guère entendu de plaintes. Dans les campagnes, on le sait bien, rien ne va jamais comme il faudrait. Mais entre la vie idyllique où paysannes et paysans se baigneraient dans les fontaines de Jouvence et le sort misérable qui fut le leur pendant vingt siècles, il y a toute une gamme de nuances qui raconte en couleurs l'histoire de nos campagnes. Jusqu'alors, je n'avais guère éprouvé le sentiment, si vif par la suite et de plus en plus net à mesure qu'on descend vers le sud, que certains villages se mouraient lentement. Mais dès qu'à partir de Château-Chinon, on aborde la partie la plus granitique et le cœur montagneux du Morvan, on voit les villages s'espacer peu à peu, leurs habitants les déserter. Le grand exode paysan commence ici, dans ces hameaux fichés sur les pentes du Haut-Folin et plus loin jusqu'au début du Bourbonnais. En eux, ce n'est pas tant la pauvreté qui frappe — car cette région n'est pas vraiment une terre pauvre — que l'abandon, le laisser-aller et une certaine indifférence à l'apparence des choses.

Pourtant, lorsqu'on le découvre au pied des pentes du Haut-Folin, Glux-en-Glenne n'apparaît pas comme un village mort. Des enfants jouent sur la route, des chats dorment au soleil, des paysans me regardent passer sans mot dire. La forêt cerne les maisons de toute part, faite ici de feuillus discrets et plus haut, sur les versants de la montagne, de magnifiques conifères. Sapins, épicéas, pins sylvestres y atteignent des tailles monumentales. A leur pied, la mousse est si épaisse qu'on y marche sans bruit comme porté, soulevé par le sol. Étrange douceur de cette marche silencieuse, étrange fraîcheur aussi de cette ombre rayée de soleil après l'étang près duquel, juste avant, je me suis étendu, en plein soleil, au milieu des genêts, environné d'un vol nacré de demoiselles, ces libellules au corps gracile, vert turquoise et aux ailes outremer.

A peine entré dans l'antre moussu des sapins, le silence m'a saisi comme s'il avait une substance propre, qu'il était sécrété par ce sous-bois aux profondeurs pleines de mystère. Et à l'orée de cette forêt, après une heure de marche, au milieu des arbres immobiles (pas un souffle de vent sur ces hauteurs mais peu à peu, à mesure que la chaleur monte, des bruits ténus : craquement d'une écorce, grincement d'une branche, chute d'une pomme de pin, comme ceux que font les corps d'insectes desséchés que l'on brise), la descente menant vers Glux. Juste au bout du village, côte à côte, trois maisons vétustes et minuscules, chacune avec un escalier extérieur, un perron et au-dessus un écriteau : d'abord ÉPICERIE puis BOULANGERIE puis CAFÉ. Je grimpe l'escalier du café. A l'intérieur, une table et des bancs, une armoire et une vieille femme aux cheveux d'argent. Du perron, on domine le moutonnement des forêts jusqu'au mont Beuvray, tout proche. La femme m'apporte un carafon de vin rosé. Je sors mes victuailles et m'installe. Elle me regarde manger sans mot dire puis elle se met à parler, d'une voix douce mais triste, et de sa bouche sort une litanie : « Des sapins, des sapins, il n'y a que des sapins par ici. Les sapins, ça ne suffit pas pour nous faire vivre. Tout le monde s'en va peu à peu. Tenez, il y a une église, une cure mais il n'y a plus de curé. Vous avez vu le château, en bas? Il va s'écrouler un jour ou l'autre, ça c'est sûr. Il reste quelques cultivateurs, des bûcherons. Mais qui vient ici? Pour quoi faire? » Et le chant reprend, comme celui des scieurs de long : des sapins, des sapins...

Dans la pièce, des mouches bourdonnent, prisonnières de la bande encollée suspendue au plafond. « J'attends mon chat, soupire la femme. Il devrait être là. C'est son heure de manger. Que peut-il faire? J'ai toujours peur qu'il se fasse écraser par une charrette ou une auto. Une bête, ça tient compagnie, vous savez. Surtout l'hiver. On reste parfois des jours et des jours sans voir un étranger. » Au moment où je me lève pour partir (voulant escalader le mont Beuvray avant le soir) elle me dit : « Attendez, ne partez pas encore. Vous boirez bien encore un peu de vin. Je vous l'offre. » Je me rassieds. Elle n'a pas envie que je parte. Curieusement (est-ce indifférence ou timidité?) elle ne m'a posé aucune question sur ma présence ici, mon sac, mon voyage. Nous attendons le chat. Mais il tarde à venir. Finalement, je m'en vais. Une fois sur la route, je me retournerai pour lui dire au revoir et je la verrai, appuyée au chambranle, l'air pensif, me regardant tandis que je m'éloigne.

*

« Tu prends là, aux quatre sapins, tu suis la conduite, tu longes le réservoir et tu coupes aux deux pâtures » m'avait dit l'Éduen d'Échenaut. Les quatre sapins, je les vois, ils sont juste devant moi, au carrefour de la route du Haut-Folin et de Saint-Léger-sous-Beuvray. Après le carrefour, il y a une scierie. Près de la scierie, un sentier s'enfonçant dans la forêt. Je suis au pied du mont Beuvray sur son flanc nord. Le long du sentier, recouverts en partie par la haie, rouillent une vieille moissonneuse et un étrange engin, sorte de chaudière montée sur roues, née sûrement des amours forcenées d'un alambic et d'une locomotive. Encore des carcasses de métal mort. Mais celles-ci ont un air différent des voitures, une allure insolite avec leurs roues, leurs courroies, leurs engrenages, tout un monde de bois et de métal rongés, à mi-chemin de la ferraille et de la sculpture d'avant-garde.

Après l'Objet sans nom, le chemin longe un réservoir d'où l'eau dégoutte et frôle une conduite au creux d'un fossé. Je la suis à travers une forêt de taillis. La pente est raide. Le sentier grimpe droit parmi les charmes puis il s'élargit et oblique entre deux pâturages. Voilà les deux pâtures annoncées par l'Éduen. A mesure que je monte, les arbres grandissent, se muent en un sous-bois plus dense, interrompu net au sommet du Beuvray. Grand plateau dégagé d'où l'on domine le Morvan, le Bourbonnais. Des hêtres énormes, tordus par le vent, presque ployés, certains, contre le sol. Inutile de chercher des vestiges éduens. Les maisons fragiles, faites de torchis ou de pierre sèche, ont été recouvertes après les fouilles pour les préserver d'une destruction définitive. De l'antique Bibracte, de ce marché où s'assemblaient chaque année les artisans, les commerçants de toute la Gaule, ne demeure plus aujourd'hui que ce terre-plein à l'herbe rase, couvert de hêtres tourmentés. Peut-être ce vide, cette nudité conviennent-ils mieux à ce lieu que des ruines rafistolées et couvertes de tôles ondulées? Car l'endroit conserve outre sa situation d'éminence privilégiée, un mystère et un charme évidents. Les siècles s'y sont succédé sans rien changer à ce mystère, pour peu que l'on regarde le nom des lieux-dits parsemant le sommet : vers le nord, le Teureau de la Wivre (*teureau,* encore un mot que je vous défie de trouver dans aucun dictionnaire et qui signifie éminence rocheuse, terrasse naturelle, ici la Terrasse de la Vipère; plus loin, à l'extrémité du plateau, la Pierre de la Wivre; à l'ouest, le Teureau de la Roche et, près de la petite chapelle de Saint-Martin, la Roche aux Lézards; peu à peu, à mesure que l'histoire oubliait les Éduens, une autre histoire surgissait, locale, médiévale, mais toujours celtique, faite de wivres, de fées, de fantômes druidiques — et quel lieu se prête mieux que Bibracte au souvenir des druides?).

En lisant une notice trouvée au petit musée de Saint-Léger-sous-Beuvray (« N'en attendez pas trop, c'est un mini-musée », me dit une préposée en mini-jupe), je vois qu'une société des Amis du Beuvray organise chaque année en juillet, sur les lieux mêmes, une fête pour perpétuer le souvenir de l'ancienne foire de Bibracte. On y célèbre une messe le matin dans la chapelle de Saint-Martin, « agrémentée de sonneries de cors de chasse » et l'après-midi, des danses et des chants folkloriques qui se terminent par un bal champêtre. Je n'ai pas assisté à cette fête dont la seule idée me réjouit. Mais j'espère qu'à l'inverse de tant d'autres de la région. on n'y fait pas défiler au rythme d'une musique qui n'a rien de celtique, ces stupides et navrantes poupées qu'on nomme majorettes. Car ces majorettes sont la plaie et le ridicule de nos villes et de nos villages. Cet habit emprunté (qui d'ailleurs n'est même pas un habit ni un vêtement ni une vêture, il n'existe pas de mot en français pour désigner cet amalgame de casaque, de bonnet de tambour-major et de mini-jupe dont on affuble nos innocentes écolières...), cet « habit » donc, importé tout droit des U.S.A., prouve le manque d'imagination des édiles, ou leur docilité et leur faiblesse à l'égard des modes. Si on veut à tout prix faire parader les écolières ou les jeunes filles d'un village, on pourrait se donner la peine de leur trouver des costumes, sinon conformes aux traditions locales, du moins inspirés d'elles. A l'origine, aux U.S.A., les majorettes avaient pour rôle de parader lors des grandes fêtes et manifestations collectives, et aussi de distraire les gens qui attendent en faisant la queue puisque aujourd'hui l'ennui gagne immédiatement tout citoyen qui cesse d'avoir les yeux fixés sur la télévision et se trouve en état de vacance, donc de vacuité, donc de vide. Certes, va-t-on m'objecter, cette distraction est innocente. Voire! Je trouve étrange qu'on accepte aussi facilement de voir les innocentes et pures écolières de nos villes et de nos campagnes porter ce très savant déshabillé prévu à l'origine pour des femmes adultes et éprouvées et transposé tel quel dans nos provinces. Mais passons. Le plus désolant est surtout cette impéritie des municipalités, incapables de susciter des fêtes, des jeux, des costumes et des musiques de leur cru — comme elles l'ont fait pendant des siècles — pour briser l'ennui toujours renaissant de leurs administrés.

*

Du haut du mont Beuvray, j'ai regardé le paysage que j'allais parcourir jusqu'à ces monts de la Madeleine qui barraient l'horizon : plaine immense, monotone, avec ses routes, ses villages, tout un plat pays qu'il faudra traverser. C'est le domaine des chemins creux bordés de saules ou de vieux châtaigniers. J'y surprendrai quelques écureuils, des pies grièches, des chiens toujours hargneux et des hordes criardes de volailles en tout genre. Je m'y arrêterai dans des cafés qui n'ont plus le charme des anciennes buvettes, je traverserai quelquefois le parc de vieux châteaux déjà jonché de feuilles mortes, je m'y égarerai, une fois de plus, dans un bois pourtant fort modeste mais dont les sentiers embrouillés me ramenaient sans cesse sur mes pas. J'en sortirai pour déboucher sur un champ de blé moissonné, survolé par une troupe d'oiseaux migrateurs, tournant sans trop savoir où se poser. Je dormirai à Luzy, à Bourbon-Lancy et juste après j'arriverai à Saint-Aubin-sur-Loire, tout étonné de trouver là ce fleuve car à force de regarder les sentiers, de rechercher les taches vertes des forêts, d'éviter les grandes routes nationales, j'ai fini par oublier les fleuves. Je me retrouverai sur une voie fréquentée avec ses stations d'essence, ses snack-bars, tout un monde d'odeurs et de bruits que j'avais oublié.

Peu après Saint-Aubin (alors que je quittais la nationale pour prendre un sentier de colline menant à Pré-de-Vernes) un homme m'arrêta au seuil de sa maison. Agé, chauve, vêtu de l'éternelle salopette des retraités éternels bricoleurs. « Hello! me cria-t-il, arrêtez-vous donc un instant. » Je posai mon sac. Nous avons bavardé. L'idée que je traversais toute la France à pied parut l'amuser follement. Il s'ennuyait tout seul, dans cette banlieue de village, et avait envie de parler. Sans transition, en plein soleil, debout, il se mit à me raconter sa vie, ses expériences de forain, de joueur de trombone dans les bals du dimanche. Puis, toujours sans transition, embraya sur les accidents d'auto. A vivre ainsi à proximité de la nationale, le bruit, l'odeur des autos, de l'essence l'agaçaient, l'obsédaient. Et il me raconta une série d'accidents effroyables dont il fut le témoin. Les accidents d'auto, voilà le sujet de prédilection des Français. Il ne s'est guère passé de jours sans que, d'une façon ou d'une autre, on ne m'en fasse le récit. Au début, je n'y voyais qu'un sujet routinier, coutumier, comme on parle du temps. Mais bien vite, à force d'entendre tant de récits circonstanciés, d'observer les expressions, les voix, le ton qui change brusquement dès qu'on arrive aux choses graves (la voix baisse, se fait plus sourde, avec des poses ou des arrêts avant de dire : *Eh bien, monsieur, vous me croirez si vous voulez, ils sont morts tous les quatre!*) je me dis que, dans la tragi-comédie de notre vie actuelle, les accidents d'auto sont l'équivalent moderne du destin dans les tragédies grecques. Subits, imprévisibles, foudroyants, image de toute fatalité, mais combien plus terrible, spectaculaire (s'il fallait la représenter) que celle des anciens héros mourant à coups d'épée! Ces corps déchiquetés, cette rage de la mort qui a besoin pour s'exercer du grincement des freins, du choc du fer, du bris des glaces, du feu parfois, donnent d'elle l'image irrémissible qui la mue en destin. Mais il se joint presque toujours, dans la plupart de ces récits, une idée ou un sentiment d'injustice et aussi de responsabilité initiale, d'engrenage que peut-être on eût pu éviter : image exacte du destin qui n'est destin que parce qu'à un moment ou à un autre on déclenche le mécanisme qui y mène. Dans les tragédies grecques, les victimes sont toujours averties — par un oracle en général — de ce qui les attend si elles passent outre aux interdits. Nos oracles aujourd'hui s'appellent Prévention routière (et dans le cas des morts *prévus* chaque week-end, Prophétie routière). Aussi, cette notion de faute, de responsabilité possibles, de défi jeté aux statistiques (imprudence, inattention, inconscience des conducteurs) ouvre dans la fatalité une faille aux pourquoi de la mort sur les routes. Je n'ai jamais tant lu, tant vu sur les visages l'horreur et la grimace figée des masques antiques qu'au cours de ces récits de morts atroces. Ainsi, à mesure que me parlait cet homme, j'écoutais cette voix éplorée, je regardais son visage débonnaire grimacer au souvenir de l'horreur. Puis, tout sourire à nouveau, il me dit : « Vous, au moins, vous ne risquez rien en marchant. — Si, lui dis-je. Si je me casse une jambe en plein bois, qui viendra me chercher? »

*

Il fait froid, ce soir, à Arfeuilles. J'y suis arrivé à la nuit tombante, après une longue marche depuis Le Donjon. Dans la matinée, un soleil frais, étincelant éclairait les chemins, les volailles émiettées dans les champs, la vieille porte historiée marquant l'entrée de Montaiguët-en-Forez (pourquoi en-Forez alors que le Forez commence beaucoup plus loin?). Puis le soleil s'est caché peu à peu et la marche s'est achevée dans une vallée sombre, bordée de sapinières, avec des lacets éreintants (à un moment, je me souviens, j'ai posé mon sac à terre contre un poteau télégraphique pour me délasser un instant et collé mon oreille contre le bois, pour écouter le bourdonnement du courant : c'était un ronronnement très doux et régulier comme si, entre chien et loup, loin au-dessus de cette route solitaire, deux chats conversaient dans le ciel) jusqu'à l'arrivée à Arfeuilles. L'unique hôtel de ce village propose, pour un prix exorbitant, une chambre des plus minables. Je la refuse. Me voici sur la place, dans la nuit presque noire, sans savoir où dormir. Car je n'ai nulle intention de coucher à la belle étoile par ce froid de la mi-septembre. J'avise un café, le seul encore ouvert dans ce village où les gens dorment tôt. Quelques hommes y sont assis à une table. La patronne s'approche, avenante. Tant mieux car j'ai jeté mon dévolu sur elle : de gré ou de force il faut qu'elle me trouve un logement pour ce soir. Je commande un café et, profitant d'un moment de silence, je dis : « Je cherche une chambre ou une pièce quelconque pour cette nuit. » J'explique pourquoi je suis ici, pourquoi j'ai refusé de payer un prix abusif à l'hôtel. Chacun se regarde, perplexe. Le problème semble les dépasser, comme toujours en France, dans ces cas-là. L'un d'eux pourtant (c'est le boucher, reconnaissable à son tablier qu'il a gardé sur lui pour boire) murmure au bout d'un moment : « Je connais bien un moyen mais... » Je suis sauvé. Quand il fait froid dehors et que j'ai décidé de dormir quelque part, je me fais fort de résoudre tous les *mais* de la terre. Il y a une colonie de vacances à l'entrée du village, vide en cette saison. C'est l'adjoint au maire qui a les clés. Il faudrait aller le trouver, s'il n'est pas encore couché... Déjà, je suis debout prêt à partir. « Attendez, je vous y emmène en auto, fait l'un des hommes. Il y a une trotte jusque-là. » Chez l'adjoint, toute la maison est noyée dans la nuit. Je me hasarde dans la cour. Je vois une fenêtre éclairée, les lueurs blafardes et dansantes de la télévision. Je frappe. L'homme vient ouvrir. Je lui explique ce que je cherche. Il me sourit et me répond sans hésiter : « Attendez-moi, je prends l'auto. Les clés ne sont pas chez moi. »

Finalement, sans trop savoir pourquoi, il ne m'a pas conduit à la colonie de vacances mais dans un vieux local abandonné, baptisé Maison des Jeunes. Même désolation, même vide que dans celle de Dabo et tant d'autres où j'ai pu passer. Mais au moins j'y serai à l'abri. Entre-temps, la femme a fermé son café. Inutile de chercher à manger. Il ne me reste qu'à dormir. Je m'étends sur l'estrade servant de scène au cours des fêtes, cernée de deux lourds rideaux poussiéreux. Je les tire pour éviter le vent qui s'infiltre partout. Alcôve improvisée aux planches plutôt dures. Mais, la fatigue aidant, j'y dormirai d'un sommeil paisible et sans rêves.

*

Cette femme du café d'Arfeuilles, je l'intrigue, je le vois bien. Je n'ai pas l'air d'un vagabond, d'un échappé du bagne et pourtant je marche sur les routes, en une saison où les honnêtes gens travaillent dans leurs bureaux, apparemment sans beaucoup d'argent, dormant au hasard des rencontres. Pourquoi? Je devine ses interrogations tandis qu'elle me prépare un petit déjeuner, dans la salle illuminée par le soleil. « Vous avez bien dormi? Vous n'avez pas eu froid? — Le plancher était plutôt dur. Mais je suis habitué, vous savez. — C'est que, monsieur, je vous vois bien téméraire à vous aventurer ainsi! » Je lui explique pourquoi je marche et elle m'écoute. Mais je ne lui dis pas que je suis écrivain. Mon sixième sens m'avertit que sa méfiance risque de resurgir. J'attends qu'elle pose elle-même la question. Elle me la posera au moment où je me lèverai pour partir. « Si ce n'est pas trop indiscret, monsieur, qu'est-ce que vous faites dans la vie? » Croyant la rassurer, je lui dis que je suis professeur. Alors, elle a cette réponse inattendue : « Je m'en doutais! Je savais bien que vous étiez un original! »

*

D'Arfeuilles au Mayet-de-Montagne, j'ai traversé des paysages merveilleux. Cette région du Bourbonnais (est-ce la proximité de l'Auvergne qui n'est qu'à cinquante kilomètres d'ici?) commence à moutonner, à se gonfler à l'approche du pays des volcans. Les sources, les rus, les rivières y abondent : le Barbenan, la Coindre, la Besbre (dont les castors, qui lui donnèrent son nom, ont depuis longtemps disparu). Les premiers noms du pays d'oc se font aussi sentir : Nizerolles, par exemple, au-dessus du Mayet-de-Montagne. Oui, quelque chose change qui fait oublier le Morvan si proche et annonce d'autres terres, d'autres histoires (d'ailleurs c'est à trente ou quarante kilomètres à peine de cet endroit, exactement à Chabreloche que je verrai pour la première fois, peinte sur un mur à côté d'une affiche de la Légion, l'inscription : ICI COMMENCE L'OCCITANIE).

Il est frappant, lorsqu'on se déplace au rythme de la marche, de voir combien les régions traversées vous parlent d'abord par leurs noms d'autrefois, leurs frontières géographiques, les ressemblances ou différences — sensibles parfois à quelques kilomètres de distance — entre l'architecture, la toponymie, les coutumes. Depuis mon départ, j'ai traversé les Vosges, le plateau de Langres, l'Auxois, le Tonnerrois, le Morvan et le Bourbonnais, mais jamais des départements. On se rend compte, dans ce genre de voyage, à quel point ces départements sont absurdes, à quel point ils sont un découpage arbitraire de notre territoire. La Révolution et le Consulat, avec leur manie centralisatrice, leur fureur administrative (sans doute nécessaires à l'époque mais néfastes aujourd'hui) ont fait de la France, quant à ses divisions territoriales, une grand jeu de patience aux cubes indéchiffrables, où les régions naturelles sont morcelées, écartelées comme les paysages conventionnels des puzzles. Tout cela, on le sait depuis fort longtemps mais c'est une chose de le savoir par la réflexion et une autre de le sentir avec ses yeux et par ses jambes. Pendant quatre mois, mes yeux ont vu, mes jambes ont foulé des provinces et jamais des départements. Aussi, en retrouvant sur les brochures locales ou au cours des conversations les anciennes appellations de nos provinces, me suis-je de nouveau passionné pour ces noms. Tous n'ont pas disparu de l'usage courant et certains sont toujours enseignés à l'école. On connaît bien la Normandie, l'Alsace, les Cévennes, les Causses, l'Aquitaine, la Bourgogne. Mais déjà certains hésiteraient à situer très exactement l'Aunis, l'Aubrac, la Limagne ou le Minervois. Ne parlons pas alors de l'Artense, du Livradois, du Ségala, du Cézallier, du Tricastin. Encore moins du Bugey, du Sidobre, de la Xaintrie, des Baronnies.

En écrivant ces noms — et tant d'autres dont les syllabes m'enchantent : Champsaur, Dévoluy, Cerdagne, Grésivaudan, Mercantour, Escandorgue, Combraille — je me rends compte que depuis l'enfance certains d'entre eux m'ont fait rêver, suggéré des visions plus nourricières que celles engendrées par les mots : Indre-et-Loire ou Tarn-et-Garonne, et, *a fortiori,* par les chiffres 37 ou 82. La Saintonge, par exemple, dont le nom évoquait pour moi la mélancolie d'un songe provincial, une terre ouatée de brume, éclairée par le soleil couchant, un grand vitrail historié au cœur duquel *songeait un saint,* bien que Saintonge, je le sais bien, ne vienne pas de *saint* mais des *Santones,* tribu gauloise qui l'habitait au temps de la conquête romaine. L'évolution des mots est ainsi faite qu'ils finissent parfois par en rejoindre d'autres — qui pourtant n'étaient pas de leur race, nés en d'autres régions, d'un autre radical — jusqu'à se confondre avec eux. Ainsi de Santones et de saint. Ainsi de souci, le tourment et de souci, la fleur. Quand je pense à ce mot, je revois ma mère s'occupant des fleurs de son jardin, à Orléans, et soupirant toujours : « Ces soucis méritent bien leur nom, quelle peine ils vous donnent! » alors que les soucis sont des fleurs sans problème, qui n'ont besoin que de soleil. L'un, le souci-tourment, vient de *sollicitare* — inquiéter, tourmenter — l'autre, le souci-fleur, de *sol sequi :* suivre le soleil. Ainsi les chemins des mots risquent-ils parfois de nous égarer, eux aussi, au point que leur rencontre, leur arbitraire coïncidence influencent jusqu'à nos *pensées* (nouvelle coïncidence, nouvelle et troublante rencontre sur le chemin des mots.)

Autre province — dont j'ai connu le nom très tard, d'ailleurs — et dont les syllabes sont poème : Sidobre. Nom de terre sobre et sèche, nom de soif, de soleil, nom pur et sans opprobre. Et Champsaur, pays cher à Giono, pays du *Chant du monde*. Je tiens à voir dans ce suffixe *saur* le souvenir des vieux sauriens, ce qui ferait dire à Champsaur : le Pays des Lézards. Je l'ai dit, j'ai un faible pour les fausses étymologies.

*

Pour l'heure, je suis en Bourbonnais, nom prosaïque aux lourdes syllabes de bourg et de boue, évoquant les mottes lourdes et molles sous les pieds. En fait, Bourbonnais veut dire Pays des Sources. Et il est vrai qu'elles abondent ici. J'en ai goûté plusieurs, l'une surtout, qui me parut la meilleure de toutes, sur le chemin de crête joignant Épalle à Saint-Clément. Elle sourdait d'un roc, recueillie dans une auge en pierre. Juste en face, une maison habitée par deux vieilles femmes. Elles sont trois femmes en tout, dans ce lieu-dit, comprenant deux maisons. La première maison a ses murs couverts de vigne vierge. Dehors, en plein soleil, sèchent les récipients nécessaires aux fromages. Ces deux vieilles élèvent des oies, traient leurs chèvres. A elles deux, elles ont au moins cent cinquante ans. Comment font-elles pour vivre toute l'année en cet endroit désert (il n'y a pas de route pour venir mais un chemin de terre carrossable en cette saison mais qui doit être impraticable à la première neige)? Quand je demande à la plus âgée : « Et si vous êtes malade, comment faites-vous? Le médecin vient-il jusqu'ici? », elle me répond : « On s'arrange pour n'être pas malade. »

Plus loin, au pied d'un château fort en ruine, une autre maison, plus spacieuse avec un bâtiment annexe. Des fromages de chèvre sèchent au soleil, en plein air, dans un garde-manger suspendu à un orme. Une femme — plus jeune que les autres, disons la cinquantaine — est assise au soleil, près du seuil. Elle m'invite à entrer. La pièce est grande mais étouffante : la cuisinière ronronne en plein été car elle fait toute sa cuisine au bois. Les murs et les poutres sont noirs de fumée. Dans un coin, j'aperçois une huche ancienne et, dedans, trois boules de pain énormes, de cinq kilos chacune. « Il faut bien, me dit-elle. Ici, on est quatre à manger, avec mon mari et mes deux fils. Pour le pain, il faut aller à Saint-Clément. Alors, le boulanger nous fait des boules pour la semaine. » Elle parle d'une voix nette et claire sans amertume, sans rancœur. La solitude ne lui pèse pas trop. Et j'écoute cette voix posée, tandis qu'à côté de moi, tournée vers le soleil, elle réfléchit à haute voix : « Depuis toujours, on vit ici. Moi, au grand air je n'ai pas peur. On a quatre chèvres, trente vaches. Les hommes sont partis aujourd'hui, ils sont à Saint-Clément. Avec les vaches, on arrive à vivre. Mais les enfants, quand ils se marieront, est-ce que leurs femmes voudront venir ici, dans un endroit pareil? Le lait, il faut le descendre jusqu'à la route. Le camion de la coopérative ne monte pas jusqu'ici. Moi, ça m'est égal. J'aime le grand air. Même les fougères, vous voyez, les gens ne les aiment pas ici, ils disent que c'est du terrain perdu. Moi, ça ne me gêne pas. Depuis qu'on a l'électricité, la vie est plus facile. C'est pour les enfants que je m'inquiète. Ils partiront un jour. Que voulez-vous, c'est normal, c'est la vie. »

En sortant, je lui achète un fromage. Elle ouvre le garde-manger, les tâte pour choisir. Je le mets dans mon sac, « Attendez, me dit-elle. Prenez-en un autre. Je vous l'offre. Pour la route. Ce n'est pas si souvent qu'on voit des étrangers ici. »

*

Genêts, fougères, libellules. Flore et faune des terres humides et ingrates. Un peu plus loin, sur la carte, le chemin que je veux prendre pour gagner Saint-Clément coupe par les collines entre deux fermes nommées Les Grandes Narses. *Narse :* cherchez aussi ce mot. Vous ne le trouverez nulle part. Plus tard, je l'ai découvert dans un roman d'Henri Pourrat, le chantre de l'Auvergne *. Une narse, que Pourrat écrit *narce,* « un fondis d'eau, de boue et d'herbe ». Les Grandes Narses, ce sont de grandes prairies humides où les pieds pataugent et s'enfoncent. Utilité dans ces cas des notions de toponymie : elles vous évitent, dans ce lieu, de couper à travers les champs et de vous enliser. Mais ce mot m'intrigue malgré tout. D'où vient-il et pourquoi ne le trouve-t-on, apparemment, qu'en Auvergne? On pourrait penser qu'il vient de narcisse, puisque les narcisses croissent dans les prés humides. Mais quelque chose me dit que cette étymologie est trop simple. D'ailleurs le mot narcisse lui-même est grec; il vient de *narki* qui signifie torpeur, engourdissement, et qui a donné *narcose* en français. Narcisse — le héros du mythe, non la fleur — signifie exactement : l'Engourdi, celui qui est

* C'est *Vent de Mars,* un livre-journal publié en 1941 (*Gallimard*) et qui est, de l'œuvre d'Henri Pourrat, celui que je préfère.

engourdi, fasciné, par la vue de sa propre image dans le miroir de l'eau. Mais le symbole qu'il représente a évolué en faisant oublier sa *source* primitive; un visage reflété *par l'eau.* Les narces seraient-elles des prairies d'eau dormante, des terres engourdies, des champs stagnants pris de narcose?

*

Depuis hier, je suis en pays ambivare. Et ce pays, je le contemple du haut d'une éminence, la Roche Saint-Vincent (Table d'Orientation, 932 mètres précise la carte). J'aime, sur les cartes d'état-major les représentations des pics et des abrupts. Les courbes de niveau s'enroulent en spirales affolées, en cônes resserrés comme des patelles incongrûment plantées au cœur des continents. Juste au-dessus, mais pratiquement inaccessible à cause de la végétation trop dense, le Roc des Gabeloups *. Plus bas, au pied de la forêt, ces trois fermes isolées sont le hameau du Point du Jour. Et juste en face, barrant tout l'horizon, l'immense forêts des Bois Noirs. Depuis hier aussi, les noms se mettent à chanter davantage : Encize, Bèchenore, Seignol, Beinetière; à rappeler le souvenir des fauves : Montloup, Brècheloup, Chamboloup. Je ne peux me lasser, dans ce vent frais soufflant depuis des heures (un vent du nord qui sèche sur mon front la sueur de cette montée), de relire ces noms sur la carte. Je voudrais les inventorier un à un, retrouver leur histoire (toujours ce rêve impossible et dément pour un passant pressé). Elle seule m'apprendrait cette terre, m'apprendrait comment approcher le pays des volcans. Là-bas, à gauche, au carrefour des routes, ce village qui étincelle dans le soleil, c'est Saint-Priest-Laprugne (où un bûcheron rencontré le jour même au pied

* Qui doit être une erreur d'orthographe cadastrale pour *Gabelous,* fonctionnaires ou employés percevant autrefois la gabelle, l'impôt sur le sel.

de ce rocher m'indiquera une chambre à cinq francs, chez une vieille dame, en s'excusant presque du prix au cas où il serait trop cher); devant, juste au pied des Bois Noirs, presque englouti dans l'ombre des forêts, c'est Lavoine, un hameau où pour finir je dormirai. Et Bégotièse, Vergnassière, les Pierres du Jour, La Limandière, Calinon. Le monde est là, sous mes pieds, un monde à traverser, à parcourir, à explorer dans le vent frais, hameau après hameau, fougère après fougère, vin rosé après vin rosé. Et partout des visages accueillants : le boucher d'Arfeuilles, rencontré la veille sur la route, à l'entrée du hameau de Chargueraud (après avoir quitté la femme-aux-fromages-de-chèvre dans le garde-manger du vieil orme) qui, m'apercevant, lèvera les bras au ciel de plaisir et, plantant là tous ses clients, me fera un bout de conduite pour me montrer le raccourci; et les bûcherons rencontrés ce jour même au pied de la Roche Saint-Vincent, défrichant des fougères pour y planter des résineux, fougères si hautes, si serrées que je ne les vis pas tout d'abord et qu'entendant tout près de moi un grand fracas de branches brisées, de feuilles froissées, je m'arrêtai sur le qui-vive, certains de voir surgir une horde de sangliers. Ils posèrent leurs outils dès qu'ils me virent. Nous nous sommes assis au milieu des fougères. Ils ont tiré un tonnelet de frais rosé caché dans l'ombre et nous avons trinqué. « On peut dire qu'on ne voit pas beaucoup de monde par ici. Vous êtes sûr que vous n'êtes pas égaré? » demande le patron, un garçon jeune, la trentaine barbue. Il n'en revient pas qu'avec une simple carte je puisse me repérer sur ces sentes perdues, connaître par le menu le moindre hameau de chez lui. Puis tout le monde a pris la pose pour que je les photographie. Et le patron m'écrit sur un bout de papier son nom, son adresse et sa raison sociale : Exploitation forestière — Débardage — Plantation tous résineux — Débroussaillage. Il m'indique cette chambre inespérée à Saint-Priest en ajoutant : « Vous pouvez dormir à Lavoine, peut-être. Il y a un café qui fait aussi boulangerie. La chambre de leur fille est libre en ce moment. S'ils veulent bien vous la prêter... » (Ils me la prêteront, décidai-je aussitôt.) Oui, le monde est devant moi. Depuis les premiers jours de cette marche, je n'ai pas éprouvé d'émotion aussi forte, ni de joie aussi intense qu'en haut de ce rocher, devant ce paysage qui n'a rien de grandiose ni de particulier mais qui s'impose et qui me parle avec ces hameaux, ces lieux-dits et, là-bas, ces grands Bois Noirs si fascinants. Quelque chose me dit en cet instant (et je ne me trompais pas) que ce voyage deviendrait autre désormais. Des portes imprévues, des frontières invisibles s'ouvrent et s'effacent dans le vent transparent. Ces villages, ces forêts, ces montagnes vont m'accueillir autrement que les paysages précédents. Je suis au seuil d'un nouveau monde et je détaille ce panorama comme s'il recelait un secret, qu'il dût m'enseigner quelque chose. Sur mon carnet, tourmenté par le vent et posé sur les paysages de marbre de la Table d'Orientation, je notai : « Roche Saint-Vincent. Lundi 20 septembre. Le vrai voyage commence enfin. »

*

« Le roc Saint-Vincent est une roche éruptive andésitique très ancienne, datant des temps primaires (époque dévonienne) bien antérieure aux laves et basaltes des volcans d'Auvergne, antérieure même aux granites d'âge carbonifère qui l'entourent (Montoncel, Madeleine, Bizin).

« Aux jours de grande visibilité, à l'automne surtout, on peut voir de Bourges aux Alpes du Dévoluy, soit un arc terrestre de 375 kilomètres de long. »

Je recopie ce texte de la Table d'Orientation. L'andésite et le dévonien, voilà sur quoi vécurent les Ambivares, tribu gauloise qui occupait autrefois la région, attenante aux

Éduens par le nord, aux Bituriges par l'ouest et aux Arvernes par le sud. Des Ambivares, je ne crois pas en avoir rencontré. D'ailleurs, que sait-on d'eux ? César ne les mentionne qu'une fois dans ses *Commentaires*, parmi les tribus accourues au secours de Vercingétorix à Alésia. Ils font partie de nos ancêtres oubliés. Ils ne sont pas les seuls d'ailleurs et chacun de nous n'aurait que l'embarras du choix s'il devait élire un ancêtre parmi toutes ces tribus aux noms insolites pour nous, habitantes de quelque Grande Garabagne du passé : les Aulerques, les Coriosolites, les Lémovices, les Namnètes, les Tarusates, les Véliocasses, les Raurarques, les Ségusaves ou les Pétrocoriens qui n'ont laissé pour trace que, peut-être, le nom d'un lieu-dit, les syllabes d'un ru, l'appellation d'une éminence ou d'un vallon *. C'est elle, cette andésite, ce feldspath — roche finement grenue, dont le nom vient des Andes où elle abonde, nous dit la minéralogie — c'est elle qui confère à ce sol sa rudesse rocailleuse, ces toisons forestières qui le couvrent. La carte est verte ici, toute verte à l'exception des coulées blanches des vallées, des taches bleutées des étangs.

A Lavoine, juste au pied des Bois Noirs, j'arriverai l'après-midi (avec encore dans la bouche le goût du vin rosé des bûcherons de Saint-Priest, tant j'ai eu plaisir à le boire dans la chaleur de midi) au début d'un enterrement. Dans le café-boulangerie, des paysans endimanchés conversent à voix basse. On attend la famille du mort qui n'est pas encore arrivée. Il n'habitait plus au hameau depuis longtemps mais c'est là qu'on l'enterre car c'est là qu'il est né. Ce devait être un notable, à en juger par le nombre des gens, leur toilette, les nombreuses voitures qui ne cessent d'arriver de partout. Je retrouve parmi l'assistance le patron de l'auberge de Mayet-de-Montagne où j'ai dormi deux jours plus tôt. Il est lui aussi de Lavoine. Il

* Sans oublier, bien entendu, les Volques, les Tectosages, les Éburoviques, les Pictons, les Leuques, les Atrobates et les Médiomatriques.

n'est pas né ici mais il y fut élevé par un couple de paysans. Il appartenait à l'Assistance publique et n'a jamais connu ses vrais parents. Tout à l'heure, quand l'enterrement sera fini, je l'accompagnerai pour faire la connaissance de sa mère nourricière. C'est une vieille femme qui habite la dernière maison du hameau, à côté d'un grand pré bordé par la forêt. Une pièce unique, sombre, grise, avec la cuisinière, le tas de bois dans un des coins, le lit et son gros édredon, une armoire massive. Sur une étagère, une cafetière d'émail bleu — de celles où l'on filtre le café à la chaussette — et des pots d'épices avec des paysages. « C'est elle qui m'a entièrement élevé, me dit l'homme. Elle est ma mère. Je n'en ai pas eu d'autre. Ils s'en sont donné du mal! Je n'étais pas toujours facile, comme tous les gosses. Je ne l'oublierai jamais. D'ailleurs, je viens souvent la voir, hein, mamouche? » La vieille pleure en silence. Tout à l'heure, je l'ai vue prendre son mouchoir à la dérobée et se frotter les yeux. Elle se tourne vers moi : « Il ne faut pas m'en vouloir, mon bon monsieur. Mon mari est mort il y a six mois, tenez, juste dans ce pré que vous voyez. Je ne peux pas me consoler. A nos âges, on ne se console plus. Presque cinquante ans, on a vécu ensemble. On allait fêter nos noces d'or. Il m'a dit : " Je vais semer les trèfles. " Il est parti les semer, et il est mort tout d'un coup dans le pré. » Elle nous verse à boire. Un vin d'Auvergne, avec un goût âpre et curieux, presque salé. J'en bois pour la première fois. Dehors, des poules caquètent. Le silence s'est fait dans la pièce envahie par l'ombre. « Eh oui! murmure l'homme, eh oui! C'est la vie! » Je bois en regardant dehors le pré illuminé par le soleil couchant.

*

L'animation est revenue dans le café. Les paysans endimanchés ont repris leur place autour des tables, mais à présent, le collègue une fois enterré (« on y passera tous, de toute façon, celui-là, c'était un brave homme, il n'a jamais fait de mal à personne, tout le monde l'aimait bien — et lui, il aimait bien boire, fait un autre, il n'aimait pas voir ses amis le gosier sec » et les fillettes de vin défilent à qui mieux mieux) les voix ont repris leur ton habituel, plutôt enjoué, et même tonitruant. L'aubergiste se prépare à partir et me présente à la boulangère. « Je connais monsieur, lui dit-il. Il a logé chez moi au Mayet. Il marche et il étudie les coutumes de la région. Vous aurez bien une chambre pour lui? L'endroit lui plaît. » La femme me regarde. Elle a un visage ouvert, des gestes chaleureux. « Je ne fais pas encore hôtel. Mais il y a la chambre de ma fille. On l'a refaite à neuf. Maintenant, elle travaille à Vichy et elle ne revient qu'aux vacances. Si elle vous convient, ce sera avec plaisir. » Elle me mène dans le bâtiment attenant, au-dessus de la boulangerie. C'est une chambre toute neuve, qui sent encore le plâtre frais. La fenêtre donne sur la place. Du dehors, j'entends la voix de l'institutrice (l'école est juste mitoyenne) faisant réciter les élèves. Lavoine n'est qu'un hameau mais il y a pas mal d'enfants en âge d'aller en classe, avec tous ceux des hameaux et des fermes isolées d'alentour. Au point qu'en plus de l'institutrice du village, il a fallu en faire venir une autre. Elle habite à Laprugne et vient chaque jour en voiture. Le soleil est bas maintenant. La place est envahie par l'ombre. Sur la bascule publique, on achève de peser un veau. Un tracteur passe. En face, un homme scie du bois. Quelques groupes, venus pour l'enterrement, traînent encore ici et là, discutant avec des amis retrouvés. Cet endroit me plaît. Il est vivant et ses habitants eux aussi paraissent étonnamment vivants, à côté de la torpeur ou de l'indifférence parfois rencontrées dans les semaines précédentes. Cette boulangère, par exemple, qui est l'ancienne institutrice du village, avec son regard clair, son parler franc. Le soir, dans la salle du café, où je ferai un excellent dîner avec des produits du cru (autant le signaler à l'occasion bien que ce livre jusqu'à présent n'ait guère insisté sur la gastronomie, mais j'y reviendrai, qu'on se rassure, car il y a beaucoup de choses à en dire) oui, un excellent dîner, comme chez soi, dit-on, pour le prix exorbitant de 7 francs, elle m'apportera des livres sur l'histoire et le folklore de la région. Et avant de dormir, dans la chambre aux plâtres encore frais, je feuilleterai *En montagne bourbonnaise, La province du Bourbonnais.* D'autres récits s'intitulent *Contes et légendes de la Montagne bourbonnaise.* A l'inverse de beaucoup de contes, ceux-ci n'embellissent nullement la vie quotidienne du passé. Le *bon vieux temps* apparaît sous son vrai jour, le plus souvent avec la faim, la misère, la sujétion intolérable à l'égard du seigneur, dont le paysan triomphe parfois grâce à sa ruse. C'est aussi le temps des loups vorateurs, des « violonneux » rentrant du bal, la nuit tombée, et surpris, dévorés par les fauves (ou les charmant, au contraire, en leur jouant du violon), des vieillards solitaires, bienveillants ou inquiétants selon les cas, ermites ou sorciers, connaissant le secret des plantes et le langage des animaux. Les grands Bois Noirs qui bordent le village devaient être le repaire de tous les fauves dans le passé, avec leurs sentiers multiples et leurs fourrés impénétrables. Le lendemain, je n'aurai pas trop de ma carte et des repères qui, heureusement, les jalonnent pour les traverser — des heures durant — sans me perdre dans le fouillis de leurs chemins.

*

Est-ce encore imagination de ma part, est-ce pure coïncidence de l'histoire, est-ce au contraire, comme à Dun-les-Places et en pays éduen, résurgence inexplicable de l'âme guerrière des Ambivares? il se trouve que cette région, ces quelques kilomètres carrés où je me trouve en ce moment, furent eux aussi, pendant des siècles, un lieu de résistance opiniâtre à l'égard de tous les étrangers. A quelques centaines de mètres au-dessus de Lavoine se trouve un minuscule hameau du nom de Pion. J'y passerai, tout à l'heure, avant de gagner les Bois Noirs. Mais avant, réveillé à l'aube, je bois mon café en écoutant les curieux récits que me font la boulangère et un paysan. La proximité immédiate des Bois Noirs, la vie recluse, coupée du monde, qu'on menait autrefois ici expliquent sans doute les réactions, la mentalité des anciens habitants de Pion : enracinés dans ce terroir, se suffisant pratiquement à eux-mêmes, ils n'aimaient pas les étrangers, surtout quand ces étrangers étaient des envoyés du roi, des gens d'armes, des procureurs ou des huissiers. Les jeunes paysans fuyaient l'armée comme la peste et, de mémoire de Pionnais, aucun ne s'enrôla jamais dans les troupes du roi. La seule vue d'un sergent recruteur les faisait fuir dans les mystères des Bois Noirs. Aussi très longtemps ce hameau fut-il un foyer réfractaire, un lieu de dissidence, rebelle à toute autorité centrale. Plusieurs fois, il fut encerclé par la troupe, des paysans furent torturés, des maisons incendiées. Rien n'y fit. La population prenait fait et cause pour les « rebelles » et cherchait elle-même au besoin la protection de la grande forêt. Parfois même, la résistance alla plus loin. A la fin du XVIIIe siècle, un huissier vint à Pion (il était de La Guillermie, un autre hameau distant de quelques kilomètres) pour saisir les biens d'un paysan endetté. Le village tout entier fit front. On accueillit l'huissier bien gentiment, on lui offrit force rasades puis, comme un seul homme, les paysans s'en emparèrent, le ligotèrent, le portèrent chez le boulanger et... le brûlèrent dans le four! Même sort, à la fin du siècle dernier, pour deux gendarmes venus chercher un réfractaire. On dit même que Mandrin (dont tout le monde connaît les exploits par ici comme plus loin, dans le cœur de l'Auvergne, on connaît ceux de Gaspard des Montagnes) aurait, un temps, fait son repaire de ces Bois Noirs. Décidément, cet endroit se révèle de plus en plus attrayant. Ce n'est pas d'aujourd'hui, on le voit, que date la résistance de certaines régions aux autorités « centralisatrices ». Et pour cause : ces autorités ne se manifestaient que pour enrôler, percevoir les impôts et les dîmes, saisir, brûler, exécuter. Mais, le « progrès » aidant, Pion dut se soumettre peu à peu. Je dis le « progrès » mais ce « progrès » est venu bien tard par ici. La route qui mène aujourd'hui à Pion n'existe que depuis deux ans. « Et maintenant, me dit la boulangère, depuis que le médecin peut venir en voiture, car avant, quand la route n'existait pas, aucun médecin ne venait jamais par ici, eh bien, monsieur, tout le monde se met à tomber malade. »

*

Ce que j'ai redécouvert en marchant, ce ne sont pas seulement ces rencontres chaque jour différentes, ces visages inconnus qui deviennent si vite familiers, ces réponses de plus en plus sensibles à mon attente, ce sont les heures du jour, vécues tout autrement qu'à Paris ou même qu'à Sacy. Levé de bonne heure avec le soleil, disons même dès potron-minet, couché tôt le soir dans le hasard des crépuscules, je vis au rythme des saisons. Chaque aube est nouvelle pour moi puisque je sais que le jour sera fait de nouvelles rencontres. Et chaque heure est changeante qui me révèle de nouveaux paysages, de nouvelles lumières et, sur la bouche de ceux qui me parlent, des mots nouveaux et souvent insolites. Marcher ainsi engendre peu à peu, dans les rapports humains, dans le regard qu'on porte aux moindres choses et surtout à l'égard du temps, un affranchissement, une disponibilité singulière qu'on ne peut soupçonner sans la vivre soi-même. Il m'a fallu des semaines et des semaines, une fois de retour à Paris, pour me faire à un autre temps, un autre rythme, pour me réhabituer à ne plus rencontrer les autres — amis ou inconnus — que par des *rendez-vous*. Le mot, je m'en avise, a tout d'un ultimatum. J'ai toujours eu une résistance viscérale aux rendez-vous (n'aimant que les rencontres inopinées, les arrivées à l'improviste) et ce voyage en France n'a rien fait pour arranger les choses. Car à tout ce qu'il m'a donné, à ce qu'il a fait sourdre par lui-même — les itinéraires choisis librement sur la carte, l'errance improvisée sur le grand portulan des chemins, le miracle de tous les imprévus — il faut ajouter cette libération du temps comme si les heures, échappées du morne sablier des rendez-vous et des calendriers, prenaient une substance, une épaisseur qui leur soient propres.

Un des effets les plus singuliers de cette métamorphose intérieure du temps fut d'ailleurs de me faire très vite renoncer à la lecture. J'avais, tout au début du voyage, emporté avec moi la *Divine Comédie* de Dante dans l'édition de La Pléiade, la seule pratique et possible en voyage. Je me voyais déjà ouvrant le livre sur quelque pente ensoleillée ou à l'ombre d'un chêne séculaire, dans le silence de la campagne. Cela arriva en effet, très peu d'ailleurs, en raison du temps incertain et surtout parce que l'idée m'en vint de moins en moins. Les pèlerins, les errants d'autrefois emportaient souvent avec eux un ouvrage — la Bible presque toujours — qui était leur livre de chevet ou plutôt de talus et soupente. Je pense en écrivant ces lignes à ce merveilleux livre que sont les *Récits d'un pèlerin russe,* où l'on voit l'auteur anonyme ouvrir à tout moment, sur les chemins, dans les granges, les auberges, sa *Philocalie,* recueil de textes et de sentences tirés de la vie des saints *.

* (Édition du Seuil) Je le recommande vivement à tout ceux pour qui partir sur les chemins est avant tout une aventure spirituelle. Ils seront comblés par ce livre, rencontre entre la mystique russe et celle du désert oriental.

Je me disais : moi aussi j'aurai mon livre des chemins, mon bréviaire des sentes, mon évangile des herbes et des fleurs, bref ma bible des routes et *La Divine Comédie* me parut très bien convenir. J'avais depuis longtemps envie de la relire. Mais très vite, je finis par oublier le livre, ne plus penser à lui ou y penser comme à un compagnon présent mais de moins en moins essentiel. Dans la journée, j'aimais m'étendre au pied d'un arbre (chêne ou non, séculaire ou non) sans penser à rien d'autre qu'à la forme changeante des nuages, aux messages des oiseaux, aux crissements des insectes invisibles, aux bruits lointains signalant une ferme, un hameau, un village. Et le soir — même quand l'atmosphère du café où j'avais pu trouver refuge rappelait le Purgatoire ou l'Enfer de Dante — je préférais rester là, avec les clients quand il y en avait ou seul, à lire le journal local, écouter les bruits et les silences d'un café, ce temps insidieux, anonyme des lieux qui soudain sont désertés de leurs cris vivants, leur brouhaha, et leur rumeur humaine comme un rivage dont la mer vient de se retirer. Car même là, en ces endroits souvent sinistres, je me sentais plus réceptif qu'en allant m'isoler dans ma chambre pour lire un livre que je pourrai toujours retrouver à la fin du voyage. Les livres et les routes demeurent mais les rencontres, les paroles, elles, sont éphémères. Et c'est cet éphémère que je venais chercher dans la pérennité géologique des chemins ou la mouvance des visages. Cet éphémère égrené dans le fil des jours et qui se mue ainsi en petites éternités, à chaque instant recommencées.

*

Me voici dans l'aube sur le seuil des Bois Noirs. A respirer dans la fraîcheur et l'ombre l'odeur des fougères. A effleurer les digitales retrouvées. Ces fleurs-là aussi je les aime, bien qu'elles soient plus massives, moins aériennes et lumineuses que les épilobes en épi. J'aime la belle couleur de leur corolle, leur taille élancée, leur campanule pourpre, en forme de doigt de gant (d'où ce nom de digitale ou gant de Notre-Dame) et cette tige pubescente, autrement dit couverte de poils fins. En fait, ces fleurs si attirantes sont un violent poison. A faible dose, elles tonifient le cœur. A haute dose, elles sont mortelles ou en tout cas très dangereuses. Je me penche vers la corolle séductrice, appât de mort, constellée d'étoiles d'or en ses profondeurs utérines. On se croirait au cœur d'une chapelle où bourdonne déjà le tocsin des insectes. Sont-ils immunisés contre le poison de la plante? A côté, la rosée perle sur les feuilles. Entre deux d'entre elles, une minuscule araignée achève de tisser sa toile. Ainsi, ici, tout n'est que piège, beautés trompeuses, machineries mortelles. En ces corolles si séduisantes guette dans l'aube une mort empourprée.

Le chemin grimpe dans la sapinière, raide et criblé de pierres. Mais très vite, il se ramifie et se perd en diverticules dans la profondeur des sous-bois. Ma carte trop ancienne — elle est de 1958 — ne m'est d'aucune utilité. Par chance, quelques mètres plus loin, je repère un itinéraire balisé : un trait rouge, un trait blanc sur un tronc d'arbre. C'est un G.R., un sentier de Grande Randonnée, comme il en existe maintenant à travers toute la France, œuvre des clubs locaux et du Touring-Club de France. En général, j'évite de les prendre car je préfère choisir moi-même sur les cartes les chemins qui me plaisent. Mais ici, il est le fil d'Ariane de ces forêts où je n'ai pas l'intention d'errer ou de tourner en rond jusqu'à la nuit. L'aubergiste de Mayet-de-Montagne m'a raconté d'ailleurs qu'autrefois dans ces bois — et ce jusqu'au début du siècle — des colporteurs, des marchands ambulants se perdaient très souvent, l'hiver surtout quand la neige recouvrait les chemins. On retrouvait leurs corps gelés au printemps et on mettait alors une croix à l'endroit de leur mort. Ces croix existent encore çà et là. Par chance, ce G.R. me mène exactement là où je veux aller, au point le plus élevé des Bois Noirs, au Puy de Montoncel. J'y parviendrai au début de l'après-midi d'où je découvrirai enfin le pays des volcans.

*

Nudité. Vent. Soleil. Le sommet du puy de Montoncel. (Preuve que je suis désormais au pays des volcans : ce mot *puy* figurant pour la première fois sur la carte, frontière orographique de l'Auvergne et de l'Occitanie, mot qui m'escortera jusqu'au terme de mon voyage, et dont je suivrai, comme on suit le fil d'une rivière, les méandres de ses syllabes. Car *puy,* à mesure que je descendrai vers le sud, deviendra *peuch* aux limites méridionales de l'Auvergne, *puech* dans les Causses, *pech* dans le Minervois et *pié* dans le Languedoc. Ainsi peut-on retrouver, par le fil des chemins vous menant vers la mer, l'itinéraire, l'histoire d'un mot, lui-même né de *podium,* mot latin signifiant éminence que les lèvres étrangères de nos ancêtres, ont fini par brasser, fouiller, creuser, élaguer pour ne laisser que cette syllabe *puy.*)

Le sommet de Montoncel est couvert de bruyères, de myrtilles et de fleurs jaunes de camomille. Le vent rase et arase ce sommet courbant parfois jusqu'à terre les épicéas qui frangent son flanc nord. Ici et là, des troncs luisants, écorchés, squelettes blancs des arbres frappés par la foudre, délavés par les pluies. Partout, jusqu'à l'horizon, c'est un grand moutonnement de forces apaisées, érodées et rongées par le temps. A regarder ce paysage, à sentir par tous ses yeux, par tout son corps ce dépouillement des sommets, à éprouver la transparence du ciel où le vent a balayé les nuages du matin, à respirer cette odeur de bruyère, de roc et de pin qu'il apporte avec lui (les noms des vents, eux aussi, chantent une histoire de terre et d'eau, pas seulement ceux des vents « célèbres » — le mistral, le sirocco, la tramontane — mais ceux des vents locaux — le *terral,* le *cers,* l'*autan,* la *marinade* — qui tressent aux sommets leurs guirlandes de mots), à sentir tout cela ici, le souvenir surgit en moi d'autres sommets, plus dépouillés, plus rudes, et parfois plus brûlants : par un jour semblable à celui-ci, à la même heure, le sommet du Cithéron, en Grèce, avec ses rochers bleus couverts de cyclamens, ses scilles d'automne frémissantes, grandes jacinthes mauves, et, à l'horizon, le miroir aveuglant du golfe de Corinthe. Et celui du Parnasse, où je grimpais par un jour de tempête, en octobre, au milieu de géants foudroyés, de grands troncs déchiquetés par les orages.

Ces arbres frappés par la foudre, j'en verrai encore tandis que je descends vers le col de la Charme, à travers des bois chavirés, des branches brisées ici et là, tout un chablis de bois, de forêts tourmentés par les vents. Et après le col de la Charme, au bout d'une heure de marche, la Nationale 89 (je l'avais oubliée, elle aussi, bien qu'elle fût marquée en rouge sur la carte), Chabreloche, le bruit infernal des camions et là, presque en face du café où je repose mes jambes après les grands Bois Noirs, le mur avec l'inscription : ICI COMMENCE L'OCCITANIE. Je regarde la carte. Depuis 15 heures aujourd'hui, je suis dans le Forez.

*

Ambert. A la fois en Auvergne, en Forez et en Livradois. Je lis le dépliant fourni par le syndicat d'initiative. Un syndicat d'initiative : a-t-on jamais pensé à l'incongruité de ces deux mots? Quand verrons-nous, le « progrès » aidant, des syndicats d'imagination? Je me souviens qu'il y a des années, étant étudiant, j'avais pendant un temps travaillé à l'U.N.E.S.C.O. comme garçon d'ascenseur, pour me faire un peu d'argent (l'U.N.E.S.C.O. était encore à cette époque à l'hôtel Majestic). Et un jour, me promenant dans les couloirs, j'avais remarqué un bureau, d'aspect tout anodin mais qui portait à son entrée, là où on s'attendrait à voir Direction, Secrétariat ou Comptabilité, un écriteau : BUREAU DES IDÉES. Et le souvenir m'en revient, ce matin, à Ambert, dans cette pièce ensoleillée où je feuillette des prospectus sur la région, en découvrant ces mots : SYNDICAT D'INITIATIVE comme si je les lisais pour la première fois. De l'initiative, je ne crois pas en avoir manquée depuis deux mois maintenant que je marche. Ce lieu est donc le mien une fois encore, comme tous les cafés des Amis, les granges à chauve-souris et les Maisons des Jeunes. Donc, ce dépliant, décrit la région en termes si dithyrambiques qu'ils me font hésiter à son égard entre l'Eldorado, l'Éden, le pays de Cocagne et la Terre Promise. AMBERT-EN-LIVRADOIS, c'est en effet « le pays vert et bleu de l'herbe et des sapins, la vallée aux cent vallons des ruisseaux bondissants, les montagnes aux longues croupes mystérieuses hérissées de rochers de granite. C'est un coin d'Auvergne peu connu et pourtant l'un des plus beaux sous son ciel d'un bleu profond déjà méditerranéen.

« C'est aussi la vallée aimable et calme blottie au cœur de ses cantons. L'église puissante et fine au clocher de dentelle se dressant dorée dans le soleil... »

Tout cela d'ailleurs n'est pas entièrement faux. Ce style seul est en cause, qui me rappelle ces descriptions de paysage, redondantes et fleuries, dont fut abreuvée ma jeunesse au temps de l'école primaire. Descriptions toujours tirées des mêmes auteurs, que je soupçonnais déjà d'avoir sadiquement conçu ces phrases ronflantes à l'intention des enfants des écoles. Ne les faisons pas plus naïfs qu'ils ne le furent, ces Loti, ces France, ces Erckmann et Chatrian, ces Malot, ces Audoux, ces Maurière, ces Coppée, ces Moselly, ces Savinien Lapointe (j'en oublie sûrement) : ils ont passé leur vie à préparer leur propre anthologie sous forme de futures dictées !

Ambert, donc, (qui signifierait le Gué de la Rivière, d'après son étymologie gauloise) où j'ai mis deux jours pour venir de Viscontat, première halte après l'étape des Bois Noirs. Viscontat où le soir, en me promenant vers le haut village, une petite fille s'est arrêtée de jouer en me voyant, m'a détaillé avec attention et s'est adressée en patois à sa grand-mère, assise sur le seuil, pour lui parler de moi. Lorsque ensuite, au café où je dormirai, j'ai demandé à la patronne si tout le monde parlait encore patois ici, elle m'a répondu, tout en essuyant la table du dîner : « On parle patois entre nous. Mais avec les autres, on parle... français. » Elle a hésité avant de dire *français*. Étrange, cette très légère et très imperceptible hésitation !

Le patois, je l'ai entendu chaque jour depuis le Morvan. Je peux même préciser l'endroit exact où je l'ai remarqué pour la première fois. C'est à Planchez où je fis halte un soir entre Montsauche et Château-Chinon. Planchez, autre Oradour du Morvan. Village entièrement détruit et incendié par les Allemands pendant la guerre, ce qui explique la surprise éprouvée devant ce village tout neuf, comme construit de la veille. C'est tout près de Planchez, à quelques kilomètres, que se trouve, perdue dans une splendide forêt de hêtres, l'ancienne acropole de Faubouloin, occupée aujourd'hui par une chapelle de pèlerinage avec, juste avant, dans un creux de rocher, une ancienne fontaine sacrée, dédiée à sainte Marguerite. Lieu hanté plus qu'aucun autre par les fantômes de la Gaule déchue et le souvenir des Éduens. Malgré son étroitesse, malgré le foisonnement de la végétation (toute la région est reboisée de résineux et il faut, au début, avancer parmi les fougères avant d'atteindre le vallon au bout duquel on débouche sur le petit plateau de la chapelle, encadrée d'arbres centenaires), Faubouloin est un de ces endroits secrets où l'on sent ce qu'est — ou ce que put être — un lieu sacré. Faubouloin ne fut pas un marché, un emporium, une cité d'artisans comme Bibracte ou Alésia, mais un centre de culte, environné de forces telluriques, dont la présence persiste aujourd'hui encore, dans le silence presque étouffant du site. Lorsque j'y arrivai, un matin de soleil, une grande chouette effraie s'envola d'un des ormes surplombant la chapelle. Je ne pouvais trouver meilleur accueil que cet oiseau des nuits qui veillait en plein jour.

C'est à Planchez, donc, que j'entendis pour la première fois parler patois au cours de ce voyage. Je me promenais, à la nuit tombante, et près d'une maison dont la fenêtre était ouverte, j'entendis un paysan parler à sa femme. Je m'adossai au mur, invisible, pour surprendre leur conversation, à laquelle je ne compris rien. Et par la suite, il ne s'est guère passé de jour sans que j'entende du patois. Apparemment, il subsiste surtout dans la moitié sud de la France. Dans mon village, les anciens le comprennent, peuvent le parler à l'occasion mais ne le font pratiquement jamais. Ainsi, tout au long des chemins, du Morvan aux Corbières, ma marche fut-elle accompagnée de sons nouveaux, d'inflexions inconnues pour moi comme si, souvent, je me trouvais non pas en pays étranger, mais sur des terres dont l'histoire ne s'était jamais confondue tout à fait avec celle de la France.

*

Viscontat, qui doit son nom à quelque obscur vicomte des anciens temps, est environné de hauteurs discrètes, de *rocs* et de *puys* dont les plus hauts sommets atteignent à peine mille cinq cents mètres. Mais déjà la marche s'en ressent. Depuis Chabreloche, j'ascends régulièrement chaque jour de quelque deux cents mètres *. Juste à la

* On m'a fait reproche de ce verbe alors qu'il est parfaitement français. Puisqu'on dit *descendre* on peut dire *ascendre* (on le trouve dans de nombreux auteurs du siècle dernier). D'ailleurs qu'importe : chacun le comprend et c'est là l'essentiel. C'est à cela que servent les mots.

sortie du village, je croise un lourd chariot attelé de deux bœufs. Rencontre de plus en plus rare et qui, bientôt, fera figure de scène folklorique. Les attelages disparaissent au profit des tracteurs et je n'en ai guère vu — ainsi tracté par des bœufs — que dans l'Auvergne, le Forez et le Livradois.

Oui, le chemin grimpe sur les flancs du puy de Chignore au milieu d'un paysage qui, une fois dépassé Vallore-Montagne, se dénude sensiblement, écaillant peu à peu la terre, mettant à jour ses os de granite et de schiste. Les genêts aussi réapparaissent çà et là et les premiers champignons dans les prés, les sous-bois : rosés, amanites, coulemelles dont je ferai, en certains jours, d'amples moissons. Bientôt, le ciel se couvre, le vent se lève, un vent qui vient du nord, heureusement, et me pousse doucement vers la vallée du Brugeron. Puis l'idée me vient brusquement, à mesure que je m'en rapproche, de prendre un raccourci pour traverser la forêt d'Aubusson. J'aperçois plusieurs sentiers qui s'y engagent et je ne sais lequel choisir. En contrebas, à quelques centaines de mètres, je vois trois bâtiments distincts, encadrant une cour commune. J'y descends à travers une prairie spongieuse. La cour est silencieuse. Aucun chien n'y aboie. Étrange. Le premier bâtiment est une étable vide. Au fond de la cour, une grange avec un tracteur, une échelle. J'appelle. Personne ne répond. Je vais vers le bâtiment du milieu, le seul qui ait l'air d'une habitation. Je me penche sur la fenêtre et, par les vitres, j'entrevois une cuisinière, une table et, tout au fond, me semble-t-il, une forme assise. Je frappe. Aucune réponse. J'entrouvre la porte doucement. Une vieille femme est là, près de la cuisinière, immobile, prostrée sur sa chaise. Je lui parle. Elle ne bronche pas. « Elle doit être sourde. » Je parle plus fort et demande en criant le raccourci pour Brugeron. Toujours rien. Je m'approche. Elle relève la tête, très lentement, et me dévisage, sans rien manifester. Rien ne bronche sur ce visage osseux, émacié, un visage quasi hébété, comme un masque ridé. Pourtant, elle n'est pas aveugle, j'en suis sûr. Paralysée, idiote de naissance? La pièce est sombre, avec une seule fenêtre, et des odeurs de serpillière moisie. Je pose une fois encore ma question, criant toujours plus fort. Silence. Les yeux, seuls, me fixent, les yeux de ce squelette assis. Finalement, je reprends mon sac et referme la porte. Dehors, le ciel est devenu couleur de plomb. Les premières gouttes se mettent à tomber. Je pense un instant m'abriter dans la grange. Mais non. Ce lieu est trop sinistre et je préfère être inondé plutôt que de rester une seconde de plus près de cette maison aux odeurs de cercueil.

*

Ce matin, le ciel s'est dégagé. Hier, j'ai évité l'orage de justesse. Il a éclaté au moment même où j'entrais au hameau du Brugeron. Par chance, il y a un hôtel. Mais le couple âgé qui le tient hésite à m'y laisser dormir. Personne ne vient ici en cette saison et les chambres ne sont pas chauffées. Que m'importe qu'elles soient ou non chauffées! Il n'y a pas d'hôtel dans la région avant Ambert, à plus de vingt-cinq kilomètres. Les deux vieux finiront par céder devant mon insistance, à la vue de mon sac à dos, de ma mine éplorée. Je dînerai avec eux, dans leur cuisine, pour éviter le dérangement et le froid de la salle à manger. Une soupe aux choux, une omelette au jambon de pays, de la fourme de la région, le tout arrosé de ce vin d'Auvergne au goût bizarrement iodé mais auquel je finirai par m'habituer. Et le matin, avant de partir pour Ambert, un grand bol de café noir, filtré à la chaussette, un morceau de saucisse sèche et de fourme. Ainsi serai-je lesté pour la journée qui sera longue car je veux arriver à Ambert ce soir même.

De fait, dès l'orée du village, le sentier grimpe au flanc

d'une colline raide en longeant une grande forêt. Dans un pré, juste à côté, une femme garde ses vaches. Près d'elle un chien au museau noir hésite, hargneux : qui est cet intrus, ce vagabond, cet homme bon à mordre avec ses mollets bien dodus? Des chiens, j'en ai vu des centaines au cours de ce voyage. A l'exception de quelques cas dont je reparlerai, pendant la traversée des Causses, ces rencontres se placèrent toutes sous le signe d'une incompréhension totale — et sans doute réciproque. Est-ce le bâton que je prends parfois (pas toujours d'ailleurs car en dépit du style patriarcal et de la noble allure qu'il confère au marcheur — instrument de sa condition comme la crosse l'est à l'évêque, la houlette au berger, le bâton blanc au flic — il est plutôt gênant dans les montées et je l'envoie bien souvent promener), est-ce donc ce bâton ou la seule vue d'un inconnu marchant qui agace les chiens *? En général, ils se contentaient de me suivre quand je longeais les prés où ils gardaient les vaches, à distance respectueuse et sans trop empiéter sur ma route. Moi, j'avançais négligemment, comme si de rien n'était. Mais j'aurais bien voulu, comme ces amphibiens du Secondaire au nom imprononçable, avoir un troisième œil dans la nuque pour mieux les surveiller. Les gens malins — et ceux qui savent toujours tout — vous diront qu'un chien n'attaque jamais un passant hors de son propre territoire. Erreur! Profonde erreur! J'en ai fait l'expérience maintes fois, sur les routes les plus larges et les plus nationales et souvent loin de tout village. D'autres vous expliqueront qu'il suffit de ne pas avoir peur (personnellement, je n'ai jamais eu peur, j'ai éprouvé seulement, disons, des inquiétudes pour mes mollets), de les approcher gentiment, sans trace d'agressivité, de leur parler, de les flatter, d'attendre qu'ils vous flairent et se calment. Erreur aussi. Ce n'est pas toujours

* A cette question, un lecteur m'a fourni une réponse sagace, sinon savante, proposée dans la postface : *La mémoire des routes.*

vrai et s'il avait fallu qu'à chaque fois j'agisse ainsi, je serais encore sur les routes! Non. Quiconque envisage une marche à pied à travers la France (ailleurs que sur des sommets dénudés, des forêts impénétrables ou des déserts perdus) doit savoir que son problème essentiel, crucial sinon vital ne sera ni la faim, ni la soif, ni la fatigue, ni les entorses, ni les marécages, ni les récifs à marée haute, ni la mort par épuisement dans les forêts, mais LES CHIENS. On n'imagine pas le nombre de chiens qu'il peut y avoir en France. J'en ai rencontré partout, dans les jardins, devant les maisons particulières, dans les cours des fermes, dans les prés et jusque sur les routes les plus éloignées. Ne parlons pas des chiens errants, souvent maussades pour ne pas dire hargneux et dont il n'est pas toujours facile de se débarrasser. Car enfin quand un chien à qui, de mémoire d'humain, vous n'avez jamais causé le moindre tort, et qui vous croise incidemment sur une route perdue du Forez, s'en prend immédiatement à vos mollets, c'est là un comportement contraire à tout ce qu'on lit d'ordinaire sur les chiens. Il faut croire que je n'ai rencontré que des chiens hors catégorie, des chiens marginaux, comme moi, traversant eux aussi la France à pattes à leur façon, bref des originaux comme aurait dit la cafetière d'Arfeuilles. Pourtant, parcourir les routes ne me rend nullement agressif, au contraire j'aurais plutôt tendance à voir des frères partout, dans les êtres à deux, trois, quatre pattes et même plus. Mais j'avoue que le matin (quelques jours après le départ de Brugeron, du côté de Saint-Bonnet-le-Bourg) où sur une route de montagne, asphaltée et départementale, je rencontrai un chien errant qui décida que je ne ferais pas un pas de plus — et ce dans un paysage entièrement dépourvu de trace d'habitation et d'être humain — je ne sus plus que faire. Impossible d'avancer d'un pas : le fauve l'emboîtait. De plus, c'était un chien-loup de belle taille, à l'œil rouge et aux crocs bien visibles, si furieux, si hurlant contre moi que je le crus un moment enragé. Il se tenait, à un mètre, gueule ouverte, les yeux injectés, les pattes ramassées, prêt à bondir. Stoïquement, je lui tournai le dos, essayant de continuer ma route. Mais je dus m'arrêter. Je le sentai sur mes mollets, prêt à me mordre. Impossible de continuer ainsi. Je n'allais pas faire ces vingt kilomètres en m'arrêtant tous les deux mètres. Je restai au milieu de la route, indécis, dans l'espoir que quelqu'un passerait et qu'à deux, on trouverait plus facilement une solution. Mais personne ne se montra, si bien qu'au bout d'une dizaine de minutes passées à guetter l'horizon et surveiller le fauve, je changeai de tactique. Je posai mon sac sur la route, lentement, et je m'assis dessus. Puis, je tendis ma main à l'animal, en lui prodiguant les noms les plus flatteurs (et les moins mérités). Il cessa d'aboyer un instant, m'observa puis reprit de plus belle. J'insistai. Alors, toujours grognant, il s'approcha lentement, flaira longtemps ma main tendue puis d'un coup partit droit dans la direction opposée. Mais tout ceci ne me fait pas, ne me fera jamais changer d'avis. Je préfère les chats aux chiens pour la bonne raison, comme le dit excellemment le dessinateur Siné, qu'il n'y a pas de *chats policiers*.

Aujourd'hui, par chance, la femme est là pour rappeler son chien *. Et la journée se passera, sans autre incident, par un temps gris où longtemps couvera l'orage. Pendant tout le trajet, j'aurais devant moi, barrant l'horizon de leurs croupes arrondies, juste au-dessus d'Ambert, les plateaux nus de Pierre-sur-Haute. Région blanche et comme virginale sur la carte, rayée seulement de traits noirs marquant les sentiers, les chemins muletiers. Cette étendue blanche m'attire, me fascine comme l'avait fait la masse verte des Bois Noirs. J'y pressens un de ces lieux encore préservés, habités de quelques bergers, de quelques

* Terme euphémique pour désigner le canidé en question. Seul lui conviendrait le terme (au choix) : clebs, clébard, cabot ou roquet.

troupeaux transhumants. Oui. C'est là que je vais aller, avant de continuer ma marche vers le sud. Vers ces terres qui brillent au loin à la limite des nuages. Vers ce cœur blanc du haut Forez.

*

Les prés sont vénéneux mais jolis en automne
Les vaches y paissant
Lentement s'empoisonnent
Le colchique couleur de cerne et de lilas
Y fleurit...

Les seuls êtres dont la pensée, les images, l'univers me suivent — ou parfois me précèdent — dans mes errances sont les poètes. Lorsqu'on marche, on ne transporte pas mentalement avec soi, on ne se récite pas intérieurement des traités de sociologie rurale ou la liste des statistiques sur le rendement des blés améliorés, non, de préférence on marche l'esprit vide — je veux dire par là *vidé* de tout ce qui l'encombre dans la vie quotidienne et citadine — et seul un esprit ainsi vidé ou vide peut être disponible à tout ce qui surgit, remarquer la beauté d'une fleur, être attentif à un bruit insolite, surprendre le soleil jouant là-bas avec la croupe des montagnes ou les toits rugueux des villages. Et la seule chose qui, alors, peut occuper l'esprit sans l'encombrer, l'emplir en le laissant vide, est précisément la poésie. Elle seule — plus que les livres tôt laissés — m'accompagna au cours de ce voyage, comme une présence discrète, sachant s'effacer chaque fois qu'il le fallait, une compagne invisible me parlant par mes propres voix intérieures.

Les vers de Guillaume Apollinaire cités plus haut ont ainsi surgi spontanément dans ma mémoire, en ce matin d'automne où, allongé au pied d'un grand noyer, j'attends dans une prairie couverte de colchiques l'ouverture du moulin Richard-de-Bas pour le visiter.

Le colchique couleur de cerne et de lilas
Y fleurit tes yeux sont comme cette fleur-là
Et ma vie pour tes yeux lentement s'empoisonne

Je regarde cette fleur, attirante et redoutable, plus redoutable encore que la digitale, et qu'on appelle tour à tour de son nom botanique le *colchique d'automne* mais aussi, en raison de son poison, le *tue-chien,* en raison de sa couleur le *safran des prés* ou le *safran bâtard* et en raison sans doute de l'attirance ambiguë qu'elle exerce, la *Dame nue*. Je la regarde frangée de violet, corolle entrebâillée laissant voir les étamines d'or, pupille jaune au centre d'un œil comme surgi de terre. J'attends l'ouverture du moulin avant de gagner les pâturages et les plateaux de Pierre-sur-Haute car ce moulin est un des rares en France (et peut-être le seul, je ne sais) où l'on fabrique encore le papier selon le mode artisanal du Moyen Age. On le fait à partir de chiffons qu'on lacère puis qu'on trempe dans l'eau et qui sont ensuite martelés, broyés, hachés par des maillets garnis de dents de fer, actionnés par la roue du moulin. Il faut des jours et des jours de ce patient mâchage et mâchonnage des chiffons pour obtenir la pâte blanche, onctueuse, la bouillie molle qui, une fois tamisée, égouttée, pressée entre des feutres, deviendra du papier. Cette recette vient d'ailleurs de très loin, du monde arabe où des croisés auvergnats, prisonniers des Sarrasins, la virent à l'œuvre et la rapportèrent ici même, au XIVe siècle. En un temps où seule compte la rentabilité, j'admire que l'on fabrique encore le papier selon cette lente et coûteuse méthode car il y faut du temps, de la patience, voire de l'obstination et même du courage. Mais quel résultat! On ne peut pas — précisément lorsqu'en plus on est écrivain, écrivain attaché à l'aspect souvent artisanal de ce métier — on ne peut pas ne pas admirer, toucher, caresser ces feuilles filigranées de toutes les fibres qu'on peut y lire encore, comme si l'on tenait en ses mains — tour à tour rèche ou douce — une grande feuille tombée d'un arbre inconnu, mystérieux. Et sur ces feuilles mirifiques, je me dis qu'il ne reste plus qu'à écrire, qu'à calligraphier des poèmes, de beaux poèmes. Des poèmes sur les colchiques...

*

Accroupi sur ses talons, le vieux fermier regarde le paysage du plateau, au seuil de son buron. A côté de lui, dans la même posture, insolite, mais finalement moins fatigante qu'il ne paraît, je contemple moi aussi cet horizon changeant. Il y a vingt minutes à peine, les nuages nous entouraient. Maintenant, alors que le soleil décline, ils se sont dissipés, découvrant un grand décor de steppe herbue, de montagnes et de vent. Je suis à 1 600 mètres, sur le plateau de Pierre-sur-Haute, à la Croix de Fossat. Juste derrière moi, le grand buron où vivent chaque été le vieux fermier, sa femme et son fils. Et tout autour, rien. Rien qu'une immensité à l'herbe rase, gonflée de mousse par endroits, là où coulent les rus, rien que ce dénuement des choses et de la terre, retournée maintenant à ses tons d'ocre terne, de vert fané.

L'intuition seule m'a mené juste à cet endroit, vers l'unique buron habité. Je dis *buron* puisque c'est le terme courant en Auvergne mais ici, en Forez, on dit de préférence *jasserie*. J'ignore d'où vient ce mot. Sans doute du mot provençal *jas* signifiant bergerie. Mais il est quelquefois difficile d'admettre (bien que cela soit ici indéniable) que le provençal ait pu s'insinuer si loin, sur ces plateaux d'allure presque nordique, enneigés tout l'hiver et dont le sol, la toison rase, la nudité paraissent si peu conformes aux visions crissantes et chaudes qu'engendre le mot : provençal. J'y suis venu très lentement depuis Ambert car les chemins y grimpent raides. J'ai fait étape à Valcivières un village déjà haut perché, à mi-chemin de Pierre-sur-Haute. L'hôtelière (que là encore il fallut implorer, presque séduire, pour qu'elle consente à me louer une chambre) ne semblait guère au courant de ce qui se passait exactement là-haut, dans ces jasseries. Y avait-il encore du monde? Continuait-on d'y estiver à la belle saison? En trouverais-je au moins une habitée? Elle l'ignorait et ne s'en souciait guère comme si ce grand plateau, dont la falaise dominait le village, appartenait à un continent oublié. J'étais sûr toutefois — d'une certitude toute intuitive — qu'il devait encore exister un ou deux burons en activité. Tous ces carrés noirs, aux noms évocateurs, représentant chacun une bergerie, les Nerses, la Croix de Fossat, la jasserie du Grand Génévrier, de l'Oule, de la Fayolle, de Champelose, ne pouvaient être tous des lieux inhabités.

Aussitôt quitté Valcivières, le sentier court au milieu des prés, longe les quelques maisons des Versades (trois fermes où je ne trouverai personne quand j'irai demander mon chemin) puis s'engage dans une forêt. Très vite, sur la droite, j'y entends le bruit d'un torrent. Je m'arrêterai sur son bord, pour boire et regarder l'écume au pied des gros rochers. Des papillons multicolores dansent autour des chutes minuscules, dont les embruns s'irisent dans le soleil. Puis le chemin quitte la forêt et débouche sur un premier plateau dominé par une colline. Ici, plus le moindre sentier. Il faut couper droit à travers la prairie où des rus courent de tous côtés, au milieu d'herbes hautes et de touffes de fleurs jaunes (c'est ici le pays des gentianes, dont on fait la Suze et l'Avèze, le pays des racines amères). Le sol est de plus en plus mou à mesure que j'avance. J'ai beau errer ici et là, je ne rencontre que de l'eau. Je suis exactement au cœur d'une narse (appelée *nerse* par ici) et, tout en pataugeant dans la prairie trempée, je pense à nouveau à ce triumvirat : narce, narse, nerse. Changements minimes entre ces mots et qui peut sembler inutile puisque tous trois désignent la même chose mais qui sont justement le sol et le sel du langage. Sur les quelques dizaines de kilomètres qui me séparent des Grandes Narses du Bourbonnais, la langue paysanne pour nommer ces prairies spongieuses a inventé trois mots *presque* identiques. Dans ce *presque,* je sens toute la vie des mots, leur vie charnelle, d'oreille, de bouche, de lèvres et de palais. Pourquoi ici un *a* et là un *e* ici un *c* et là un *s?* A travers ces différences infimes (et tant d'autres, bien sûr, sensibles dans tous les domaines, dans la façon de fixer des chaumes sur un toit, d'attacher un animal à un poteau, de décorer le manche d'un outil, de varier le détail d'une ornementation) on devrait pouvoir retrouver, comme à travers un fin tamis, le contenu révélateur de chaque lieu, de chaque ensemble humain et homogène.

Mais, pour l'heure, ces nerses m'agaceraient plutôt. J'aurai un mal de chien à les franchir sans m'enfoncer jusqu'aux genoux. Et là-haut, sur la colline ferme, j'apercevrai dans le creux d'un vallon, un buron isolé, étincelant sous le soleil : du linge sèche en plein air, des vaches paissent. Il y a des humains par ici et donc un endroit où je pourrai dormir!

*

Je suis allongé dans le grenier à foin, au-dessus de l'étable, tassé dans les herbes sèches. Par les fentes du plancher, montent le bruit des vaches ruminant, les niagaras de leurs urines, le plouf étouffé de leurs bouses et une odeur suffocante de purin. Dans l'autre coin, sur un lit de fortune et un matelas bourré de paille, dort Jean-Pierre, le fils du ménage. Je me suis couché de bonne heure, après le dîner en famille dans la cuisine. Je dis : cuisine, mais en fait, comme toutes les jasseries que j'ai pu voir sur ce plateau, celle-ci est constituée d'une pièce unique, très longue, et divisée en deux par une simple cloison. D'un côté, l'étable avec les animaux (onze vaches et quatre chèvres) d'un autre la pièce où l'on mange et l'on dort. Une table, deux bancs, une cuisinière, une cheminée et dans le fond, occupant tout le mur, un lit clos. La cheminée est grande, assez haute pour qu'on puisse s'y tenir près du feu. Un énorme chaudron y bout en permanence, où l'on fait la pâtée des porcs. Car, juste à côté, il y a un autre buron qui sert de grenier à foin, de porcherie, de poulailler. Les deux bâtiments sont recouverts de chaume, avec un faîtage de tuiles creuses, simplement posées bout à bout. De lourdes pierres, attachées l'une à l'autre de chaque côté du toit, les maintiennent en cas de grand vent. Mais une partie du chaume, qui pourrissait, n'a pu être refaite (« Plus personne ici ne sait le travailler ni le poser, me dit le vieux, alors on se contente de ce qu'on trouve »). On l'a remplacée par des tôles ondulées. Ce sont elles qui, de loin, quand je suis arrivé en haut des nerses, m'ont signalé la jasserie en étincelant au soleil.

J'ai oublié de mentionner deux chiens, aux oreilles pendantes, à la langue lécheuse qui seront vite mes amis. Vaches, chèvres, porcs, volailles, chiens (sans compter les buses qui planent et piaillent en permanence dans le ciel) soignés, traités, flattés, caressés, houspillés selon les cas par le vieux transhumant, sa femme, son fils : tels sont les habitants, isolés quatre mois d'été, de la nouvelle arche échouée sur ce mont Ararat.

*

Pendant longtemps, la transhumance — ou la remue ou l'estive — fut le fait de toutes les régions montagneuses.

Mais, depuis une génération, elle tend un peu partout à disparaître. Dans le Forez, à quelques rares exemples près, plus personne ne la pratique. Cette famille des Versades est l'une des dernières à en conserver l'habitude. Chaque année, vers la fin juin ou le début juillet, tout le monde gagne les plateaux avec les chèvres et les vaches. Les porcs, les volailles, les outils ou les meubles indispensables sont transportés à part, en voiture, par un autre chemin. Des Versades, le chemin n'est pas très long jusqu'à la Croix de Fossat, même avec un troupeau. On peut le faire dans la journée. Là-haut, le buron les attend, où l'on a laissé tout l'hiver les choses intransportables. Et les trois ou quatre mois d'été se passent là, sans redescendre. Seul le fils — qui avoue s'ennuyer quelquefois — descend chaque semaine dans la vallée, en voiture, pour faire les courses nécessaires. Peu de gens montent jusqu'à l'estive sauf en septembre, le dimanche, quand la chasse est ouverte. Car il y a du gibier par ici, des lièvres, des lapins, des coqs sauvages et même des chevreuils, dans le vallon boisé — le Fossat — descendant vers le col des Supeyres.

« On rentre vers la fin septembre à présent, me dit le vieux. Mais autrefois, on restait plus longtemps, jusqu'aux premières neiges. A nos âges, on commence à craindre le froid. La mère surtout. Elle a envie de retrouver la ferme. Moi, je resterais bien ici tout l'hiver si on pouvait nourrir les bêtes. Elles se plaisent dans ce grand air. L'herbe y est bonne. Et il y a de l'eau partout. Elles donnent un meilleur lait que dans les prés d'en bas. Avec ça, on fait de la vraie fourme qu'on laisse se faire le temps qu'il faut, pendant plus de trois mois. C'est comme ça qu'il faut la manger. Légèrement sèche à l'extérieur et onctueuse en dedans. » Cette fourme, dont les gros cylindres patinés s'alignent sur des claies dans le fond de l'étable, je m'en régalerai pendant ce séjour au buron. De lait de chèvre aussi, bu tout chaud au sortir du pis.

Tandis qu'il me parle en marchant dans le pré, je regarde le vieux. J'aime ce visage au regard bleu, précis, qui vous fixe droit dans les yeux en vous parlant, cette casquette centenaire (avec laquelle il doit dormir tant elle a épousé la forme de son crâne), ces sabots, ces pantalons aux larges poches, cette silhouette arverne et immuable. Le soir du premier jour, quand il s'est installé à croupeton pour regarder le paysage, sans bouger, comme si chaque soir il méditait ainsi, immobile, sur la beauté des choses, j'ai eu la brusque vision d'une pose, d'une attitude immémoriales. Cette posture de guet, adoptée en d'autres circonstances, dans le cadre d'une autre vie, s'est maintenue par cette mémoire inconsciente des corps et de leurs gestes. On dit souvent que les paysans ne voient pas la nature. C'est vrai dans la plupart des cas car *la nature* n'est pas un mot de paysan. Le travail de la terre n'incite pas — et incitait encore moins autrefois — à la contemplation. Voir dans la nature un univers passif, un monde qui s'offre à vous comme un spectacle ou un tableau, c'est une vision de citadin. De ces citadins, justement, qui croient retourner à la nature en s'installant dans des ruines de fortune — si l'on peut dire — et en trayant une ou deux chèvres. Ou d'autres, plus naïfs encore, — comme ce couple de jeunes venus s'installer à la campagne et qui, croyant que tout ce qui sortait de terre était *naturel* donc bon, — sont morts après avoir ramassé et mangé des amanites! Mais lorsque le travail comme c'est le cas ici, ne mobilise qu'un faible temps de la journée (à l'heure de la traite et de la préparation du lait pour les fromages), que le bétail paît librement autour de vous sans même qu'on ait à le surveiller, alors on a le temps de s'occuper de la nature, de vivre au rythme des saisons. Quand je vins à mon tour m'asseoir près du vieux, dans la même attitude, si simple, si reposante, nous sommes restés tous deux à regarder le ciel, les nuages, longtemps, sans dire le moindre mot.

Le soir, tandis que nous mangions à la lueur d'une lampe à pétrole, j'ai ressenti cette même présence, juste et vraie, des choses quotidiennes : cette façon de couper le pain (un pain en couronne, dense et gris que nous avons trempé dans la soupe), cette façon de le mastiquer, bouchée après bouchée, et cette façon, aussi, de découper la fourme, pour en goûter toutes les parties, les blanches et les bleues, les denses et les molles, et donc toutes les saveurs. J'ai rencontré sur ce plateau perdu un paysan heureux. Et quand je l'ai quitté, il m'a dit simplement : « Vous marchez, c'est bien. Moi, j'aimerais pas être nomade. Je n'aime pas bouger de ma place. De toute ma vie, j'ai dû aller une dizaine de fois à Ambert. Si je pouvais, je resterai ici, toute l'année. On n'a besoin de rien de plus pour vivre. Chaque fois, j'ai de plus en plus de peine à redescendre. »

*

Ce matin, le ciel s'est dégagé fort tard. Septembre est la saison des brumes et le vent d'est, qui souffle depuis plusieurs jours, ne les chasse que vers midi. En attendant, je prends quelques photos. Toute la famille s'est rassemblée devant la jasserie, lui toujours inchangé, mains dans les poches et yeux rieurs, elle, avec une robe noire, revêtue pour la circonstance. Un dernier bol de lait de chèvre, un gros morceau de fourme qu'on glisse dans mon sac et je descends vers le col des Supeyres, par le sentier des bergeries. Toutes sont abandonnées, sauf une que l'on vient de refaire. Ces dix dernières années, on a voulu redonner vie à la remue, inciter les éleveurs de la vallée à confier leurs moutons à un berger et à les envoyer ici. L'expérience fut plutôt concluante. Plus de mille bêtes pâturent actuellement pendant les mois d'été. On les monte en camions et on les redescend de même. A intervalles réguliers, un vétérinaire vient les voir.

De l'autre côté du Fossat, j'entends des clochettes et des aboiements. Mais le troupeau est encore loin. Les taches jaunes des moutons semblent, vues d'ici, comme des buissons clairs agrippés aux versants. Deux chiens courent et jappent autour d'eux. Mais je ne vois pas le berger. La bergerie est juste un peu plus bas. Murs de pierre sèche sur lesquels sont fixés des fagots d'épineux. La cour est déserte, la porte du jas grande ouverte. Son aménagement intérieur est bien différent de celui du buron du Fossat. Objets, livres, pharmacie, produits divers révèlent un homme des villes plutôt qu'un paysan à la remue. Sans doute un ancien étudiant de l'école de Rambouillet, comme on en voit beaucoup maintenant (j'en rencontrerai d'autres dans les Causses) qui, peu à peu, prennent la relève des vieux bergers traditionnels. Dans l'entrée, épinglée sur le mur, un grand papier avec, en grosses lettres, PRIÈRE DU BERGER. Mon hypothèse se confirme. L'écriture, le style de ce texte — si c'est bien ce berger qui l'a lui-même rédigé — attestent un homme instruit. Mais cette prière a quelque chose d'élaboré, de lourd par endroits — et même d'intellectuel — qui n'a que peu de choses à voir avec la façon dont s'expriment, en général, les bergers :

« Mystérieux peuple des bergers, mêlé à tous les grands événements de la terre et des hommes. Il fait percevoir ce que le sens profond de l'univers a de grandeur, il exerce la prérogative illustre qui de tous temps lui fut impartie, celle de guider, d'ouvrir la marche au loin de l'humaine aventure. Sa houlette est ce qui s'est créé de plus pur, en fait d'outils et de symboles. Le grand bâton pastoral à crosse a pacifié l'homme. Aux mains des bergers, il a montré les routes, ouvert des continents. Jamais il n'a fait verser du sang. Un ordre de clarté universelle est inscrit en lui. Sa venue dans le monde fut une venue rédemptrice parce qu'il a institué le premier métier où a éclaté la noblesse professionnelle dans l'obscure conscience des primates que nous fûmes, au temps où ils se battaient à coups de griffes et à jets de pierre et peut-être aussi a-t-il institué le règne de la prière et de l'amour. »

En dessous, figure un dessin représentant, inscrits en part égale dans un cercle, une houlette, une flèche, un fouet.

En sortant de l'enclos, je grimpe à nouveau la colline : les moutons n'ont pas bougé. Mais cette fois, le berger est là. Je descends la pente pour le rejoindre mais mes pieds s'enfoncent dans le sol détrempé. Il m'aperçoit et me fait signe de remonter, de faire un détour par la gauche. J'arrive près de lui. C'est un homme à l'âge incertain, au visage marqué, aux cheveux en broussaille. Il porte un gros pull-over noir et un pantalon de velours. Plutôt renfermé, taciturne, peu prodigue de mots. Je m'assieds dans l'herbe. Nous ne disons rien. Puis peu à peu les mots viendront. C'est lui qui parle. Moi, je l'écoute. Il n'est pas de cette région, comme je le pensais. Il vit dans le midi, près de Nice et vient ici, depuis trois ans, pour la remue. Être berger transhumant aujourd'hui, n'est plus un métier de misère. Il rapporte de quoi se faire, au bout du compte, un solide pécule : entre 6000 et 9000 francs par mois, selon l'importance du troupeau. On comprend que certains, après trois mois d'abstinence en toutes sortes de choses, se mettent à faire bombance, une fois dans la vallée, dépensant sans compter et se saoulant à mort. Pierre, lui, — « Je m'appelle Pierre le berger, je n'ai pas d'autre nom » m'avait-il dit dès le début — n'apprécie pas ce genre de distraction. C'est un solitaire, un ascète, un homme préoccupé d'autre chose que de ripailles. Trois mois sur ces pacages, pour lui, c'est un bonheur, non un esseulement. Il est sévère pour ses « collègues » de la région. « Ils ne savent pas utiliser leur argent, me dit-il. Ils se saoulent comme des porcs pendant des jours et des jours. J'en ai connu qui ont dépensé tout leur gain — plus d'un million parfois — en moins d'un mois. Après, ils se font embaucher comme journaliers, ici et là, le reste de l'année. Trois mois de remue, un mois de « cuite » et huit mois de misère, est-ce une vie? » Lui, il dépense autrement son argent. Il voyage. Ces deux derniers hivers, il les a passés en Iran. Cette année, il pense aller en Égypte. Il gagne assez dans ces trois mois pour vivre sans rien faire le reste de l'année. Mais il préfère voyager, lire, étudier en Orient l'artisanat, le tissage surtout. Et il m'apprend qu'il existe des autocars qui, chaque mois, pour un prix ridicule, relient Munich à Téhéran!

A la façon qu'il a de parler des « gens d'en bas » — il veut dire des éleveurs et des propriétaires de la région d'Ambert — je retrouve la vieille opposition entre gens des hauteurs et gens des vallées, doublée ici de celle qui sépare le berger, simple gardien, simple soigneur de bêtes, de ceux qui les possèdent. « Ils ne savent même pas s'occuper de leurs bêtes et ils ne les aiment pas. Tout ce qu'ils veulent, c'est qu'elles rapportent. La plupart sont incapables d'accoucher eux-mêmes leurs brebis, s'il y a un ennui. Ici, il faut savoir tout faire. Et le pire, c'est que beaucoup d'entre eux sont même malhonnêtes. Comme les bêtes sont remboursées par la Caisse d'Encouragement Agricole si elles meurent en estive, ils en profitent pour nous refiler des animaux malades ou chétifs. Dans l'espoir qu'ils crèveront ici et qu'ils toucheront le double de leur prix. Je suis obligé de vérifier chaque bête une à une, avant d'accepter le contrat. Car après, s'il arrive quelque chose, c'est toujours au berger qu'on s'en prend. »

Sur la route d'Ambert que je rejoins juste au col des Supeyres, je repense à tout ce qu'il vient de me dire. Et je me demande si, en dehors du plaisir qu'il peut prendre à vivre ainsi sur ces plateaux, un berger a autre chose à nous apprendre, à nous communiquer que ce goût de la solitude et l'art de savoir se suffire à soi-même. Est-il encore —

comme le dit, comme le proclame sa Prière — un guide, un porteur de messages venus du fond des temps? Autrefois (je veux dire il y a très longtemps, aux temps de Sumer et d'Akkad, en Élam, en Iran, chez les Hébreux, les Grecs et encore chez les pastoureaux de Provence) les bergers purent acquérir des connaissances importantes, détenir des vérités précieuses, par cette fréquentation des forces vives de la terre. Mais alors *la maîtrise de la terre suffisait pour assurer celle du monde*. Aujourd'hui, où la maîtrise de notre univers de métal, d'atomes, d'ondes et d'énergies n'a plus guère de rapport avec celle de la terre, que peut enseigner un berger? Quelle sagesse — différente de celle du passé — possède-t-il encore? De qui — et vers quoi — peut-il être le guide? Et je me dis : pourquoi un homme vivant au cœur des villes, artisan, ouvrier, ingénieur, technicien, qu'importe, mais un homme sensible aux rythmes du présent (rythmes nouveaux qui ne dépendent pas plus des saisons que la maîtrise du monde actuel ne dépend de la terre), pourquoi cet homme ne pourrait-il à son tour détenir une sagesse neuve? Un garagiste, par exemple. Beau dialogue en perspective : le berger et le garagiste. Après tout, pourquoi pas, puisque les astres, domaine traditionnel du berger, sont régis par des forces qu'étudie justement la *mécanique* céleste?

Sur la route, je ris tout seul en ruminant ces idées à la limite de l'absurde. Mais y sont-elles vraiment? Malgré le goût profond qui me porte vers le passé, vers ce qui a marqué, régi l'histoire et les efforts des hommes, je ne me sens nullement un passéiste. J'aime le monde qui m'entoure. Je n'éprouve pour lui ni crainte ni dégoût ni mépris. Oui, il faudra, dans les jours qui viennent, que je porte plus d'attention aux routes et aux garages. Là, peut-être, plus que sur les plateaux, se cachent les porteurs de ces nouveaux messages. Et qui sait si, entrant à l'improviste dans l'un d'eux, je n'y surprendrai pas, épinglée contre un mur graisseux, la PRIÈRE DU GARAGISTE?

*

Je pense aux villes où je me suis arrêté depuis mon départ de Saverne et je m'aperçois que, dans le cours de ce livre, je les ai pratiquement oubliées. Oubli révélateur, sans doute, car au fond je ne les ai ni remarquées ni vraiment visitées. Elles ont été pour moi des relais nécessaires, pour prendre une douche ou un bain, me laver ailleurs qu'aux fontaines des villages, aux rus souvent glacés ou aux lavabos artériosclérosés des hôtels-pensions de province. Pour faire aussi, de temps à autre, une vraie lessive. Mais en dehors de ces raisons pratiques, je n'avais rien à faire dans les villes. Elles furent, tout au long du chemin, autant de détours fastidieux, de haltes contraignantes. L'habitude des forêts, des sentiers, des villages, le goût et le besoin des rencontres imprévues firent que très vite je négligeai les villes. Chaque jour, je les voyais sur la carte s'étoiler comme une araignée monstrueuse, pompant de ses pattes de routes, de banlieues et d'usines la verte substance des campagnes. Car on sent leur approche de loin lorsque l'on marche ainsi. On les devine au paysage qui peu à peu s'uniformise, aux forêts qui s'effacent, aux routes qui se multiplient, à ces villas qui les précèdent, insolentes et hideuses, et aux ordures qui les annoncent. Non, je n'ai guère aimé les villes au cours de ce voyage et j'y ai toujours abrégé mon séjour. Pourtant la chance voulut qu'à chaque fois je fasse halte en des cités qui n'avaient rien de déplaisant : Saverne et son grand canal, Épinal et ses imageries, Langres, Semur et leurs vieux remparts, Château-Chinon, Bourbon-Lancy et pour finir Ambert.

Elles avaient tout de même un avantage : me permettre de varier un peu mes menus. Car pendant quatre mois, en dehors des cafés-restaurants où je mangeais parfois le soir et des haltes imprévues chez des fermiers comme à Pierre-sur-Haute, je ne me suis nourri que de lait condensé, de crème de gruyère, de fruits secs, d'eau fraîche et quelquefois de rhum. De plus, que ce soit dans les hôtels-pensions ou dans les cafés-restaurants des villages (à quelques exceptions près, là encore, comme à Lavoine ou au Brugeron où j'ai eu une nourriture familiale) on mange exactement la même chose d'un bout à l'autre de la France. Steaks-frites ou steaks-haricots verts de conserve, escalope toujours milanaise, omelette et éternels fromages, secs et rancis sur un plateau crasseux. Cela, c'est la cuisine française, la véritable (parce qu'anonyme, quotidienne et inconnue de tous les étrangers et gastronomes) et si mon expérience contredit tout ce qu'on lit depuis toujours dans tous les livres, c'est peut-être que les auteurs de livres n'ont jamais pris la peine de traverser la France à pied et d'aller dans ces restaurants pourtant si typiquement français. Je ne me suis pas amusé à compter tous les repas que j'ai pu faire ainsi de Saverne aux Corbières, mais pendant plus de trois mois et demi de marche à travers une dizaine de régions différentes, cela en fait un certain nombre. Et ce n'est pas la faim, la déception, l'acrimonie, la hargne ni la grogne qui me font dire cela. Pour moi, la nourriture importa peu au cours de cette marche. Jamais l'idée ne m'est venue de faire ne fût-ce qu'un kilomètre en plus (au terme d'une journée de fatigue) dans le seul but de mieux manger. On l'oublie trop souvent aujourd'hui, où l'on ne voyage qu'en voiture et où l'on peut aller où bon vous semble : lorsqu'on marche, on n'a pas le choix et l'on mange là où l'on se trouve, et encore quand on peut le faire. Car, là aussi, même pour manger, il m'a fallu souvent, selon les cas, implorer ou séduire pour qu'on accepte de me faire à dîner lorsque j'arrivais après l'heure réglementaire et fatidique. A la désolante uniformité des menus, à l'accueil des mornes tenancières souvent très peu accortes — quand on arrive le soir à l'improviste, avec un sac sur le dos, tel un fantôme randonneur errant depuis des siècles sur les chemins de l'au-delà —, s'ajoute l'effrayante rigidité de la restauration française. Il faut pointer et pointer juste si l'on veut manger. Je défie quiconque de se faire servir à manger à 20 h 01 quand la cuisine « ferme » à 20 h, en beaucoup d'endroits où je suis passé et où, la tenancière étant un tenancier, le problème de la « séduction » se posait très difficilement.

Les villes eurent donc cet avantage de varier quelque peu mes menus. On peut choisir son restaurant (du moins avant neuf heures du soir) et goûter quelque spécialité locale. Mais l'on se rend vite compte, quand on parcourt ainsi toute la gamme des lieux où l'on se restaure, que l'authentique et bonne cuisine française repose sur deux extrêmes — tous deux fort chers d'ailleurs —, la spécialité strictement régionale, en général de tradition rurale, n'utilisant que des produits du cru, des aliments courants mais dont la saveur est accrue par les qualités propres du terroir et de leur élevage (exactement comme pour les vins) et, à l'autre bout de la chaîne, la spécialité dite gastronomique, d'origine « aristocratique », œuvre de chefs confirmés, de princes et d'alchimistes des fourneaux dont la saveur vient avant tout de son mode de préparation et des recettes secrètes qui la composent. Entre les deux, il n'y a rien que l'accablante et fade uniformité des biftecks frites ou des escalopes milanaises. N'ayant pas entrepris ce voyage à seules fins de gastronomie, j'ai fini bien souvent par leur préférer, au coin d'une forêt ou sur une route de campagne, une crème de gruyère et une goulée de rhum. Elles, au moins, je pouvais les prendre à toute heure.

*

D'Ambert à Marsac, il n'y a que des routes asphaltées.

L'une est la nationale 106. L'autre est une départementale un peu moins fréquentée qui longe l'aérodrome et suit les méandres de la Dore. Aujourd'hui est donc un jour neuf : le premier où j'arpenterai assez longtemps, près de trois heures, une voie goudronnée. Ce sera peut-être une occasion rêvée pour surveiller de près les garages et y percevoir, s'il existe, le message des garagistes. Marcher sur une route de ce genre ne présente que rarement de l'intérêt mais je me dis, ce matin, qu'on doit pouvoir, si l'on sait regarder, y découvrir tout de même des choses curieuses ou insolites. Car les routes ont leur monde à elles dont les repères ou les surprises ne sont pas, comme au cœur des forêts, les fantaisies de la nature mais les signes, symboles, images, allégories de notre monde mécanique. Les garages sont évidemment des réceptacles de choix pour ces signes : emblèmes des marques de voiture (chevrons, losanges, trèfles, cœurs fendus), armoiries des marques d'essence. Mais la route nue elle aussi a ses emblèmes et son langage : ses panneaux dits de signalisation. Panneaux signalant une école (deux enfants d'âge différent aux silhouettes vétustes, avec leurs culottes courtes, leurs bérets, leurs cartables et cet air affairé qu'ils ont pour traverser), panneaux annonçant des travaux ou le débouché d'une route cycliste (avec, là encore, l'ombre chinoise et archaïque d'un humain à casquette sur un vélocipède). Ou bien ceux qui signalent des troupeaux (une silhouette de bœuf qu'on voudrait générale, anonyme, neutre mais qui trahit, me semble-t-il, la race charolaise) ou le passage de gibier sauvage, avec son chevreuil bondissant vers les cimes d'un ciel invisible. Les panneaux des passages à niveau trahissent eux aussi leur âge et leur époque : ces barrières de bois, qui aujourd'hui ont presque toutes disparu, et cette locomotive (signalant des passages à niveau sans barrière) dont la silhouette remonte aux années 1900.

Mais il y a plus encore sur les routes. Enfant, j'habitais à

Orléans une maison à deux étages dont le premier fut, un temps, occupé par un représentant d'huiles pour autos. C'était un fervent des voitures et parfois, pour l'émotion de mon cœur, le régal de mes yeux, il rangeait dans le jardin sa longue Bugatti bleue. Avec les bidons vides qu'il me donnait — Shell, Antar, Mobiloil, Caltex — bidons aux couleurs toujours vives et criardes, je construisais des palais multicolores pour le plaisir de les voir s'écrouler sous mes pierres. Leurs signes, leurs dessins, leurs *marques déposées* m'intriguaient plus que tout. Le coquillage Shell, par exemple, peint sur des bidons jaunes comme des plages exotiques. Pourquoi cette coquille Saint-Jacques? Quels rapports mystérieux avait-elle avec le monde des huiles, des moteurs? Et Mobiloil, avec cet étrange animal, tenant de la gargouille et du griffon, et baptisé du nom étrange de *gargoyle?* Ainsi est-il possible, sur l'asphalte, de retrouver, comme en forêt de Brocéliande, les symboles et emblèmes des chevaliers motorisés, de déchiffrer ces armoiries, nouveau blason des routes.

*

Ce temps gris, lumineux, fait de nuages clairs et, par instants, de trouées de ciel bleu, m'a apporté, entre Marsac et Saint-Bonnet, quelques rencontres imprévues : un cortège de Pénitents blancs, dont l'histoire est reconstituée dans une chapelle de Marsac, un fossoyeur prenant le frais devant l'entrée du cimetière et me gratifiant d'un : « Bon courage! » claironnant, un paysan en tracteur qui, de lui-même, me prit dans sa « télègue ». Je dis « télègue » car c'est le seul terme que je connaisse (et qui vient, je crois, de Pologne ou de Russie) pour désigner ces lourds chariots à quatre roues, et à ridelles que je rencontre ici pour la première fois. Quand l'homme arrivera à ma hauteur — bien qu'avec son convoi il n'aille guère plus vite que moi — il me proposera de grimper à l'arrière. Naviguer ainsi en télègue (car j'ai vraiment eu l'impression d'être sur un bateau, debout vers l'avant du chariot, agrippé aux montants, le fond étant trop étroit et trop inconfortable pour s'y asseoir) est le complément idéal de la marche. On y avance très lentement, roulant de-ci de-là sur les cahots, en profitant du paysage au même rythme qu'en marchant. Nous avons ainsi, lentement, traversé deux villages aux toits couverts de tuiles roses et romaines, et aux greniers surélevés, ouverts sur deux ou trois côtés, les premiers que je remarque de ce genre. Au bout d'une heure le tracteur s'arrêta au sommet d'une côte, dans un paysage brusquement dénudé, barré à l'horizon d'une ligne de grands peupliers, annonçant sûrement la route de Saint-Bonnet-le-Chastel. « J'habite là-bas, fit l'homme, désignant une ferme au loin. Jusqu'à Bonnet, vous en avez pour moins d'une heure. Bon courage! » Je me retrouvai sur la route, sous un ciel devenu très gris. Ici et là, dans un champ retourné (on venait juste d'en arracher les pommes de terre) des vanneaux huppés picoraient les vers et les graines. Je regardai l'horizon, en ce jour terne, un horizon de labours, de champs nus, sans le moindre enclos. Quelquefois, la lassitude vous saisit brusquement quand on marche. Non pas la lassitude physique mais un désarroi, un ennui, presque un désespoir, inexplicables. Je me souviens qu'en cet endroit précis, devant ces champs retournés, le désordre des plantes arrachées, ces oiseaux tristes picorant sans un cri les miettes de la terre, je me sentis pris d'un découragement subit. La solitude, cette route sans fin, ces rencontres trop brèves et si superficielles, tout ce que je n'avais ni vécu ni senti, me saisirent à la gorge. Je jetai mon sac sur le côté, furieux de ce voyage inutile et stérile. Marcher, vivre comme un errant, passer une partie de son temps à vaincre chaque jour la méfiance instinctive que je lisais sur les visages, provoquer l'attention ou, si possible, la sympathie, quémander l'hospitalité, persuader, implorer, émouvoir les tenancières et les cerbères marmoréennes des cafés-restaurants et, chaque soir, recommencer ce même scénario, pourquoi? Je n'ai fait que passer, toujours passer, je n'ai fait qu'entrevoir cette vie de la France comme, sur un étang gelé, à travers le cristal de la glace, les algues, et les éclairs vivants d'un autre monde. J'ouvris le sac pour chercher quelque chose à boire. Mes affaires étaient entassées, sales et froissées. J'en avais plus qu'assez aussi de cette crème de guyère, du rire idiot et insolent de cette vache sur l'étiquette. Assez des fruits secs et du lait concentré, avec, sur le tube, ces oisillons au nid ouvrant stupidement leurs gosiers affamés. Assez du lait sous toutes ses formes, sec, liquide, crème ou pommade. Ce soir, il me faut du vin, un repas chaud et consistant, du café et des rasades de gnôle, il me faut quelqu'un avec qui parler chaudement car j'en ai assez du silence, de la solitude, des tracteurs et des greniers à foin. Mais où vais-je trouver tout cela?

*

Pays de Gaspard des Montagnes. Partagé entre des pâturages pentus, rayés de rus et des collines nues où affleurent des roches cristallines. Partagé entre des terres de peupliers, peuplées de passereaux et des terres de genêts, de friches où tournent les rapaces. Je regarde ce paysage du Livradois si harmonieusement contrasté et rempli ce matin d'une lumière somnolente, dénouant ici et là des écharpes de brume. Sur la route, une femme pousse devant elle un troupeau de moutons, en tenant à la main une brassée de branches sèches qu'elle traîne derrière elle. Leur bruit clair résonne dans le silence comme une pluie de fins cailloux. Lorsqu'elle est passée à ma hauteur, son chien s'est arrêté un instant, m'a fixé, oreilles en alerte. J'étais allongé au bas d'une prairie, en plein soleil, quelque part entre Doranges et Chanteduc (deux villages dont les noms évoquent quelque opéra-comique d'autrefois, les personnages d'un conte populaire ou d'un livret burlesque). Il m'a dévisagé, les babines déjà retroussées. Mais la bergère l'a rappelé, après m'avoir gratifié d'un musical : BONjour MONsieur! Il fait BON au soLEIL ce matin!

Mes humeurs maussades de l'autre jour se sont dissipées sans tarder. Je n'ai pas trouvé à Saint-Bonnet-le-Châtel les filles ni les princesses ni les paysans ni les princes que j'aurais souhaités ce soir-là mais dès le lendemain matin, un peu plus loin, à Saint-Bonnet-le-Bourg, j'ai découvert un village plein de vie, un village rieur et heureux. Un peu partout dans les villages, l'exode des jeunes, le désœuvrement des retraités, la torpeur et la désolation des soirs sans âme où les veillées sont mortes ont rejeté en général les familles dans l'égoïste intimité de leurs foyers. La télévision n'a fait qu'accélérer ce processus même si, comme le prétend Mac Luhan, elle est devenue, à l'échelle d'un pays, ce qu'étaient autrefois les veillées à l'échelle d'un village. Cela reste d'ailleurs à démontrer et je reviendrai là-dessus. Mais pour l'instant je veux raconter une histoire qui est presque un conte, l'histoire récente de Saint-Bonnet-le-Bourg.

Il y avait une fois un village établi au milieu d'un paysage de pacages et de bois. La région était belle, couverte de forêts où l'on récoltait les châtaignes et les noix, traversée de rus et de rivières où croissaient l'aulne et les roseaux. Juste à ses pieds, dans la vallée du sud, coulait la Dore. Juste à ses pieds, dans la vallée du nord, passait la route qui menait à Ambert. Mais les châtaignes, les noix, les vaches, les forêts perdirent peu à peu leur attrait pour les jeunes faute de pouvoir les faire vivre. Alors ils partirent pour aller travailler à Ambert, à Brioude, parfois plus loin encore et, comme dans beaucoup de villages français, on ne vit plus à Saint-Bonnet-le-Bourg que des vieillards, de très jeunes enfants et les rares familles pouvant vivre encore de la terre. Pourtant, par le passé, on aimait bricoler, fabriquer des objets en bois ou en osier et travailler la pierre. Les rus fournissaient en abondance des aulnes et des osiers, la forêt des écorces tendres et des « cris » de pins que l'on pouvait tresser et toute la région avoisinante, un granite sombre et dense et une pierre volcanique et poreuse dite pierre de Volvic avec lesquels, joints à un zeste d'imagination, on pouvait fabriquer autre chose que des pierres tombales. C'est alors, (il y a environ cinq ans) qu'un couple du village — lui, menuisier de son état, elle doctoresse passionnée de folklore et d'histoire régionale — décidèrent de faire renaître ces activités pour redonner à ce village la vie qui lui manquait. Et en quelques années tout le monde se mit à faire quelque chose, à travailler les matériaux de son choix, en plus de ses occupations. Je dis en plus de ses occupations car il ne s'agit pas ici, comme en beaucoup de villages touristiques, de jeunes citadins fuyant les villes et apprenant quelque métier manuel ou de spécialistes ouvrant des ateliers et des boutiques pour touristes. Chacun exerce son métier — menuisier, maçon, fermier, fromager — et le soir, le dimanche, dès qu'il dispose d'un peu de temps, s'occupe à quelque chose. Ils sont (ils étaient quand j'y suis passé) une dizaine pour l'instant, constitués en une Association des Artisans et Paysans du Livradois. Ils ont réparé une grange qui s'écroulait, l'ont aménagée en une sorte d'entrepôt, de lieu d'exposition où ils présentent leurs créations. Car leur but est aussi d'en vivre, de les faire connaître, de les vendre... Ainsi, le maçon, qui jusqu'alors ne travaillait guère que le ciment et les parpaings, a retrouvé son goût des pierres et s'est mis à tailler dans la pierre de Volvic des sculptures de son cru, d'inspiration religieuse, une belle Pietà entre autres, de style original et qui n'a rien de saint-sulpicien. Ainsi le menuisier s'est mis — ou s'est remis — à fabriquer des coffres, des tables, des tabourets selon le style d'autrefois et même des berceaux d'enfants et de poupées. Ainsi, une fermière s'est mise à tisser et à apprendre la poterie. Le maçon lui a construit un four (bénévolement) en y consacrant ses dimanches. On a reconstitué un métier à tisser qui depuis des générations dormait en pièces détachées dans un grenier.

Cette fermière, je suis allé la voir. En plus de ses deux vaches, qui lui fournissent lait et fromage, elle augmente ses revenus en prenant en pension chez elle quelques enfants des environs. Dans le grenier à foin, au-dessus de l'étable, elle me montre avec fierté son métier à tisser auquel elle travaille chaque jour, dès qu'elle a un instant. Et je lis sur son visage la joie de créer, d'inventer des motifs de son choix, de s'occuper d'autre chose que de traite et de lait caillé. Ce qu'elle fait, m'explique-t-elle comme en s'en excusant, ce sont « pour le moment des choses utilitaires, des couvertures, des vêtements, des toiles d'usage courant ». L' « art », elle le réserve à la poterie. Dans un coin, sur la paille, elle a déposé des poupées de terre cuite, qu'elle habille avec les chiffons lui tombant sous la main, selon la mode d'autrefois. Plus loin, dans une petite maison bordée d'un ru, un cultivateur tresse de la ficelle et de l'osier. Poupées, paniers, paillas de toutes formes. Il s'est même depuis deux ans attaqué à la vannerie de noisetier et de « cris » de pin, ces jeunes pousses qui se développent chaque année au bout des branches et que l'on fend pour les mettre en lanières. Dans sa cuisine, des prunes sèchent sur la table. Nous en mangeons tout en sirotant l'éternel vin d'Auvergne au goût de pierre à feu. C'est un homme au visage ouvert, mais renfermé, timide et tout surpris (et heureux) que je vienne le visiter. « Au début, me dit-il, je faisais tout cela pour moi, pour m'occuper. Maintenant, avec l'Association, je travaille aussi sur commande. Je suis célibataire et j'ai du temps de libre. Que faire le soir, l'hiver surtout? Je lis un peu mais à mon âge j'ai les yeux qui fatiguent vite. Alors, je me suis mis à faire des nattes, pour commencer car c'est le plus facile. Mais j'ai eu bien du mal au début pour préparer les fibres, les assouplir et les tresser. Je n'ai pas à me plaindre. L'osier, vous voyez, il pousse là, au bout de mon jardin. La nature me fournit tout à domicile. »

Sur la pente ensoleillée, au bord de cette route, je repense à cet homme qui a su retrouver, en sachant s'occuper, une joie qu'il ne soupçonnait pas. Le troupeau de moutons, la bergère et le chien ont disparu au détour du chemin. Dans le ciel, deux buses tournent et piaillent, de ce cri aigu, lancinant qui m'a suivi par toute la France (comme les chiens, mais combien plus musical que leurs aboiements stupides et rageurs). Je pense aussi à cet homme, un fermier, rencontré ce matin, à ce hameau de Chanteduc, debout, près d'une grange, au bout d'un sentier dominant la vallée et qui me dit, quand je lui demandai le chemin de Saint-Vert : « Eh bien, c'est facile, vous passez à droite de la grande pigoule » et il montra du doigt quelque chose, là-bas, dans le lointain. Je ne compris qu'ensuite qu'une pigoule, c'était un peuplier.

*

Le chant a résonné dans le matin, comme un message jeté à l'aube, un hymne, une incantation, une prière : un chant fait de notes flûtées, de cris susurrés, de psalmodies modulées. Où étais-je, en quelle Arcadie inconnue, pour qu'un tel chant puisse s'élever ainsi? Je ne compris qu'au détour du chemin creux, en débouchant sur un pré où couraient des vaches poursuivies par deux chiens. Une fermière, coiffée d'un grand chapeau de paille, rameutait son troupeau par ce chant. Non, je n'ai jamais rien entendu d'aussi pur, d'aussi saisissant, ni d'aussi musical que cet appel jailli dans le matin, et qui disait aux bêtes : *venez,*

venez, rassemblez-vous, venez, venez, rassemblez-vous! Comme les chants des oiseaux, multiples et toujours signifiants, disant tour à tour de leurs trilles : *attention, je suis là! Attention, je suis là!* pour signaler leur territoire; *je te veux, je t'aurai! Je te veux, je t'aurai!* pour séduire la femelle; *je vais te manger, te manger, te manger!* cri du rapace au campagnol ou au lérot transi de peur dans son trou d'herbe, ces notes pastorales étaient aussi les mots d'un langage entendu par les bêtes. La femme m'aperçut au moment où je longeai la barrière de son pré. Elle me fit signe et vint vers moi. Et là, tous deux, moi debout, appuyé sur un bâton que je venais de tailler quelques instants plus tôt, elle accoudée à la barrière, nous avons bavardé un moment. Derrière, près des vaches, maintenant rassemblées et paissant calmement, un troupeau d'oies traversait le pré d'une marche dégingandée. « Comme vous avez raison de marcher! me dit la fermière. Au moins, comme ça, vous êtes libre, vous pouvez aller où vous voulez. Si je pouvais, j'aimerais le faire, moi aussi. La route ne me fait pas peur. C'est vrai, au fond, on est là, pour toute sa vie, sans rien connaître de ce qu'il y a autour de nous. Avec les bêtes, c'est comme ça; pas un jour de libre. On est comme des esclaves. Le temps sera beau aujourd'hui. Vous allez à Brioude? » — « Aujourd'hui. Demain, je continuerai vers le sud. » — « Et vous allez jusqu'où comme ça? Vous faites le tour du monde? » — « Je voudrais bien. Mais je vais m'arrêter dans le sud, dès que j'apercevrai la mer. » Elle reste un instant sans répondre. Elle hoche la tête, partagée entre le doute et l'admiration. « La mer! Vous savez, la mer, je ne l'ai jamais vue, moi! Il faudra bien un jour que je la voie, comme les autres. Tenez, vous entendez? on m'appelle. Il faut rentrer les bêtes. La soupe attend. Allez, bon courage! »

*

Parler, échanger quelques mots, s'attarder avec des inconnus pour bavarder, ne fût-ce qu'un court instant, ce n'est pas seulement affaire de chaleur, de simplicité personnelles, de disponibilité permanente. C'est aussi affaire de hasard et d'opportunité. Il faut « tomber » au bon moment, sur une pause entre deux travaux, parfois aussi sur ces heures neutres ou ces moments de brusque ennui, qui font qu'un inconnu se sent prêt à parler avec un inconnu. Instants précieux mais rares. Il m'est arrivé bien souvent de rencontrer ces inconnus et de ne pouvoir leur parler : cultivateur en bout de champ sur son tracteur et tournant pour entamer un nouveau sillon, qui se contente d'un geste de la main avant de repartir ; une silhouette de femme, arrêtée dans un pré, mains sur son front pour cacher le soleil, prête à venir mais rappelée par une bête qui s'éloigne ou qui court. Ici, les prés n'ont guère de clôture électrique car ils se trouvent sur des terrains trop escarpés, ce qui explique le nombre important de chiens qui doivent garder les bêtes et les bergères — jeunes ou vieilles — qu'on voit dans tous les pâturages, à l'inverse de la Bourgogne ou des provinces du nord où presque tous les prés ont des clôtures électriques. Tels sont, le plus souvent, les saluts brefs, les gestes esquissés qui jalonnent une marche.

Mais aujourd'hui, quelques kilomètres après Brioude, sur ce versant ombré de chênes et de pins, sur cet étroit chemin de terre que j'ai choisi pour aller à Saint-Just, si étroit que j'ai dû quelques minutes auparavant m'enfoncer dans la haie pour laisser passer un attelage de bœufs tirant une télègue, dans ce paysage de plus en plus présent, fait de contrastes affirmés, de tons changeants (et ce fut pour moi dans tout ce Livradois un sujet d'étonnement quotidien que ce paysage, composé des mêmes éléments : châtaigniers, chênes, pins, genêts, rochers brillants, mais chaque jour différent par son agencement subtil, la variété de son relief), sur ce chemin, j'apercevrai, au bout d'une heure de marche, quelques bâtiments isolés sur la gauche : le hameau de Vazeilles. Un grand troupeau sortait au même instant d'une ferme. Et je me retrouvai juste derrière lui, en même temps que la fermière. Je la saluai et nous avons marché ensemble, un long temps, côte à côte. « Je descends vers Saint-Just », lui dis-je. — « Alors, suivez-moi. Je vous montrerai le raccourci. Il commence juste à la pâture. » Nous avons ainsi cheminé, tous deux, derrière le dos des bêtes, avançant en contre-jour dans la poussière qu'elles soulevaient et tout de suite, nous avons bavardé comme si nous étions de vieilles connaissances. Sur les routes, on n'a pas à se présenter. Elle est là, menant ses bêtes au pré. Je suis là, marchant pour mon plaisir. Cela suffit. Comme si elle avait deviné mes pensées : « Vous devez trouver que c'est beau, par ici, hein? me dit-elle. Tous ceux qui viennent pour l'été trouvent qu'ici c'est beau et que c'est tranquille. Tranquille, ça, on ne peut pas dire le contraire. Il n'y a plus personne ici. Autrefois, on était plus de vingt au hameau. Maintenant, on est six et on a du mal à s'en tirer. Les jeunes sont partis. Vous n'en verrez plus un seul dans les champs. Ils ne veulent plus perdre leur temps à garder des moutons. Dans un sens, je les comprends. Mais dire qu'ils sont plus heureux dans les villes, ça! Que voulez-vous, la terre est trop pauvre ici pour faire vivre tout le monde. Autrefois, on s'en tirait mieux mais on ne vivait pas pareil. Maintenant, vous ne verrez plus que des vieux, ou des vieilles biques dans mon genre! » Elle est loin d'être vieille. La cinquantaine tout au plus, un teint rose, une peau ferme, bien soignée. On sent qu'elle fait la guerre aux rides et ne reste jamais inactive. Elle est curieuse de toute chose et, quand je lui parlerai de mon voyage à pied, elle me posera des tas de questions sur les régions que j'ai vues, les gens que j'ai rencontrés, comme si j'étais pour elle le seul moyen d'être informée, un messager apportant, comme aux temps anciens, des nouvelles d'ailleurs. « Je comprends, dit-elle. Vous avez bien raison puisque vous êtes d'âge à le faire. Mais ce n'est pas la même chose de passer, de regarder et de vivre dans un endroit. Le paysage est bien par ici, l'air est pur mais, pour nous, c'est de la terre aride, tout juste bonne pour la pâture. Tenez, ces pins que vous voyez partout, ce n'est pas des arbres difficiles, ils poussent partout. Eh bien, ici, ils ont du mal, eux aussi, ils mettent plus de temps qu'ailleurs. »

Nous sommes arrivés dans une friche. Des roches gonflent ici et là, polies, rondes, comme des dos de géants enterrés à mi-corps. Tout autour, des genêts fleuris. Un troupeau de moutons est déjà là, occupé à brouter, gardé par une vieille femme. Tous trois, nous restons assis un moment, tandis que les bêtes se dispersent, que les chiens viennent jouer dans nos jambes. « Juste après le chêne, vous voyez, prenez à gauche par le vallon. Vous serez tout de suite à Saint-Just. Il n'y a pas d'hôtel. Demandez à la boulangère. Elle loue des chambres, l'été, aux estivants. Demandez-lui de ma part. Vous verrez bien. Votre livre, sur votre voyage, on le trouvera à Brioude? Je ne lis pas beaucoup, vous savez. Mais celui-là, je le lirai. Ça m'intéresse. Vous allez parler de moi? On n'a pas eu le temps de parler. Mais partez maintenant, si vous voulez avoir une chambre avant la nuit. Demandez à la boulangère. »

Par malheur, la boulangère était absente et je dus continuer jusqu'à La Chapelle-Laurent, à vingt kilomètres de là, avant de trouver une chambre. J'y parvins juste au seuil de la nuit, après une route harassante grimpant au milieu des forêts, escorté par des odeurs de pommes sures tombées des arbres autour desquelles bruissaient les guêpes. Mais pendant toute cette marche, l'image de la fermière de Vazeilles ne cessa de me donner joie, réconfort. Non, je ne l'oublierai pas quand j'écrirai mon livre.

*

Autrefois, il y avait toujours dans les villages de quoi loger les errants et les voyageurs de passage. Marchands, colporteurs, compagnons, les termes ne manquaient pas pour désigner ceux qui se déplaçaient sans cesse sur les chemins. Il y avait d'abord toutes les corporations de métiers ambulants allant de ville en ville, de village en village soit en raison du caractère particulier de leur travail soit parce que la clientèle d'une région ne pouvait suffire à les faire vivre. C'était le cas des rémouleurs, repasseurs, rempailleurs, rétameurs, rhabilleurs de meule parcourant les routes avec leurs outils où ils croisaient des ouvriers-compagnons accomplissant leur tour de France, des moines prêcheurs, des pèlerins, des mendiants. Mais il y avait aussi ceux qui allaient ici et là non pour proposer leur travail mais pour proposer leurs services : chemineaux, saisonniers, rouliers, ribleurs, trimardeurs, coureurs de grands chemins, galvaudeux, vagabonds. Les noms ne manquent pas non plus pour désigner ces *ambulants,* ces *divagants* (*divaguer* signifiant au sens propre et premier : *errer çà et là,* comme on le voit sur les règlements communaux interdisant la *divagation* des troupeaux sur la voie publique), ce monde marginal d'errants et d'itinérants (et là encore l'amour des jeux de mots porte à écrire : *itin-errants*) non les mots ne manquent pas mais, à l'inverse des premiers (ceux qui désignent les métiers ambulants), ces derniers ont pris peu à peu un sens péjoratif à l'égard de ceux qui se déplacent partout *sans feu ni lieu.* Des nomades en somme, étrangement perdus et égarés au sein d'un monde devenu sédentaire, des ambulants qui déambulent sans motif apparent, des divagants qui errent sans raison (d'où le sens second de ce mot).

Nomade et sédentaire : je crois qu'une grande part de l'histoire du monde tient à elle seule dans ces deux mots. Comme si, telles ces étoiles doubles, ces systèmes astraux comportant deux soleils gravitant l'un autour de l'autre, ils étaient voués tour à tour à s'opposer ou à se compléter. Le nomade a toujours constitué la part la plus archaïque de nous-même. Il fut l'état premier de l'homme, contraint de vivre de cueillette, de changer de territoire de chasse, de suivre le gibier dont il vivait. Avec la domestication, le nomadisme se mua en activité pastorale ou semi-pastorale et le pasteur devint non seulement l'errant des steppes ou des alpages mais le guide, le meneur, le porteur de nouveaux messages. Car, des herbes aux étoiles, rien de ce monde ne pouvait lui être étranger. En écrivant ces lignes, je m'aperçois que le dialogue imaginaire dont je parlais plus haut, le dialogue entre berger et garagiste, n'aurait fait que retrouver sous une forme moderne la vieille opposition entre nomade et sédentaire. L'un transhume avec ses troupeaux ou suit leurs déplacements ici et là; l'autre, rivé à son garage, voit passer les autos, qu'il nourrit d'essence et répare, instruments du nomadisme saisonnier de notre monde.

Ce monde de l'errance n'est jamais mort ni en nous, ni autour de nous. Qu'il ait ou non un but et des repères précis — dans les pèlerinages ou les déplacements des compagnons — ou des repères imprécis — chez les missionnaires, les frères prêcheurs, les métiers ambulants d'autrefois — il n'a cessé au cours des siècles de fasciner ou d'horrifier, d'inspirer la crainte ou l'admiration. L'histoire fondamentale des rapports très complexes entretenus entre les sédentaires et les nomades, cette histoire reste encore à faire. On l'a entreprise pour des époques et des lieux limités mais jamais dans une perspective d'ensemble qui en dégagerait les axes, les courants, les jalons. Car tour à tour chassé, repoussé, excommunié, ou, au contraire, fêté, recherché, imploré, l'Errant apportait avec lui, selon les mentalités, les besoins des différentes communautés, un monde de damnation ou un monde de salut. Les routes, les chemins, les sentiers parcourant la France ont ouvert les portes de l'Enfer ou celles du Paradis. Ils furent sur notre terre comme les infrastructures de l'amour ou de la haine, les voies qui amenaient le frère ou l'ennemi. Et aujourd'hui rien de cela n'est mort. Notre société hyperurbanisée semble consacrer à jamais la victoire des sédentaires. Elle recèle pourtant plus que jamais ces ferments qui nous portent à bouger, à partir, à nous jeter avec fureur vers les loisirs, organisés ou non. Peu importent les motivations. On ne part plus sur les routes pour prêcher ni faire son salut, pour conquérir quelque Graal au cœur des châteaux forts. Mais l'image n'est pas morte — bien qu'elle soit caricaturale aujourd'hui — des paradis promis et trouvés par le départ et par l'errance. Cette quête fiévreuse du Loisir — Graal de notre époque — a pris fatalement des formes organisées, et moins chevaleresques qu'autrefois, des formes saisonnières aussi retrouvant par moments l'ampleur des vieilles migrations. C'est pourquoi on accepte très bien les vacanciers, les campeurs, voire les randonneurs, moins bien le vagabond, le solitaire marchant pour son plaisir en dehors des sentiers battus. Le plus révélateur pour moi, dans ce voyage de quelques mois, fut justement l'étonnement, l'incertitude, et surtout la méfiance que je lisais sur maints visages.

Ne fût-ce qu'à l'égard de soi-même, une telle entreprise est donc édifiante et même nécessaire. Affronter l'imprévu quotidien des rencontres, c'est rechercher une autre image de soi chez les autres, briser les cadres et les routines des mondes familiers, c'est se faire autre et, d'une certaine façon, renaître. La lassitude, le découragement, le sentiment d'absurdité ou d'inutilité de l'entreprise qui vous prennent quelquefois aux heures difficiles ou mornes de la marche, deviennent autant d'épreuves, qui n'ont d'ailleurs rien de tragique. De plus en plus, ceux qui réclament autre chose que le visage artificiel des villes, les rapports routiniers, conventionnels de nos cités, iront chercher sur les routes ce qui leur manque ailleurs. Et en ce jour plein de soleil où j'aborde le Gévaudan, je me dis qu'en marchant ainsi, on ne recherche pas que des joies archaïques ou des heures privilégiées, on ne fait pas qu'errer dans le labyrinthe des chemins embrouillés qui nous ramèneraient à nous-même, mais qu'au contraire on découvre les autres et, avec eux, cette Ariane invisible qui vous attend au terme du chemin. Marcher ainsi de nos jours — et surtout de nos jours — ce n'est pas revenir aux temps néolithiques, mais bien plutôt être prophète.

*

Jamais le jour ne fut plus beau, le soleil aussi chaud, le vent plus agréable : depuis hier, j'ai quitté le Bivradois, traversé de Brioude à Védrines, annoncé par ce chant du matin de la fermière parlant aux bêtes, parcouru au rythme lent des vaches avec la femme de Vazeilles, achevé le soir à Védrines-Saint-Loup. En arrivant au-dessus du hameau des Loubières, sur une friche en pente, j'ai vu partout des coulemelles monstres. J'adore ces champignons énormes et fragiles, au chapeau de terre mate ponctué d'écailles blanches, aux lamelles fines et savoureuses. J'en ai récolté à pleins bras et je les ai prises avec moi. Le soir, dans la cuisine du petit café-restaurant de Védrines, où je pus trouver une chambre (c'était jour de fête au village, un grand manège occupait la place, dont le toit obstruait presque ma fenêtre et tous les gosses rassemblés criaient partout), la patronne me jeta un regard terrifié quand je lui donnai mes champignons à cuire. « Mais personne ne les mange, ici, me dit-elle. Et je ne sais pas les préparer. Vous êtes sûr qu'ils sont bons? — Tout à fait sûr. Je les connais bien. Ce n'est pas compliqué : vous les faites dégorger en les mettant à chauffer dans la poêle, avec un peu de sel. Et quand ils ont rendu leur eau, vous m'en faites revenir une moitié avec de l'ail et du persil, et vous mettez l'autre moitié, telle quelle, dans l'omelette. » En attendant qu'ils cuisent, je déguste un verre d'Avèze, cet apéritif auvergnat à base de gentiane que je préfère à tous les autres.

Le temps — je veux dire ce sentiment de la durée si fluctuant, si instable lorsque l'on marche ainsi — m'a paru aujourd'hui s'être écoulé à toute allure. La beauté des sentiers, à partir des Loubières, cheminant au milieu de buissons de genêts en fleur, cet horizon de nouveau barré par ces montagnes, ces toisons forestières couvrant la Margeride, le soleil et le vent dosant comme à plaisir leur chaleur, leur fraîcheur, m'ont accompagné au long de la journée. J'ai choisi sur la carte un chemin écarté, effleurant des hameaux perdus — La Pèze, Loudeyrelle, Basses-Loubières, Montmeyrol — pour redescendre ensuite sur Védrines-Saint-Loup, à travers des prairies vertes, bordées de rus. Je me suis arrêté à la fontaine des Loubières pour emplir d'eau de source ma bouteille Thermos, j'ai un instant demandé mon chemin dans une ferme où une femme — un bébé sur les bras — m'accueillit avec le plus charmant sourire et me dit, comme un poème : « Prenez juste ici, aux colchiques, le sentier du facteur et vous arriverez à la Croix des Miracles » — puis j'ai fait halte un peu plus loin pour déjeuner au pied d'un arbre sur une pente découverte, juste avant le minuscule hameau de Montmeyrol. Il y a là une éminence avec un monument, une statue (récente et fort laide) de Notre-Dame de la Montagne. D'en haut, j'ai regardé la Margeride, ce grand horizon de vent et de forêts, comme on mesure du regard un adversaire loyal et sûr, montrant ses armes et dévoilant ses ruses. Depuis trois mois mon œil s'est exercé. J'estime presque exactement les distances d'un horizon, d'une colline, et surtout la nature probable du terrain, les perfidies ou les traîtrises du parcours (car quelquefois, par inadvertance ou par inexpérience, j'ai choisi des chemins difficiles, impraticables et il me fallut plusieurs fois passer des rus ou des torrents à gué, ce qui n'est pas toujours commode avec un sac : rien n'est plus désagréable, ensuite, que de marcher avec des chaussures emplies d'eau et de vase où les pieds clapotent et s'engluent). Mais ici, du haut de Montmeyrol, rien de perfide ni de sournois ne se dessine. Ce paysage est franc, placide, quelque peu somnolent. En bas, dans la vallée, serpente une rivière bordée de peupliers. Je vois le pont où je la franchirai. Plus loin, le chemin grimpe vers un bosquet qui doit cacher le hameau de Soulanges. De là, la route est presque droite jusqu'à Védrines. Une heure de marche tout au plus. Il n'est que quatre heures. J'ai tout mon temps. Je m'adosse à la Vierge. Je ferme les yeux. Le ciel est presque blanc à force de lumière. Les grillons chantent. Une charrette passe au loin sur la route. Un chien aboie et, bien sûr, juste au-dessus de moi, une buse plane et piaille. Est-ce la même depuis les Vosges? Cette idée m'amuse et me ravit. Je voudrais conserver cet instant, comme l'eau des sources où j'ai bu tant de fois et qui me rappelle le goût des terres traversées. Ce cortège d'odeurs, de saveurs qui vous suit jour après jour, l'arôme frais des souvenirs, comment les conserver autrement que par ces mots fanés? Les herbes de l'oubli. Où ai-je lu cette phrase? Feuilles et fleurs desséchées des herbiers. Je pense à ce mot merveilleux, dont la sonorité m'enchante, un mot médiéval, oublié lui aussi, un *floraire* (cherchez-le, là encore, dans les dictionnaires — Larousse, Robert, et bien d'autres — vous ne le trouverez nulle part), *floraire* qui signifie recueil des significations symboliques des fleurs, forme religieuse des herbiers *.

* Qu'on disait aussi *promptuaire* comme les *Promptuaires des médecines simples* si nombreux au Moyen Age et à la Renaissance.

Dans ces floraires, on pouvait mettre — à la fois herbier et missel — toutes ces plantes liées aux légendes des saints, de la Vierge et du Christ et dont les noms sont, eux aussi, poème et litanie : l'Herbe de saint Innocent (la Persicaire), l'Herbe de feu ou Rose de Noël (l'Hellébore), l'Herbe de sainte Claire (l'Éclaire), l'Herbe du Saint-Sacrement ou Rosée du Soleil (la Droséra), l'Herbe de saint Benoît (la Benoîte), l'Herbe de saint Guillaume (l'Aigremoine), l'Herbe du Saint-Esprit ou Herbe aux Anges (l'Angélique), la Sauge de Bethléem ou Herbe au lait de Notre-Dame (la Pulmonaire), l'Herbe de saint Fiacre (la Molène), l'Herbe de saint Georges (la Valériane), l'Herbe de saint Marc (la Tanaisie), l'Herbe de saint Jean (l'Armoise) et tant d'autres encore pour lesquelles des années ne suffiraient pas à faire l'inventaire. Je voudrais que ce livre soit lui aussi comme un floraire, mais un floraire qui retiendrait, réciterait la longue litanie des mots, des visages, des sourires, des extases, des durées instantes ou séculaires, des minutes historiées de ce voyage. Une fois encore la démence me prend de vouloir tout inventorier, tout connaître. Mais cette minute, ici, adossé au socle de la Vierge des Montagnes — à la veille d'entrer en pays Gévaudan — cette minute restera comme fleur sainte des floraires, herbe de feu, rosée d'été avec ce soleil blanc qui m'éblouit, cette buse immobile et clouée sur l'azur.

*

Le Gévaudan. Mot aux sombres syllabes, comme Grésivaudan, aux échos de vallées profondes. Juste au-dessous, l'Aubrac. A l'ouest, les Planèzes. A l'est, le Velay. Je suis encore dans le Massif central mais déjà je quitte l'Auvergne. *Planèze.* Mot auvergnat désignant un plateau de basalte limité par des vallées convergentes. J'aime ces finales en — *èze,* ce suffixe aéré et chantant comme si le mot soudain prenait des ailes. Dans les Causses, on appelle parfois *devèzes* les pacages à moutons et *grèzes* ces éboulis dus à l'action du gel sur les falaises (l'envie me prend, bien sûr, d'écrire *falèzes*). Gévaudan a des syllabes lourdes à l'opposé de ces *-èzes* légères. Et dans ces vallées sombres que suggère le mot, ces recoins d'ombres et de vaux, on imagine, courant, hurlant et dévorant, la Bête qui jadis hanta cette région. Depuis Védrines-Saint-Loup et même depuis La Chapelle-Laurent, je parcours les terres de la Bête. C'est ici et plus au sud, vers Mercoire, Langogne, Saint-Chély-d'Apcher, qu'elle a exercé ses ravages. Son seul souvenir — qui trotte encore dans les légendes — donne à ces lieux un relent de mystère, et à ceux qui y passent une once d'inquiétude. Des loups, il y en a encore en France (je ne dirai pas où) mais ils évitent soigneusement de se montrer. Bien leur en prend. Car la bêtise, l'ignorance et aussi la terreur qu'ils inspirèrent si longtemps, auraient tôt fait de les exterminer. La hantise du *nuisible* (alors que le seul être vraiment nuisible de la terre c'est l'homme, on le sait bien) a presque entièrement dépeuplé nos forêts, nos provinces des animaux utiles qui y vivaient, y compris les renards et les loups. Dieu merci, on arrive peu à peu à remonter ce courant séculaire, cette haine et ce besoin de destruction ancrés au cœur de l'homme, et à protéger quelques espèces en voie de disparaître. Mais l'idée du nuisible est encore bien installée dans les cervelles paysannes. J'ai eu l'occasion d'en parler bien souvent — à propos des vautours et des aigles — en traversant les Causses.

De Védrines jusqu'à Saint-Flour où j'arriverai le surlendemain, après une nuit à Ruynes-en-Margeride, je ne rencontrerai ni de Bête ni de bêtes. Tout le jour, je traverserai les monts de Margeride, faits de forêts de résineux sur les versants, d'un grand plateau couvert de bruyères en leur sommet. Journée, comme la veille, de grand soleil blanc, de vent, d'arrêts au pied des arbres, de longue descente, dans le soir finissant, vers le hameau du Masset. Et tandis que mes pieds glissent sur le lit d'un torrent à sec raviné par les eaux, fait de galets glissants que je devine plus que je ne les vois dans l'ombre grandissante, je sens qu'une période s'achève en ce voyage. L'automne est présent, aujourd'hui, dans cette nuit qui vient si tôt, ces feuillages qui déjà se mordorent. C'est aussi la fin de l'Auvergne, des terres de granite, de basalte et de lave.

De Saint-Flour, je téléphonerai à Sacy pour prendre des nouvelles de ma mère dont la santé m'inquiète. Je n'ai évidemment jamais d'adresse pour mon courrier et de toute façon j'ai décidé de m'en passer pendant tout ce voyage. Marcher, c'est accepter de disparaître pour un temps (à moins de préparer suffisamment l'itinéraire et de savoir d'avance où l'on s'arrêtera, ce qui ne fut jamais mon cas). Disparaître soi-même et voir les autres disparaître, un temps, de votre vie. Accepter d'être sans nouvelles pendant des mois, sauf en téléphonant soi-même. Je me suis fait très vite à ce silence, à l'absence de lettres, à ne plus rien savoir, pendant un temps, de ce qui advenait de mes amis ou de ce qui se passait sur terre. Les nouvelles — j'entends l'actualité — je les lisais quand je voulais dans la presse locale, les écoutais à la radio dans les salles de café. Aussi pus-je toujours me tenir au courant. C'est le désir de l'être, surtout, qui manquait en moi. Et je dois dire que je n'ai pas éprouvé la moindre frustration ni la moindre panique à n'avoir de l'actualité que des échos lointains — et toujours périmés.

J'apprendrai donc au téléphone que ma mère, très âgée, est de nouveau tombée malade et que je dois rentrer au plus vite. Je prendrai donc le train le soir même pour Paris et Sacy. En attendant, je me promène dans Saint-Flour. Je ne m'y sens pas mal à l'aise comme dans les villes dont j'ai parlé. D'ailleurs, pour le moment, je dois tirer un trait sur ce voyage, me refaire à l'idée de retrouver — pour un bref moment j'espère — ma maison et mon rythme ancien. Nous sommes lundi 4 octobre. Je suis parti de Saverne le 9 août. Deux mois pour aller des Vosges jusqu'au seuil de l'Aubrac. Sans jamais vraiment compter les kilomètres. Ils m'importent peu.

Dans le musée, consacré aux arts et traditions de Haute-Auvergne, je remarque surtout des documents sur les Pénitents blancs. Il semble qu'il y en ait eu beaucoup dans ces régions de l'Auvergne et du Livradois. A Marsac, en dessous d'Ambert, j'ai visité une chapelle qui leur est consacrée. Musée fort curieux, attrayant, avec son diorama, ses lanternes peintes, ses mannequins grandeur nature reconstituant une séance de la confrérie.

J'en étais le seul visiteur et maintenant, en regardant ici les documents, je repense à ces Pénitents de Marsac, à la vieille femme qui me servait de guide, aux sons et lumière du spectacle, presque entièrement mécanisé. Dans un diorama reconstituant la ville, de petits personnages avançaient sur un tapis roulant, défilant dans les rues illuminées pour le soir du jeudi saint, tous vêtus d'un grand voile blanc, la tête couverte d'une cagoule percée de deux trous pour les yeux portant les instruments de la Passion et les symboles de pénitence, peints sur les verres de grandes lanternes tenues à bout de bras : croix, clous, fouets, marteaux, tenailles, cœurs transpercés, coqs, épis de blé, Soleils, Lunes. Beaucoup de ces lanternes ont été conservées. Avec leurs dessins peints de couleurs vives sur le verre, ces clous, ces tenailles, ces astres et ces cœurs, elles constituent des œuvres d'art tout à fait surprenantes, une sorte de blason nocturne et lumineux, inventoriant toutes les tortures de la Passion et donc de nature nettement masochiste. Ces Pénitents n'étaient pas des moines ni même un ordre religieux, mais des laïcs rassemblés simplement, aux fins de pénitence, en une confrérie aux règlements très stricts. Au début tout au moins, car ici comme en bien d'autres cas, on trouva vite des accommodements avec le Ciel, Dieu et les règles. Sur l'un des documents figurant au musée de Saint-Flour, je lis en effet ce qui suit :

« MONSIEUR... EST INVITÉ A ASSISTER, REVÊTU DU SAC DE PÉNITENT, A L'ENTERREMENT QUI AURA LIEU LE...

AUX TERMES DES DÉLIBÉRATIONS DU 8 AVRIL 1838,

1° 15 PÉNITENTS AU MOINS ASSISTERONT, A TOUR DE RÔLE, AUX FUNÉRAILLES D'UN CONFRÈRE DÉCÉDÉ.

2) ON PEUT SE FAIRE REMPLACER PAR UN CONFRÈRE, A SON CHOIX.

3) MOYENNANT 50 CENTS PAYÉS D'AVANCE, LA CONFRÉRIE SE CHARGE DES REMPLACEMENTS.

4) ON PEUT S'ABONNER, POUR CE REMPLACEMENT, MOYENNANT 1 FR 50 PAR AN. »

Des Causses aux Corbières

J'entre en Occitanie. La nuit noire de Saint-Flour. Nouvelles réflexions sur les voyages et sur le temps. Le vécu, la mémoire, le récit : ne jamais revenir aux lieux de ses émois. Le café de Lorcières. Une marche dans la tempête. Le col de Montmirat. Conversation sur la Météo. Réflexions sur les épouvantails. Un monde tragique et fantasque. Du Malzieu a Mende. Neige et verglas.

Le causse de Mende. Errance sur le causse de Sauveterre. Hures, au cœur du causse Méjean. Les amers de la terre. Hymne aux pylones électriques. Pourquoi j'aime écrire dans les cafés. Hures : un visage a une fenêtre. Les gîtes d'autrefois. Hymne aux boulangères. Un dîner de famille dans les Causses. Conversation sur les bergeries, les lauzes, les vautours et les aigles. Hymne aux rapaces.

Un matin dans une doline. Le roman triste d'un berger. Le langage du causse : chazelles, clapas et capitelles. Le Larzac. Lexique des calcaires : igues, canelles, fleurines, garissades. Un chien noir sur le Causse Noir. Un hameau oublié de Dieu. Histoire d'un ancien légionnaire. Le geste auguste du semeur et les semoirs mécaniques. La marche et les amours contingentes. Deux visages penchés sur moi. De nouveau le Larzac. Le seuil d'un autre monde. Une journée d'épreuves. Enterrement a La Couvertoirade. Le hasard et la nécessité des chemins.

Entrée dans le Minervois. Hymne aux nuages. Le café d'Octon. Une visite au musée de l'homo Octonis. Les hippies. Apparition des Pyrénées. Nouvel hymne aux vents. Fontès. Conversations sur la télévision, la vigne, le progrès et l'Occitanie. Les jeunes et les vieux. Sandwichs, je vous hais! Minerve. Le premier bûcher cathare. Une nuit dans la maison des vendangeurs. Les oiseaux massacrés. Le fléau de la chasse. Rencontre avec un guérisseur. Un merveilleux musée.

Les paysages du Minervois. J'entre dans les Corbières. Inscriptions sur les routes et les murs. Conversations avec les vignerons. L'autocar de Tuchan : histoire d'une grand-mère défunte. Une halte au soleil. Les gorges de Nouvelle. Montée a Peyrepertuse. Méditation sur les Cathares. Le château d'Ariane. Je veux continuer mon voyage. Continuer a cheminer dans le temps retrouvé. La découverte et le message de la mer.

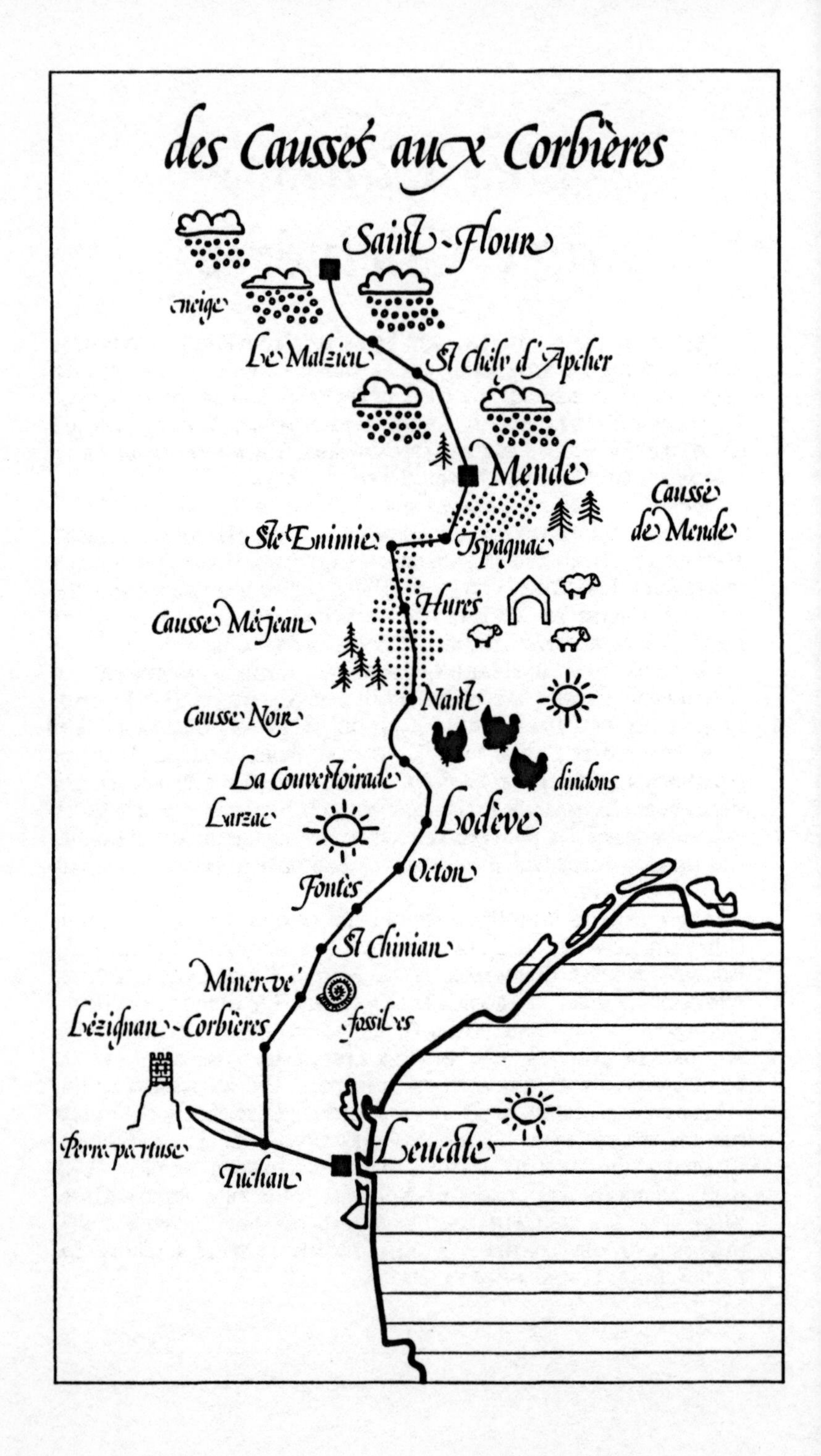
des Causses aux Corbières
Saint-Flour
neige
Le Malzieu
St Chély d'Apcher
Mende
Causse de Mende
Ste Enimie
Ispagnac
Hures
Causse Méjean
Nant
Causse Noir
La Couvertoirade
dindons
Larzac
Lodève
Octon
Fontès
St Chinian
Minerve
fossiles
Lézignan-Corbières
Peyrepertuse
Tuchan
Leucate

Je suis entré en Occitanie à pas de loup, sans trop m'en rendre compte. A quel moment, en quel lieu, ai-je franchi l'invisible frontière? Il faudrait dire : les invisibles frontières. A l'inverse des provinces récemment traversées : Bivradois, Livradois, Forez, Bourbonnais, enserrées entre les méandres d'un fleuve, l'entaille d'une vallée, les cimes d'une chaîne, encloses entre les accidents d'un paysage perceptible, l'Occitanie est moins une province à la géographie précise, une région délimitée par des accidents du relief qu'une culture, une langue, une histoire, une façon de se sentir lié à un sol ou à une tradition. Aussi a-t-elle plusieurs frontières. L'Occitanie linguistique, celle où s'emploie les parler d'oc, est plus vaste, plus complexe aussi que l'Occitanie historique, que l'on confond trop souvent avec l'histoire des Albigeois. L'architecture, la langue, le mode d'occupation du sol, les exemples toponymiques, chacun de ces critères permettrait de dessiner sur la carte autant d'Occitanies aux contours changeants. Sur un grand rocher, près de Sainte-Énimie, j'ai vu écrit : OCCITANIE LIBRE. Plus haut, sur le seuil de l'Auvergne, à Chabreloche : ICI COMMENCE L'OCCITANIE. Ainsi selon que j'en considère le cœur historique ou l'expansion linguistique, je suis en Occitanie depuis deux semaines ou seulement depuis deux jours.

Mais, quel que soit le critère choisi, les noms de lieux ne trompent pas. Tous ceux que je vois sur la carte depuis l'Auvergne, appartiennent à la langue d'oc, à part quelques enclaves. Car cette histoire linguistique du paysage français, faite de langues superposées (parfois même juxtaposées) : le préceltique, le ligure, le gaulois, le gallo-romain, le roman, le francien, le français, on la devine sur les cartes à la structure syllabique, au chant des toponymes. Le paysage est finalement ce qui a dû le moins changer au cours des siècles dans ses accidents essentiels et tous les noms des régions traversées depuis le Forez — et plus encore à mesure que j'irai vers le sud — disent une histoire parfois préceltique et gauloise, mais surtout latine et romane, et très rarement francienne. Le pays d'oc, c'est celui où, au cours d'une même journée (comme aujourd'hui à travers le causse de Mende et de Sauveterre) je lis, j'épelle les noms de Lanuéjols, Changefège, Esclanède, Chanteruéjols, Ventajoux, Raspaillac, Deïdou, Nabrigas. Cela suffit à donner un air autre à tout ce que l'on voit, au vent que l'on respire, à ceux que l'on rencontre : depuis Mende, le visage des Français s'éclaire, les sourires apparaissent plus souvent, la méfiance recule et l'hospitalité se fait moins difficile. Ces terres seront pour moi (comme je le pressentais du haut de la Roche Saint-Vincent, sur le seuil de l'Auvergne) celles d'un autre accueil. Détail révélateur : plus personne ne me demande pourquoi je marche. On semble moins s'en étonner comme si la chose allait de soi. Une seule fois, un paysan, en train de fendre du bois devant sa maison, me regardera passer avec de grands yeux étonnés et me demandera pourquoi je marche ainsi. Il y aura tant de naïveté, de bonhomie dans son regard et sa question, que je lui répondrai : « Eh bien, pour pouvoir rencontrer des inconnus. Pour vous rencontrer, par exemple. »

*

Depuis mon départ de Saint-Flour, le temps est devenu très froid. Les premières neiges sont tombées sur les Causses et l'Aubrac et la météo prévoit trois ou quatre jours de tempête. Je suis revenu ici exactement le 9 novembre, après un mois passé à Sacy près de ma mère malade et enfin rétablie. J'ai repris le train à Paris et j'ai débarqué à Saint-Flour, au matin par ce temps impossible et dans une nuit noire. Le buffet de la gare vient à peine d'ouvrir. Dehors, il tombe une pluie mêlée de grésil. Et le vent ne se calme pas. Bien sûr, marcher ce n'est pas naviguer et la terre n'a pas les mêmes colères que la mer. Pluies, vents, grêles, frimas de toute sorte ne doivent pas effrayer les marcheurs ni les randonneurs. Pourtant, ce matin-là, en regardant cette nuit sombre, en écoutant la pluie qui tombe par rafales, dans ce buffet sinistre — modèle d'un enfer sartrien où seraient affichés au mur les horaires de l'éternité — ce buffet où je suis évidemment le seul à *consommer* avec devant moi une serveuse mal réveillée, à l'air hagard et qui doit m'en vouloir d'être là, ce matin-là, la marche ne s'annonçait guère comme un exercice exaltant. Dès que le ciel se teintera légèrement — un ciel bas, turbulent, sans aucune promesse d'éclaircie — je me lèverai et partirai sur la route de Saint-Chély d'Apcher, vêtu de mon imperméable *dernier cri* et bien décidé à ne pas traîner en chemin.

*

Bien que je me sois astreint à le faire chaque jour, il est difficile de tenir un journal de route. En écrivant ce livre, je m'aperçois combien la simple juxtaposition des faits, la notation des événements — ordinaires ou singuliers — sont impuissantes à restituer la durée réelle d'une marche. Rien ne serait plus ennuyeux — ni plus faux — qu'un livre fait de ces notes successives, enfilées bout à bout comme des perles fades car elles trahiraient justement l'ordonnance réelle et secrète du voyage. Qui dit temps dit mémoire. Qui dit mémoire dit sélection. Des centaines de gens rencontrés, des centaines d'impressions, d'émotions, de joies, de lassitudes dont sont faits les voyages, on ne retient que quelques visages, quelques conversations, quelques paysages élus parmi tous ceux qu'on a vécus. Et dans les notes qui les fixent — ou essaient de le faire — ces notes prises au jour le jour mais qui, déjà, ont filtré à leur façon ce vécu quotidien, la mémoire à son tour opérera son choix, effacera ou exaltera un visage, un signe fugitif, un instant privilégié (quelques secondes à peine quelquefois), les mêlera en un monde nouveau, le seul qui demeure aujourd'hui, pour moi-même, de ce qui fut vraiment vécu. Mon vrai voyage, c'est ce livre où je reprends les traces anciennes, retrouve tels sentiers, telles herbes, tels visages, seuls accessibles à la mémoire. J'en ai d'ailleurs fait récemment la curieuse expérience. Repassant en voiture, il y a quelques mois par le village de Saint-Bonnet-le-Bourg (dont il a été question dans la partie *Du Morvan au Gévaudan*) j'eus la curiosité de m'arrêter pour revoir le menuisier qui alors m'avait reçu et piloté. Mais il ne me reconnut pas. Il avait lu *Chemin Faisant* mais n'avait gardé de moi aucun souvenir précis et se demandait quel pouvait être cet inconnu qui disait l'avoir rencontré. Bien entendu, il dut se rendre à l'évidence peu à peu devant tous les détails que je lui fournissais — y compris l'arrangement intérieur de sa maison que je pouvais décrire sans même y entrer — mais cela laissa en lui un trouble difficile à définir. Je n'ai jamais voulu recommencer ce genre d'expérience et je crois avoir bien fait. Aucune mémoire individuelle n'est semblable à une autre et l'on risque tout simplement de s'apercevoir que l'on n'a jamais existé ou que l'on est devenu un fantôme, un personnage qui dit être passé par ici mais dont on n'a nul souvenir. Faut-il retourner à Vazeilles, revoir cette femme avec qui j'ai marché et parlé si agréablement pour qu'elle me dise : « Mais qui êtes-vous? Je ne me souviens de rien. Vous n'êtes jamais venu par ici! » Inutile donc de vouloir confronter le temps réel et celui du souvenir : une telle expérience pourrait faire douter de soi-même, des sentiers, des forêts, des prairies que j'ai traversés, des visages que j'ai rencontrés et même de ma propre mémoire. Comme si, à vouloir revenir à tout prix aux lieux de ses émois, on retrouvait un pays autre, si différent qu'il en serait méconnaissable.

C'est pourquoi ce livre est avant tout un livre, je veux dire un travail construit, ordonné, réfléchi qui a trié, éliminé, conservé ou rejeté, en fonction des processus de la mémoire ou de ma propre volonté. Seule l'écriture, par ce pouvoir qu'elle a de séparer le temps (le temps vécu, le temps écrit) comme le sommet de certains monts sépare l'écoulement des eaux, peut en fait reconstituer un lieu, un visage, un instant essentiels, cette écriture que je relis, reprends ou corrige aujourd'hui comme sur un palimpseste d'autrefois. Dès la première rédaction de ce livre, j'ai donc tout naturellement laissé le temps vagabonder lui-même au cours des pages, revenant en arrière dans le cours du récit ou parlant de choses vécues avant leur temps réel. Ainsi, en marchant sur ce chemin pluvieux après Saint-Flour, dans la direction de Chaliers puis entre Chaliers et Lorcières, je me disais que justement il n'y avait rien à dire. Maintenant, devant ma feuille blanche (parce qu'entre-temps ma mémoire a pu rajuster l'ennui de ce jour-là, l'insérer dans l'avant- et dans l'après-vécu — et cet après, ce sera la splendeur nue des Causses par les matins de givre, la rencontre des premiers oliviers dans le soleil venteux du Minervois, la nuit passée à Minerve dans la maison des vendangeurs à côté d'un feu de sarments, la montée vers le château de Peyrepertuse dans la montagne des Corbières) je peux, par un jeu rigoureux entre mes deux mémoires — celle de ce jour pluvieux et celle de ce jour où j'écris — conférer à ce souvenir une épaisseur ou une fluidité qu'alors il ne possédait pas. Je m'en rends compte en relisant les notes insipides prises dans l'après-midi de ce jour à l'unique café de Lorcières où j'ai commandé un grog aux deux vieilles qui parlaient entre elles en patois lorsque je suis entré. Car j'y sentais mon œil aveugle, mon cerveau sec et ma plume stérile. Seule chose vivante et désirante, mon corps qui avait soif d'alcool chaud. J'ai noté simplement : « Lorcières. Fatigue. Transi de froid malgré l'imperméable *dernier cri.* Halte dans un bistrot tenu par deux vieilles peu bavardes. Intérieur modernisé de formica. Elles parlent patois entre elles. Une heure avant, dans le vent et la pluie, j'ai vu au bord d'un champ un épouvantail. »

Voilà de quoi sont faits, de temps à autre, les voyages. Attente. Vide. Ennui. Rien. Deux vieilles qui font semblant de s'affairer dans un café désert (et en les regardant remuer, discuter à voix basse entre elles, je me disais : le jour baisse, au lieu de rester là, je ferais mieux de m'en aller, je veux coucher ce soir au Malzieu car, par un temps pareil, pas question de dormir à la belle étoile et pour trouver un endroit où coucher ailleurs qu'à l'hôtel, avec les jours qui raccourcissent, il faut bien étudier la carte, repérer jusqu'aux moindres fermes, s'assurer qu'elles ne sont pas abandonnées). Je commande un deuxième grog, l'avale et m'en vais. Jusqu'au soir, à travers un paysage dont je n'apercevrai, en raison de la neige, que des bribes d'arbres et d'enclos, je marcherai, capuchon rabattu sur la tête, sans rien voir devant moi que le chemin sinueux, recouvert par endroits de plaques neigeuses, attentif à ses ornières, à ses détours. Quand j'arriverai enfin sur la route départementale du Malzieu — pour une fois soulagé de trouver une route goudronnée car au moins je ne m'y perdrai pas — la tempête se lèvera brusquement. Par chance, j'ai pensé à prendre des gants à Sacy ce qui m'évite de me geler les mains. La nuit est tombée. De rares voitures me croisent ou me dépassent. A un moment, j'apercevrai devant moi, venant à ma rencontre, une forme sombre, fantomatique, sur la route. C'est un homme dont le vent agite la grande cape noire. Il tient un bâton à la main. Je vais droit vers lui, oubliant que moi aussi, avec l'imperméable recouvrant mon sac et mon dos, mon capuchon rabattu sur le nez à la façon d'une cagoule, me donnant l'air d'un Pénitent, comme ceux que j'ai vus à Marsac, mais d'un Pénitent vert, (reste à savoir ce que j'expie exactement sur cette route, ce chemin de croix en folie), je dois moi aussi ressembler à une apparition démoniaque. Il a un sursaut en m'apercevant, presque contre lui. Il relève son capuchon. C'est un vieillard au visage rose. Des flocons de neige s'accrochent à sa barbe tandis qu'il tend l'oreille pour m'écouter. « Le Malzieu? J'en viens. Je retourne à ma bergerie. Il y a pas à t'en faire. C'est tout droit. Avec tes jambes, tu en as pour une heure, mon gars. Quel temps, hein? Il va falloir enfermer les bêtes. Allez, bon courage! » Ses mots se perdent dans la bourrasque. Jusqu'au Malzieu, je marcherai comme un aveugle car la neige et le vent soufflent juste contre moi. J'arriverai vers huit heures et je m'arrêterai devant la façade éclairée d'un hôtel : l'hôtel de la Margeride. Mon apparition jettera quelque trouble parmi les consommateurs. Mais le poêle ronronne. De la cuisine vient une odeur de soupe chaude. La patronne me dit : « On va vous chauffer une chambre. Par ce temps-là, il faut dormir au chaud. » Déjà, j'ai oublié la neige.

*

Pendant presque une semaine, à travers l'Aubrac et les Causses, la neige, en fait, persistera. Mais dès le lendemain, le vent ayant cessé, la marche sera plus facile. Neige peu épaisse, dix à vingt centimètres par endroits mais qui recouvre les chemins et n'aide guère à se repérer. Ce temps est rare pour la saison. Au café du col de Montmirat, où je ferai halte un moment avant de rejoindre Ispagnac, toutes les conversations portent évidemment sur le temps. Depuis l'origine de l'homme, on dirait que le temps demeure toujours pour lui le plus impénétrable des mystères. Ce n'est pas seulement une façon de meubler le temps que de parler de lui. La confusion du français entre les deux sens de ce mot (comme le montre la phrase précédente) prouve bien que dans l'esprit même de la langue ils coïncident ou s'identifient. Le temps atmosphérique n'est que la forme, perceptible aux yeux, à l'épiderme et à nos sens, du temps chronologique, sa chair de vent, de soleil, de pluie, de neige ou de grisaille. Il n'est pas de temps-durée sans temps-saison. Des expressions comme *vivre de l'air du temps* en sont la preuve à la fois claire et énigmatique. Si le temps a un air (là encore aux deux sens de ce terme) c'est parce qu'il s'oppose, dans la durée changeante de son froid, de son chaud, de son soleil, de sa grisaille, au temps abstrait, étalonné des chronomètres et horloges atomiques, au temps chiffré, frère anonyme et ennemi du temps vécu.

A vrai dire, je ne pensais guère à tout cela dans ce café perdu de la montagne, halte-relais pleine de monde durant l'été, mais presque vide à cette époque. Il n'y avait que le patron — qui retourne à Mende chaque soir à la *morte-saison* — et quelques ouvriers des Ponts et Chaussées qui réparaient la route. Et tous parlaient du temps. Le patron rassurait les autres : « Ça ne va pas durer, un temps pareil, ça ne s'est jamais vu. Dans deux, trois jours, il va faire beau. La météo l'a dit. » Mais la météo n'impressionne que lui. Les autres haussent les épaules, sourient d'un air très entendu. La météo! Ainsi privé de sa moitié, cette *-rologie* qui devrait suivre et qui a disparu des usages comme le *-tographe* du cinéma et le *-cipède* du vélo (et l'on sait qu'un suffixe perdu ne repousse jamais chez les mots, au contraire de la queue des lézards), ce mot serait inexplicable si demain tous les dictionnaires de la langue disparaissaient dans un vaste incendie puisqu'on lui a supprimé, en plus du *logie* dont on pourrait à la rigueur se passer, le *ro* de *météore,* qui seul explique qu'il s'agit d'un phénomène céleste. Oui, ainsi privé de sa moitié, le mot est devenu, dans la bouche de tous ceux qui s'en gaussent à loisir, comme le nom de quelque prostituée céleste passant son *temps* à se jouer du temps et à tromper les hommes. Elle appartient déjà au panthéon des grandes Inconstantes, des grandes Capricieuses de notre histoire, puisque j'entends ces bouches de travailleurs dire : la Météo comme elles diraient : la Pompadour.

*

Ispagnac. Je dîne dans un hôtel-restaurant, dans une pièce emplie d'animaux empaillés avec, à la table voisine, un autre client, au crâne chauve, à la mine rougeaude. Mais mettons d'abord un peu d'ordre dans ce voyage. Je m'aperçois que ces quelques jours qui ont précédé l'arrivée dans les Causses m'apparaissent comme des jours uniformes, faits de souvenirs enlisés. Est-ce en raison de cette neige donnant aux paysages de l'Aubrac une évidente monotonie? Est-ce plutôt en raison de cette interruption d'un mois qui m'a replongé dans un temps différent, des préoccupations redevenues familiales? Il me fallut quelques jours pour retrouver l'aisance et les rythmes d'avant, le pas alerte du Forez, cette disponibilité si essentielle à ce voyage. Approche, épreuve sans doute nécessaire, initiation renouvelée — comme à la veille de la traversée des Bois Noirs ou des plateaux de Pierre-sur-Haute — avant l'aventure des Causses enneigés. De plus, marcher semble toujours aller de soi quand il fait beau alors qu'avancer sous la pluie et la neige a tout d'un acte absurde, d'un défi à quelque sagesse évidente. Le premier jour de cette nouvelle errance, de Saint-Flour au Malzieu, est resté pour moi celui d'une lente, interminable progression dans un paysage en hypnose, comme si mes pas m'enfonçaient un à un au cœur d'un brouillard pétrifié, et plus tard, d'une bourrasque et d'une neige acharnées à ma perte. D'ailleurs, les seules rencontres de ce jour furent justement deux signes révélateurs jalonnant ce parcours au pays de l'étrange. Cet épouvantail aperçu dans un champ, juste avant le village de Lorcières, fixé sur une croix, avec ses haillons déchirés, ses loques suppliciées par le vent, sa tête bourrée de paille dont les fétus s'envolaient dans les airs comme si la bourrasque épluchait peu à peu son cerveau. Un écorché de vent (comme, sur les planches d'anatomie des anciens temps, ces figures d'hommes, en apparence bien vivants, les yeux vifs tournés vers vous, mais le ventre ouvert, le dos déchiré, la peau arrachée pour montrer muscles et viscères, exhibant à nos yeux — nous, les voyeurs des chambres intimes de leur corps — leurs entrailles vivantes), tel était cet épouvantail. Et le soir, sur la route du Malzieu, l'apparition de cette forme noire, au milieu de la neige, dont les habits battaient dans le vent, eux aussi, épouvantail en marche montant vers moi, Pénitent vert des chemins blancs. Je ne fabule pas en écrivant ceci : je dis que cette journée, commencée dans la nuit pluvieuse de Saint-Flour s'est poursuivie et terminée sous le signe de ces épouvantails en détresse, de ces formes humaines, écorchées ou cinglées par le vent, habitantes du pays des tempêtes, veilleurs d'un monde à la fois fantasque et tragique.

Fantasque et tragique, ces deux termes s'appliquent exactement à l'univers des épouvantails. J'en ai rencontré (j'allais dire : croisé) quelques-uns au cours de ce voyage. Les épouvantails disparaissent peu à peu de nos champs comme les ombres du passé. Voilà longtemps, bien sûr, qu'ils n'épouvantent plus personne et que, pour faire peur aux oiseaux, on a trouvé des moyens plus modernes et plus efficaces : feuilles d'aluminium résonnant dans le vent (que le *Catalogue de la Manufacture d'Armes et Cycles de Saint-Étienne* appelle : *effaroucheurs d'oiseaux*. Se placent au-dessus des plates-bandes ou se suspendent aux arbres. Long. 10 cm. Vibrent et crépitent au moindre vent), têtes de chat « en tôle noire vernie, gros yeux en verre reflétant la lumière ». A côté de ces techniques éprouvées, les épouvantails ont quelque chose de désuet, comme ces automates de salon des siècles précédents. Pourtant, ils sont les derniers habitants villageois du grand pays surréaliste. Le premier que j'ai vu, dans le Bourbonnais, était seul dans son champ. Il portait un chapeau noir, une veste rapiécée dont les bras étaient enfilés sur une croix en bois, un pantalon que le vent faisait onduler mollement. Il avait l'air d'un pantin à l'exercice, un pantin nonchalant, fatigué. Le second, je le vis dans le Forez. Il était perché sur un arbre, un chapeau noir sur la tête, faite d'un linge enroulé en place de visage (comme un masque de terroriste ou de gangster mais pour cacher quels traits inexistants?). Son vêtement : une vieille blaude déchirée. Celui-là, indiscutablement, était un guetteur, montant la garde aux frontières des vents. Les trois autres étaient rassemblés dans un pré, près du village de Saint-Bonnet-le-Bourg. Le premier était juché sur une croix, avec un bras-moignon pointé droit dans l'espace (comme s'il désignait aux deux autres l'arrivée des ennemis volants), sans tête, vêtu d'une veste usagée et d'un pantalon de grand-père d'où émergeaient deux bouts de bois comme deux os fracturés. Le deuxième avait presque un air de dandy, avec sa tête comme un rostre d'insecte, faite d'un vieux chapeau de paille brisé et tordu en tous sens, une chemise écossaise, une écharpe en chiffon au bout de laquelle pendait un vieux sac à café que le vent agitait dans un bruit d'ossements; il penchait la tête vers le sol, indifférent au geste auguste du premier. Le troisième était le plus impressionnant. Cloué sur un poteau, droit et rigide comme un condamné quelques minutes avant l'exécution, il relevait la tête face aux fusils du vent, sa tête d'osier troué et ravagé, entourée vers le haut d'un turban de chiffons. Toutes les expositions de sculptures qui se disent ou se veulent d'avant-garde, faites de mannequins sophistiqués, laborieusement dépenaillés, de fantômes hominiens façonnés de plastique, de ferraille ou de boue, tout ce que j'ai pu voir des années dans les galeries d'art parisiennes, n'a jamais atteint la beauté stupéfiante ni la force tragique de ces trois mannequins oubliés dans les champs. Faits de défroques, de haillons, de chiffons innommables, faits de tout ce que l'homme ne veut plus pour lui-même et hésite à jeter, les épouvantails retrouvent, en cela même, quelque chose de nous, un déchet, mais un déchet qui demeure hominien. Voilà l'image caricaturale que nous offrons à nos oiseaux (et dont ils ont vite compris qu'elle n'était justement qu'un triste simulacre, aussi peu redoutable pour eux qu'un éternel agonisant), cette image de clowns tristes, de guetteurs pétrifiés, de coureurs immobiles dans l'arène des vents. Image prémonitoire aussi. Certains épouvantails portent déjà en eux la pourriture d'un corps décomposé comme si le ciel était leur terre, les grêles et les pluies leur vermine. Ce ne sont plus les oiseaux, aujourd'hui, qui devraient craindre les épouvantails, c'est nous-mêmes, pour peu qu'on regarde leur visage d'osier mort, leurs moignons décharnés, leurs postures d'otages de la peur, de crucifiés, de fusillés. Combien vous avez raison, ô oiseaux, de ne jamais vous soucier d'eux! Car c'est à nous, et à nous seuls, qu'ils adressent ces gestes pétrifiés, ces appels silencieux, qu'ils offrent leur visage fait de nos rêves morts.

*

Reprenons le fil d'Ariane de ce récit. Je me suis réveillé au Malzieu dans un village entièrement enneigé. Des charrettes attelées de vaches glissaient entre les vieux remparts, parmi un flot d'enfants, cartable au dos, se rendant à l'école. Les boules de neige fusaient ici et là, au milieu des cris et des rires. Je ne m'attendais pas à rencontrer l'hiver si tôt, avant la traversée des Causses. Une brève reconnaissance aux portes du village confirme ce que je redoutais : le chemin que je voulais prendre pour Saint-Chély d'Apcher en évitant la nationale 589 disparaît sous la neige. Plus la moindre trace de sentier dans cette étendue blanche. Il me faudra suivre la route en marchant avec précaution sur les herbes gelées du talus, en raison du verglas. Puis, après une courte halte à Saint-Chély, je reprendrai la même route jusqu'à Mende, en avançant si lentement que j'arrêterai une voiture, à vingt kilomètres environ de la ville. Elle n'avancera guère plus vite que moi sur ce goudron couvert de verglas. Le mieux, pour l'instant est d'attendre à Mende que la neige disparaisse ou fonde suffisamment pour dégager un peu les sentiers. De toute façon, ce mauvais temps est provisoire. Il doit cesser dans deux, trois jours puisque la Météo l'a dit.

*

En fin de compte, j'ai quitté Mende le lendemain matin. Le temps s'est légèrement radouci. Un peu partout, la neige commence à fondre sauf sur le versant de la falaise qui domine la ville, où l'on voit de grandes plaques de glace.

Mais au sommet du causse, me dit un automobiliste qui en vient, la neige est mince, quelques centimètres tout au plus, routes et sentiers sont praticables.

Le causse de Mende n'est pas très long à traverser dans le sens que j'ai choisi. Vers midi, je déboucherai sur sa pente méridionale, au-dessus du hameau de Saint-Bauzille. En face, dans la vallée, au pied du causse de Sauveterre, se dresse un ancien cône volcanique, couvert de quelques sapins, une de ces éminences abruptes, si fréquentes dans la région et qu'on appelle selon les lieux un *truc,* un *suc* ou un *suquet.* Je longerai d'abord le pied du causse sur un chemin pentu, serpentant dans une grande forêt, entre le ruisseau du Bramon et des crêtes qui, vues d'ici, me paraissent inaccessibles. Au début de l'après-midi, j'atteindrai le col de Montmirat et le café-relais avec ses conversations sur le temps, ses diatribes contre la Météo. Jusqu'à Ispagnac, que je veux atteindre ce soir, il y a quinze kilomètres par la route nationale. Par le raccourci que j'ai repéré sur la carte, six kilomètres tout au plus. J'hésite entre ces deux chemins : l'un est sûr mais banal, l'autre plus court mais incertain à cette heure en raison de la neige, qui semble plus épaisse par ici. Finalement, j'adopterai quand même cette dernière solution, allergique que je suis aux routes goudronnées. Juste avant le chemin, je m'en ferai préciser l'itinéraire, dans le hameau de Montmirat (quatre maisons dont deux en ruine et deux autres habitées) par un vieillard que j'interpelle juste au moment où il va entrer chez lui. Il me regarde un temps, sans répondre, puis me dit sans y croire : « Vous voulez traverser le causse à cette heure? — Je veux aller à Ispagnac par le plus court. D'où part le raccourci? — Juste là, entre les deux rochers. C'est tout droit jusqu'à la cuvette. Là vous descendez sur Ispagnac. — Il faut combien de temps, à peu près? » De nouveau, il me regarde sans répondre, comme si je parlais par énigmes. Puis il me dit, d'une voix changée, presque chantante, comme une vieille litanie ou un conte enfantin : « Autrefois, quand j'étais enfant et que mes parents m'emmenaient au marché, on mettait une heure, l'un dans l'autre. »

Une heure, l'un dans l'autre. J'en mettrai deux au moins, après avoir erré une bonne demi-heure à la recherche du sentier descendant. Une heure d'abord pour arriver jusqu'à la dépression indiquée, au bord de la falaise, à travers une étendue gelée (neige craquant sous les pas, recouvrant par endroits le chemin que je suis, perds, rattrape dans les herbes) couverte ici et là de fins genévriers, de buissons épineux. Quelqu'un est passé avant moi, aujourd'hui même, ses traces sont bien visibles sur la neige : un homme avec des souliers à clous et un chien. Puis les pas disparaissent aux abords de la dépression. Je cherche, furète ici et là. Rien. Ce paysage caussenard, que je ne connais pas encore, m'échappe en ses tracés. Pourtant, le sentier descendant devrait partir d'ici. J'essaie à tout hasard au bord de la falaise. Les arbres poussent, serrés, infranchissables, tout au long d'une pente presque à pic. Je m'enfonce dans la neige profonde, m'épuise à repartir avec mon sac. Je reviens vers la dépression. Le soleil se couche à cet instant, dans un délire rose illuminant le causse. J'enlève mon sac, le pose au bord de la dépression indiquée, m'allonge sur le sol pour bien en observer, dans les dernières lueurs du jour, le versant opposé. Oui. Là-bas, juste à son flanc, à peine visible tant il est mince, court un étroit sentier. Je me hâte de le prendre. Il descend raide, bordé par un à-pic que je préfère ne pas trop voir de près. Au bout de dix minutes, il me faut m'arrêter. Les pierres glissent sous mes pas et, maintenant, il fait nuit noire. J'allume ma torche électrique, et je descends en tâtonnant, mètre par mètre. Il me faudra presque une heure pour atteindre le pied de la falaise, pour sentir au bout de mon pied le sol stable d'une prairie. En contrebas, à quelques centaines de mètres, brille une lumière électrique. J'arrive dans un hameau qui me paraît abandonné. Juste là, au détour d'un mur, une grande fenêtre éclairée. Je frappe. Une jeune femme vient m'ouvrir. « Je me suis perdu sur le causse, lui dis-je. Je cherche la route d'Ispagnac. — Entrez. Ne restez pas dans le froid. Mon mari est là. Il va vous y conduire. »

*

J'écris du perron de la grange où je vais dormir cette nuit à Hures, au cœur du causse Méjean. La neige est toujours là, par plaques, avec le vent, le froid mais aussi un grand soleil jaune. La grange est presque chaude, à côté de cette immensité où rien n'arrête ce vent, où les quelques genévriers ont du mal à pousser, chaude avec ses ballots de foin où déjà j'ai préparé ma place pour la nuit. En face, la ferme où la grand-mère s'affaire pour le dîner. J'ai vu un jambon cru pendre au plafond. J'ai respiré l'odeur d'une soupe de raves. A mes pieds, joue une chienne blanche rencontrée ce matin, errante sur le causse et qui m'a pris en amitié. Je lui ai donné une crème de gruyère, qu'elle engloutit en un clin d'œil. Mais je dois la rationner, comme moi, ignorant si je trouverai pour ce soir un endroit où dormir et manger. Pendant ces deux jours passés sur le Méjean, elle sera ma gardienne, la blanche fée des neiges. J'écris sur le perron baigné par l'ultime soleil. Autour de moi, rien que des pans de pierre sèche, des murs écroulés, une désolation de ronces, de poutres effondrées, de charpentes dénudées. A ma droite, le clocher de l'église — l'unique église de ce causse — qui m'a guidé vers lui, du fond de l'horizon. Je l'avais repéré sur la carte comme le seul point visible de ce plateau et je fus tout heureux de le trouver là où je l'attendais. Oui, heureux comme un navigateur qui, après la nudité des eaux, découvre soudain devant lui l'amer qui confirme sa route. Car les amers existent pour la marche comme pour les marins. Sur la terre, ce sont les accidents du paysage — tel pic, tel crêt surmonté de deux pins, un grand peuplier isolé — et, plus souvent encore, les constructions de l'homme : un pylone électrique, un château d'eau, un clocher, une tour en ruine. Je me suis très souvent repéré grâce à eux dans les régions peu habitées, puisqu'ils sont portés sur la carte et permettent d'orienter sa marche. Les grands pylones des lignes à haute tension sont particulièrement utiles dans ces cas car on les voit de loin et comme leurs lignes coupent toujours au plus court, enjambant les montagnes, traversant les forêts sans souci des sentiers, ils vous évitent de grands détours lorsqu'on peut en longer la base. Il m'est arrivé quelquefois lorsque j'en rencontrais de m'arrêter à leur pied, de poser mon sac, de m'allonger contre leur pyramide de béton et de regarder dans le ciel les stries de leurs longs fils vibrant, frémissant dans le vent. Comme les châteaux d'eau, les sémaphores, les signaux géodésiques, ils sont les nouveaux amers de nos chemins, les éléments devenus familiers des paysages d'aujourd'hui. Enfant, j'allais parfois avec des camarades regarder à côté d'Orléans, un grand transformateur électrique qui alimentait la voie ferrée de Paris à Limoges. On ne pouvait pénétrer dans l'enceinte, gardée par des têtes de mort et des tibias entrecroisés. Mais j'aimais observer du dehors ce monde, inexplicable alors et mystérieux pour moi, de fils, de pylones, ces formes inertes mais évocatrices : le chapeau conique des isolateurs, les torsades sombres des condensateurs alignés comme les gnomes ou les robots d'un monde pétrifié mais murmurant, ronflant et soupirant (car le courant chantait avec un bruit de source, un ronron de chat invisible et géant). Ces souvenirs sont revenus en moi, ce jour du Livradois, dans une forêt déserte, où je me suis adossé à l'un de ces pylônes pour regarder les nuages courir au-dessus de leurs fils. Ce monde, je ne le sens pas étranger à ma vie, à mes goûts, à mes curiosités. Il m'apporte des formes et des sons, me suggère des images, des réflexions qui sont celles du siècle où je vis. Pourquoi aucun poète ne les voit-il jamais, ne les décrit-il pas aujourd'hui (un seul l'a fait, avec Cendrars, parmi ceux que j'ai lus : Francis Ponge, dans un texte admirable qui s'appelait, je crois, *Texte sur l'électricité*) comme si, « a priori », leur existence était incompatible avec celle de la poésie? Les arbres que j'ai à mes côtés, ces pins sylvestres qui eux aussi murmurent dans le vent, sont les mêmes qu'aux temps anciens où les poètes les chantaient. Horace, Virgile, Sophocle, Homère les ont décrits, identiques, immuables, et par eux notre monde communique exactement avec le leur. Mais ces troncs métalliques, ces verticilles coiffées de verre, ces fils imbriqués sur le fond clair du ciel et ce murmure sourdant du métal n'ont été donnés qu'à nous seuls, ils sont notre privilège, ce qu'aucun poète antérieur n'a pu voir et n'a pu décrire. Le tort est de vouloir toujours ou exalter ou décrier les formes nouvelles, insolites, dont la technique et la science ont couvert notre monde. Pour moi, il s'agit simplement de les voir, les admettre, les intégrer à nos visions et à nos paysages, leur restituer leur langage d'énergies et d'ondes invisibles.

*

Amer des Causses le clocher de Hures, m'a guidé lui aussi jusqu'à ce village isolé, à ce perron où je prends des notes au soleil. Je ne précise ces détails, plutôt insignifiants, que parce qu'ils sont liés pour moi à ces moments de pause, ces parenthèses où j'éprouve soudainement le besoin d'écrire. C'est une des joies réelles de la marche que de s'arrêter là où l'inspiration vous prend, de s'asseoir sur le bord d'un ruisseau, au cœur d'une clairière, dans une prairie, sur une route de campagne, d'écrire ainsi où bon vous semble, dans la nature ou même dans les cafés. Car j'aime aussi écrire dans les cafés. Certains soirs, je les préférais à la solitude des chemins, heureux d'être au milieu des autres, dans le bruit des conversations, le brouhaha des vies encloses. Écrire, ce n'est pas seulement se refléter soi-même dans le miroir sans profondeur des pages blanches, c'est aussi sentir ses propres mots appelés, suscités, comme aimantés par ceux des autres. Les mots n'ont pas besoin que de silence, de vent, de forêts pour jaillir. Souvent, ils ont besoin d'autres bruits, d'autres chants, de ces voix rocailleuses ou douces, éraillées ou flûtées, des voix humaines des cafés.

En approchant de la ferme de Hures (je ne savais encore, parmi toutes ces maisons de pierres grises, lesquelles étaient habitées, lesquelles n'avaient plus que des pièces vides), en approchant sur le chemin, je vis sur la première maison de droite, derrière une petite fenêtre éclairée par le soleil couchant, un visage de femme en train de m'observer, depuis longtemps sans doute, et qui se retira aussitôt que je le remarquai. Ce visage aux traits fins, aux cheveux noirs, et une main posée contre la vitre, écartant le rideau et me fixant sur cette route vide, cette vision si fugitive et si insignifiante est restée depuis lors dans ma mémoire avec une insistance inexplicable. Je pourrais, si je savais dessiner, en restituer tous les détails, le rideau légèrement écarté et les yeux — sans expression particulière semblait-il — me regardant marcher. Était-ce simplement pour avoir été regardé à mon insu, surpris sur ma route solitaire (mais en flagrant délit de quoi?) ou au contraire parce que le hasard de cette minute me donna une seconde l'absurde idée que j'étais attendu? Deux minutes après, je frappai à la porte de cette maison et le visage vint m'ouvrir. Une femme, la trentaine au plus, figure au teint clair, cheveux sombres et yeux noirs, j'avais bien deviné. Elle portait un pantalon de grosse toile, un pull-over à col roulé. Elle me dévisagea, sans un mot, sans la moindre expression de méfiance, de surprise, ou de chaleur. « Je traverse le causse à pied. Pouvez-vous m'héberger cette nuit? Demain, j'irai vers Meyrueis. — Entrez », fit-elle. Dans la cuisine, une vieille est assise près du feu, nettoyant des raves. « Mon mari va venir tout à l'heure. Asseyez-vous. Il vous trouvera un endroit où dormir. Voulez-vous du café? Il en reste encore. » Je bois mon café en silence. La femme est repartie. La vieille épluche ses légumes. Quand le mari viendra nous ne parlerons guère davantage. « Venez » me dira-t-il et il m'emmènera dans la grange voisine, entrepôt de grains et de foin d'où s'enfuira une horde de chats. J'installerai mon duvet dans leur creux déjà chaud.

*

Il est plus facile de trouver où dormir sur ces plateaux perdus qu'au sein des villages sans hôtel. Ici, l'hospitalité va de soi, même si on parle peu. Hôtel est un mot inconnu sur les causses où les hameaux sont clairsemés, où le seul village important, sur le Méjean, est justement celui de Hures. Sur la carte, ce causse apparaît comme une grande étendue blanche, très peu boisée à l'inverse des autres et traversée seulement par deux routes. Mais une foule de sentiers le parcourent, chemins de terre spacieux ou traces infimes dans les herbes, qui sont encore des drailles, des voies de transhumance allant vers la Lozère. En raison justement de leurs maigres routes, des distances séparant les hameaux ou les fermes, ces régions hébergent plus facilement l'étranger. Dans tout le reste de la France, où l'infrastructure hôtelière est conçue en fonction des routes fréquentées, des autos, des sites touristiques, rien n'est prévu pour le marcheur, pour celui qui se déplace autrement qu'en voiture, en dehors des sentiers battus. Combien de fois, en arrivant le soir dans quelque café ne

« faisant » pas hôtel, je me suis entendu répondre : « Mais il y a un hôtel au village d'à côté, à dix kilomètres. Vous y trouverez une chambre. — Je marche. Je n'ai pas de voiture. Je viens de faire trente kilomètres à pied. Je ne peux en faire dix de plus à cette heure. » Alors, l'étonnement, la stupeur — et souvent aussi la méfiance — se peignaient sur tous les visages. Bien sûr, il faudra bien trouver une solution : une colonie de vacances, un presbytère, une maison des jeunes, une grange (mais jamais un particulier : en France, on ne reçoit pas chez soi des inconnus). Où sont ces gîtes d'étape d'autrefois (à Sacy, jusqu'à la guerre de 1914, on hébergeait à la mairie, dans un local prévu pour eux, ceux qui passaient à pied ; on donnait même des bons de pain à ceux qui paraissaient *nécessiteux*), ces tables des compagnons, ces lieux d'accueil que chaque village possédait pour le passant, l'errant, le colporteur, le vagabond ? Aujourd'hui, tous ces lieux ont disparu et, plus encore, l'idée qu'on puisse en avoir besoin.

Je pense à tout cela, cette nuit, allongé dans l'herbe sèche et odorante de cette grange. Les chats, habitués à leur creux, ont tourné un moment, dépités. Puis l'un d'eux s'est mis en boule tout à côté et je veillerai dans le noir, le silence abyssal de ces lieux, juste troué par ce ronron discret. Je le caresse et je me dis : c'est ma première nuit avec un chat.

Oui, j'ai trouvé plus facilement à me loger ici que la veille, après ma nuit à Ispagnac, au village de Sainte-Énimie, dans les gorges du Tarn. C'est un village touristique, regorgeant d'hôtels toujours pleins en été, toujours clos dès la morte-saison. Novembre à Sainte-Énimie, c'est un novembre chez les loirs, les marmottes, chez les animaux hibernants. Le village vit dans la léthargie, sa façade sur le Tarn est comme nécrosée, atteinte d'une gangrène sans espoir. Seules, vers le haut, les vieilles rues ont encore quelques habitants. Il est pratiquement impossible, dans ce village empli d'hôtels aux yeux morts, de trouver une chambre. Je finirai quand même par en avoir une grâce à l'entremise d'une boulangère. (Est-ce coïncidence ou fait sociologique jusqu'alors ignoré? partout, j'ai rencontré des boulangères aimables, avenantes, prêtes à venir en aide, au point que par la suite, à chaque difficulté, je me dirigeai droit vers la première boulangerie venue en me disant : faisons confiance aux boulangères. Plus que les charcutières, les fleuristes, les cafetières, mieux que les quincaillères, les épicières, les droguistes, elles sont le cœur généreux des villages. Chez elles, on vient chaque jour, et elles connaissent tout le monde. Aussi, pour ceux qui liront ce livre, marcheront, arriveront un jour dans un village sans hôtel, je hasarde ce conseil, propose ce dicton, né en mes jours d'épreuve :

En cas de peine ou de misère,
allez trouver la boulangère.)

*

Donc, ce soir, dans la cuisine de Hures, je dîne avec le fermier, sa femme, sa mère et le berger. Cette famille a quelques champs où l'on cultive blé et seigle mais elle vit surtout de l'élevage des brebis. Deux cents brebis, traites pour la plupart. C'est avec ce lait des dix-huit mille brebis du Méjean qu'on fabrique le Roquefort. L'installation est moderne. Dans le grand hangar, recouvert de tôles ondulées, on trait les bêtes à la machine. A eux trois, le fermier, la femme et le berger, ils suffisent à la tâche mais sans chômer. On parle peu pendant les repas. Une soupe de raves et de semoule. Du jambon cru. Un ragoût avec des haricots. Du fromage et des noix. Le vin vient du Minervois, au sud. De cette soirée, il m'est resté le visage du berger, ancien clochard à la hure avinée, et surtout cette vieille femme, énorme, à demi impotente, mais au visage fin, aux cheveux de neige, et à l'intelligence si aiguë, aux remarques si justes que pas une fois, au cours de la soirée, elle ne dira une parole inutile ou banale.

J'ai encore dans l'oreille cette voix mélodieuse s'exprimant en français avec les accents chantants du patois. C'est avec elle surtout que je bavarderai sur la région, la vie d'autrefois, la protection de la nature, le parc national des Cévennes. « Ce parc, me dira-t-elle, on l'a fait contre le gré des gens. » J'ai trouvé beaucoup d'hostilité, ou dans le meilleur des cas de méfiance, dans toute la région, à propos des initiatives de ceux qu'on nomme aujourd'hui écologues. Je crois que les paysans comprennent mal leurs intentions et craignent, absurdement d'ailleurs, qu'elles ne transforment leur vie quotidienne ou ne gênent leurs habitudes. La jeune femme me dira même un peu plus tard : « C'est comme avec l'architecture. Maintenant, on ne peut même plus construire comme on veut. Il faut protéger les sites, les monuments anciens, nous dit-on. Les bergeries, si on les écoutait, il faudrait les refaire en pierres et en voûtes, comme autrefois, avec des toits de lauzes. Autrefois, ça pouvait aller quand on avait des troupeaux de quarante ou cinquante têtes et qu'on pouvait en vivre. Mais aujourd'hui, si on veut subsister, il en faut au moins deux cents et des machines à traire. Comment voulez-vous traire chaque jour deux cents bêtes sans machines? Tout ça, ça ne peut pas tenir dans les vieilles bergeries. Elles n'étaient pas prévues pour ça. Nous, quand il a fallu faire un hangar pour les bêtes, on a mis de la tôle ondulée. Tant pis pour ceux qui n'aiment pas ça. Si ça continue, il nous faudra vivre uniquement en fonction des touristes. On deviendra une vitrine pour les étrangers. »

Ce problème des bergeries, on le rencontre en chaque coin des Causses. Il existe encore beaucoup de ces jasses, certaines intactes, utilisées, d'autres à moitié ruinées. Elles sont faites en calcaire du pays, très longues, avec un toit voûté. Ce n'est pas l'esthétique qui a dicté cette solution mais la nécessité : faute de trouver sur ces plateaux nus le bois indispensable aux charpentes et aux poutres, on a dû tout construire en pierre, y compris le revêtement des toits. Il est fait de *lauzes* (ardoise de schiste noir) ou de *tioulassé,* lourdes plaques de calcaire blanc. Mais ce toit très lourd exerce sur les murs des pressions si fortes qu'ils doivent avoir au moins un mètre à un mètre cinquante d'épaisseur. Dans de tels murs, on ne peut percer que de petites ouvertures si bien que ces jasses sont toujours sombres mais par contre très fraîches en été. Avec leurs voûtes de plein cintre ou en berceau brisé, elles marquent tout le paysage caussenard de leurs pierres et de leurs toits brillants, visibles de très loin. Malheureusement, de telles bergeries ne peuvent être très grandes. Elles contiennent cinquante bêtes tout au plus et ne conviennent plus aux grands troupeaux actuels. Tel est le dilemme : préserver ce qui a fait — et ce qui fait encore — l'originalité de ces terres dénudées, cette merveilleuse alliance des pierres avec ce sol d'où elles proviennent, et permettre en même temps aux fermiers-éleveurs de s'agrandir, de se moderniser, faute de quoi ils ne pourront rester.

Cette question rejoint d'ailleurs celle de la préservation de la nature. L'avant-veille, à Sainte-Énimie, je suis allé trouver, avant de gravir le Méjean, un homme dont on m'avait parlé et qui depuis longtemps, avec d'autres, se passionne pour ces questions. Il a même constitué une *Association caussenarde pour l'accueil et le développement culturel du Méjean.* Pour lui, le problème n'est nullement insoluble. Malgré l'aridité, la nudité du sol, le Méjean devrait permettre un élevage plus intensif des brebis (plus rentable que la culture, vu la mauvaise qualité de la terre) et redonner à toute la région l'activité, la vie qu'elle avait autrefois. Car ici l'exode rural a atteint des proportions impressionnantes. Au XVIIIe siècle, il y avait treize habitants au kilomètre carré. Aujourd'hui, il en reste deux. Encore ces deux hypothétiques survivants ont-ils du mal à s'en tirer. Pourtant, on voit bien, lorsqu'on traverse ces plateaux, qu'ils ne sont pas dépourvus de ressources, en dépit de ce sol ingrat. « Cette région, me dit au matin de mon arrivée sur le causse un berger rencontré avant le hameau de Chaldas, les corbeaux, monsieur, ils la survolent sur le dos pour ne pas voir la misère de la terre. » Belle image mais un peu forcée. J'ai vu en Grèce des terres encore plus pauvres et des sols plus ingrats dont les paysans tiraient tout de même quelque chose. L'immense étendue de ces causses permet d'attirer des troupeaux à son échelle — dix-huit mille bêtes pour l'instant, cent quatre-vingt-dix en moyenne par exploitation — et peut en nourrir d'autres encore. Ce qu'il faut, m'explique l'homme en question, c'est diversifier le visage du Méjean : consacrer 75 % de sa surface à la pâture, 15 % environ à la culture (dans les sotch et les plaines où la terre est plus riche) et le reste au reboisement. Car les Causses conviennent très bien à la forêt. Autrefois, la forêt les recouvrait entièrement, avant que les industries installées dans les vallées circumvoisines — les verreries surtout — ne la détruisent dans sa totalité dès avant la Révolution. Jusqu'à cette époque, le causse n'avait pas cette allure de désert montagneux. Sa désolation, cet appauvrissement de la terre, balayée par le vent, érodée, délitée peu à peu par le gel et les eaux pour devenir ce sable blanc qu'on appelle ici le *grésou,* sont dus aux déboisements inconsidérés des siècles précédents. Ce n'est qu'ensuite qu'on pensa à monter des brebis, à y faire paître des troupeaux. « C'est pourquoi, ajoute-t-il, nous cherchons en même temps à concilier le passé et l'avenir, à préserver les bergeries anciennes, tout ce qui a fait la vie, l'originalité du Méjean, tout en aidant les éleveurs à s'agrandir, à se moderniser. Tenez : ils se sont plaints, ces dernières années, qu'il y avait trop de rongeurs et de lapins. Eh bien, au lieu d'arroser les cultures avec des produits chimiques ou de tout détruire par les pièges et la chasse, on a fait venir des aigles et des vautours. Ce ne fut pas sans mal, croyez-moi. Des aigles et des vautours! Pourquoi pas des loups et des tigres? nous a-t-on rétorqué. Mais savez-vous qu'en période de couvée et après l'éclosion, un rapace détruit trente ou quarante rongeurs par jour pour nourrir ses petits? Alors, on nous a répondu : " Bien, mais avec vos vautours et vos aigles, on n'aura plus d'agneaux. Ils vont les dévorer! " En cinq ans, je n'ai connu qu'un seul cas. Et de toute façon, le propriétaire est indemnisé. C'est pour cela qu'il faut se battre. Pour que tout le monde trouve sa place et sa fonction sur le Méjean, y compris les aigles et les vautours. »

Ces aigles, ces vautours qui ont leurs aires sur les falaises de la bordure septentrionale, à Castelbouc, La Chadenède, le Fraissinet, on les voit en fait rarement sur le causse.

Tout comme on voit de plus en plus rarement de rapaces diurnes en France. A l'exception des buses dont les piaillements dans l'azur m'ont suivi tout au long du voyage, et des faucons, le faucon crécerelle notamment reconnaissable à ses ailes pointues et à sa façon de chasser en vol stationnaire (et si occupé par sa proie, si peu soucieux du monde environnant que j'en vois très souvent, quand je prends l'autoroute pour Paris, chasser ainsi au-dessus du terre-plein!) en dehors de ces deux rapaces et ici et là de quelques vautours et quelques éperviers on ne voit pratiquement plus de grands oiseaux. C'est que subsiste encore partout dans les campagnes, bien plus vivace qu'on ne le croit, le vieux et stupide préjugé du *nuisible* (alors qu'au risque d'insister lourdement je répète que le seul animal nuisible et naturel, c'est l'homme) et parce que les proies, le gibier de ces prédateurs disparaissent à leur tour. On comprend d'autant moins ce préjugé et cette crainte que les rapaces « français » si je puis dire ne sont ni des monstres ni des géants destructeurs. Qu'on soit impressionné par l'ombre immense dans le ciel d'un vautour moine — qui a plus de trois mètres d'envergure — passe encore, bien que même ce rapace ne cause aucun dégât aux plantes ni aux animaux puisqu'il se nourrit uniquement de charognes. Les aigles, eux, sont parfaitement inoffensifs malgré tout le folklore qui en fait des enleveurs d'agneaux ou d'enfants. Pourquoi avoir détruit tous ces oiseaux, avoir détruit le merveilleux circaète-jean-le-blanc, aigle au ventre d'un blanc immaculé et qui se nourrit de serpents — si l'on excepte quelques couples protégés dans le Parc Régional des Volcans d'Auvergne? Pourquoi piéger, chasser les faucons de nos forêts et de nos champs, aux noms si poétiques : le *crécerelle,* le *sacre,* le *concolore,* l'*éléonore,* l'*émerillon,* le *hobereau* sans parler de ces grands rapaces qui ne sont plus en France que des souvenirs comme l'aigle royal, le pygargue à queue blanche ou le gypaète barbu? Animaux non seulement utiles mais essentiels puisqu'à la fois fossoyeurs, nettoyeurs de charognes, destructeurs de serpents et mangeurs de rongeurs. Mais une crainte atavique, inexpliqué, inexplicable, saisit le paysan devant le seul mot d'aigle ou de vautour : « Ils peuvent toujours nous expliquer qu'il faut des vautours sur le causse, me dit le fermier de Hures. Moi, si j'en vois un, je prends mon fusil et je sais ce qui reste à faire. Ces bêtes-là ce sont des nuisibles. On les a détruits autrefois, ce n'est pas pour venir les remettre aujourd'hui. » Ici, chacun ne voit que son intérêt immédiat, égoïste, sans comprendre qu'en cette entité si singulière qu'est le causse, rendu stérile par l'inconscience des générations précédentes, les aigles, les vautours, les forêts et les pâturages peuvent paradoxalement cohabiter et même redonner vie à ce qui meurt.

*

Matin sur le causse Méjean. Le givre couvre partout les herbes, les moindres aspérités de ce sol arasé. Il gèle encore car la neige craque sous mes pas comme une croûte d'argent. Soleil clair, ardent, capable de brûler à midi. L'horizon paraît proche tant l'air est transparent. Mes pas résonnent dans ce silence, cette étendue aux couleurs tendres, cet air vif qui rougit mon visage et mes mains. Au creux de l'estomac, la soupe chaude du matin — trempée de pain de seigle — et le rhum que tout à l'heure j'ai gaillardement liquidé avec le berger dans les champs. Je me sens prêt à marcher ainsi très loin, à quêter sans cesse l'horizon jusqu'à épuisement. Je prends des notes allongé au soleil dans une de ces cuvettes qui parsèment le causse. Un *sotch,* un *ouvala,* une *doline.* J'aime ce dernier mot mélancolique et doucereux et ce qu'il signifie : ce paysage incurvé, ce creux subit au cœur du sol, comme si la terre infléchissait son sein, s'arquait ou s'excavait pour recevoir le dos du marcheur épuisé. Je m'y étends, ferme les yeux et j'écoute. Une brise très légère s'est levée. La neige fond par endroits, faisant crisser les herbes engourdies. Près de moi, invisible, un bruit d'élytres, intermittent. Grillon? Mais les grillons dorment en hiver. Sauterelle? Que fait-elle ici, en pareille saison, elle, la migratrice, l'amante sèche des Tropiques? Malgré l'immobilité, cette froidure rigide des choses qui m'entourent, cette narcose de la terre tenaillée par le gel, je sens la vie tout près, juste audible, faite de crissements, de bruits ténus comme un cristal se brisant sous les eaux. Un couple d'oiseaux ocre se pose juste à côté, sur le sommet de la doline. Il pépie doucement, puis s'envole. De nouveau le silence.

Tout à l'heure, en partant de la ferme, j'ai accompagné le berger tandis qu'il emmenait ses bêtes. Il râlait à voix haute, et de grands nuages de buée lui sortaient par la bouche comme des ballons de bande dessinée. « Il veut qu'on les mène dehors par ce temps, maugréait-il. Les bêtes n'ont pas froid, évidemment. Elles ont de quoi sur le dos. Mais moi... » Ancien vagabond (et futur vagabond sans doute, les vagabonds ne faisant jamais d'excellents retraités) ayant pratiqué tous les métiers ici et là, pochard invétéré. (La veille au soir, tandis qu'on attendait le dîner dans la cuisine, je le revois immobile, dos tourné de trois quarts à la table, tête penchée, songeant à quoi? De temps à autre, il regardait vers la bouteille, sur la table, n'osant y boire le premier.) Maintenant, les bêtes ont trouvé leur pâture et on s'assied tous deux sur l'herbe froide. Je sors ma bouteille de rhum. Son œil s'illumine de plaisir et il me regarde, incrédule. « Ça fait du bien par ce temps-là et pour la route, rien de meilleur... » Il opine pleinement du chef. « A tout seigneur des causses, tout honneur » et je lui tends la fiole, une bouteille plate qui ne contient qu'un demi-litre mais qui se loge facilement dans la poche extérieure du sac.

A lui aussi, sa vie est un roman. Toutes les vies paraissent des romans lorsqu'on rencontre ainsi les marginaux de notre terre. Mais la sienne est un roman triste, comme on en lisait au siècle dernier, un roman de *Veillées des chaumières*. A la dernière guerre, il fut fait prisonnier dès les premiers combats, au début de l'année 40. On l'expédia en Prusse-Orientale, dans un stalag, puis il alla de ferme en ferme, pour aider aux travaux, comme beaucoup d'autres prisonniers. Il venait de se marier, juste avant le début de la guerre. Quand il revint, après cinq ans d'absence, plus de femme. Envolée depuis longtemps et disparue on ne sait où. Il chercha du travail, n'en trouva pas et commença à se balader sur les routes, en bricolant ici et là. La France, il la connaît par cœur, d'est en ouest et du nord au sud. Pas la France des vacanciers, des touristes ni même des marcheurs, comme moi. La France des marginaux, des faibles, des laissés pour compte, des résignés, des flemmards, des pochards, des trimards, une France inconnue, misérable le plus souvent, impitoyable et dure, celle des granges, des nuits dites à la « belle » étoile (mais les étoiles ne sont belles que lorsqu'on les voit par plaisir, non par nécessité). Pendant quinze ans, il vécut ainsi, entre les granges et les gendarmeries. (Il a une grosse expérience là-dessus : « Les gendarmes, ils sont mes amis, me dit-il. On me connaît partout de Marseille à Dijon et on me laisse aller. Je ne fais de mal à personne. D'ailleurs, j'ai mon papier, ajoute-t-il en exhibant un parchemin crasseux. Dès que je vois leur camionnette sur la route, prête à me contrôler, je leur montre le papier de loin, ils comprennent et ils continuent. ») Il y a quatre mois, il est arrivé ici où on l'a engagé comme berger. « Quand on m'a montré l'endroit où j'allais dormir, au-dessus de la cuisine, bien au chaud, avec un vrai lit et un vrai matelas, j'ai failli pleurer. Depuis des années, je n'avais jamais dormi dans un lit. » Bien sûr, son esprit est plutôt nébuleux, imprégné de vin rouge et d'alcool et ses réactions plutôt lentes, comme en témoigne son aventure de Fréjus. Après la catastrophe du barrage, il s'est précipité là-bas, car on y demandait des sauveteurs. Il y travailla deux mois, à déblayer, à reconstruire. Au bout des deux mois, il alla trouver l'employeur pour se faire payer. On lui apprend alors que toutes les entreprises de sauvetage ont accepté de travailler bénévolement. Finalement, le maire lui donnera deux cents francs et il repartira sur les routes, pour échouer ici.

Tout ce récit, évidemment, fut entrecoupé de solides rasades de rhum. En une demi-heure, la bouteille est vide. Je sens mon corps en feu, au milieu de cet air glacé. L'exaltation me prend, dans ce paysage transparent, cet homme à mes côtés avec qui je discute comme si depuis des mois on faisait route ensemble. On se sent tout de suite en famille avec ceux qui errent et qui marchent. Jamais ils ne vous posent de questions. On marche, on est là, demain on sera ailleurs, un point c'est tout. Alors, je me sens brusquement investi d'une mission salvatrice : « Au lieu de boire pour oublier, lui dis-je, bois plutôt pour te souvenir. C'est beaucoup mieux. » Cette phrase m'est venue comme ça et il me regarde d'un air idiot. « Eh bien, oui. Si tu bois pour oublier, pour te laisser aller, l'alcool te fera du mal. Si tu bois pour réagir, pour lutter, il te fera du bien. Allez, du courage! » Je me lève et je prends le sentier vers le sud. Lui, toujours allongé, me regarde. Se souviendra-t-il, ne fût-ce qu'une heure, de mes paroles?

*

Cette saison n'est pas la meilleure pour profiter des beautés du causse. Les fleurs qui le parsèment et l'enjolivent au printemps — les stipes, les scabieuses, les sedum jaunes et roses, l'adonis printanier — ont toutes disparu. Mais on y voit encore, ici et là, étoilant le sol de ses pétales jaunes, le chardon baromètre. Ses feuilles se ferment quand il va pleuvoir, s'ouvrent toutes grandes quand le soleil doit reparaître. J'en cueillerai un que je conserverai intact jusqu'à mon retour. Je l'ai cloué sur la porte de ma cave, à Sacy, et il se ferme et s'ouvre, chaque fois, comme un vrai baromètre.

Le causse conserve malgré tout des couleurs, des teintes encore vivantes sous ce ciel bleu. Les pierres grises sont ponctuées par endroits du jaune, du vert tendre, de l'ocre roussie des lichens. Dans les sotch et dans les dolines, la terre, épaisse et riche, étale ses entrailles rouges. Partout, on voit dressés des tas de pierres amoncelées, en partie délités, comme les blocs erratiques d'un paysage lunaire. Dans certaines dépressions, où le chaume a été arasé, où l'on a passé la charrue et la herse, le sol se couvre de mille rainures parallèles comme ces jardins de sable des monastères zen au Japon. Mais à part ces blocs erratiques et ces creux ratissés, le paysage est presque plat. Seuls accidents vers l'horizon : les toits brillants d'une jasse isolée, la coupole d'une *chazelle,* ces petits abris de pierre sèche qui parsèment le causse, qu'on appelle *bories* en Provence, et qu'on nomme également *capitelles.* On remarque aussi par endroits des éboulis de pierres, éclatées par le gel, n'ayant pas encore atteint le stade du grésou et qu'on nomme *clapas.* Ils fournissent des pierres toutes prêtes pour les murs de pierre sèche qui entourent parfois les sotch et les protègent contre le vent ou pour ceux des chazelles. Ces clapas, qu'on nomme aussi clapiers, dérivent de *clap,* mot pré-roman signifiant pierre plate. Quand les pierres ne sont pas plates, les mots qui les désignent viennent plutôt du pré-celtique — *kar* signifiant pierre, qu'on retrouve dans le nom de Carcassonne. Cette histoire des mots et des choses — qui confine même à la préhistoire — comme on la comprend, la retrouve en ce paysage où l'on sent qu'il fallut nommer chaque forme, chaque émergence, chaque faille de sa surface, chaque aspect ou propriété de la pierre (tendre ou dure, friable ou clivable, propre ou impropre à l'usage de l'homme) car, selon qu'elle était plate ou anguleuse, monolithique ou éclatée, elle était porteuse d'un message essentiel. Aussi, tandis que j'achève cette traversée du Méjean, que j'approche de la falaise où prend le chemin de Meyrueis suivant l'ancienne draille des troupeaux transhumants, je me demande si les mots que nous créons sans cesse de nos jours pour désigner les matériaux éphémères ou durables qui conditionnent notre existence quotidienne, si ces mots auront la même perennité que ces termes dont beaucoup sont plus vieux que nos ancêtres les Gaulois. Déjà, la plupart de ceux qui accompagnèrent mon enfance et mon adolescence ont disparu avec les techniques qui leur avaient donné naissance. Combien de temps emploiera-t-on encore le mot *galalithe* par exemple ou celui de duralumin, de formica, de bakélite, ces mots qu'on croit pérennes et qui ne le sont pas plus que swing, jitter-bug, aéronefs ou torpédo? Car ils n'auront que la durée des choses qu'ils désignent, plus éphémère que celle des lauzes ou des jasses.

*

Sur le Larzac, la terre parle plus encore. Elle parle en ses moindres failles, en ses collines, en ses vallées. Les massifs qui l'entourent portent des noms évocateurs mais qui gardent en partie leur mystère : l'Escandorgue dans le sud, le Lévezou en son nord-ouest. Plus claire est l'histoire de ceux qui l'épaulent à l'est et au sud-est. L'Espérou, c'est la montagne vespérale, celle où se couche le soleil; la Serranne, c'est une *serre,* éminence étroite, allongée, à la crête échancrée comme les dents d'une scie, puisque son nom vient du latin *serra* signifiant scie.

Le causse est un pays calcaire, un sol et une roche que l'eau depuis toujours a sculptés, creusés, façonnés en mille formes, parfois fantastiques, ne laissant rien d'anonyme ou de plat — comme le temps sur un visage marqué de rides. Ainsi des avens, ces gouffres si nombreux sur les causses, devenus une des richesses touristiques du pays : on les nomme *igues* sur les plateaux calcaires du Quercy, *tindouls* dans le Rouergue, *chourouns* dans le Dévoluy. Les pacages, ici, deviennent des *devèzes* et *albarons* ces galets blancs roulés, polis par les torrents. Tous ces noms ne proviennent pas toujours du patois. Ces falaises qui en tous lieux bordent le causse, dominant les vallées du Tarn, de la Jonte et de la Dourbie, sont souvent entaillées de fissures profondes où pousse une végétation luxuriante et touffue, où gîtent les rapaces, et qu'on appelle des *canolles.* Incluses dans le plateau, encloses dans le sous-sol comme des cheminées naturelles, elles deviennent alors des *fleurines.* Canolles et fleurines aboutissent aux *cingles,* ces corniches escarpées qui sculptent les falaises, ainsi nommées non parce que le vent les cingle mais, plus probablement, parce qu'elles ceinturent les sommets. Tout au fond de ces canolles, de ces igues ou de ces avens, l'eau resurgit parfois, en trous profonds ou en torrents, en son niveau d'affleurement, qui sont autant de *gouneiras* ou *gouneirous,* tandis qu'à leur sommet, sur les grandes surfaces, les devèzes se muent en *grèzes* dès qu'y poussent quelques genévriers, prunelliers sauvages ou broussailles, en *garouilles* ou *garissades* dès qu'y apparaît un mince bosquet d'yeuses. Les eaux, les torrents, les rivières ont elles aussi leurs noms dès qu'elles coulent en des gorges qui brisent ou forcent leur courant. Au pied de ces cirques nombreux, arrêtés par la masse hirsute des falaises et qu'on appelle des *bouts du monde* (le monde n'a-t-il pas fini, pendant des siècles, là où s'arrêtait et commençait à la fois le regard?), serpentent les rivières, tour à tour étalées en plans paisibles, les *planiols* ou resserrés en bras rapides, torrentueux, en *ratch* ou en *rajols.* Je n'en finirai pas d'épeler tous ces noms. Si ce livre doit avoir quelque usage — autre que le simple intérêt de divertir son lecteur — qu'il serve alors à rappeler ces noms, à esquisser ce premier lexique à venir, le lexique de nos paysages.

*

Au seuil du Causse noir, un chien noir m'a élu pour ami. La chienne blanche du Méjean, je l'ai laissée à Hures, entre les mains de la fermière. Beaucoup de chiens errent ainsi sur le causse que parfois les fermiers connaissent. Celui-ci a couru vers moi, alors que j'hésitai à l'orée d'une de ces forêts de pins noirs d'Autriche qui ont donné son nom au causse. Il m'a léché les mains et s'est engagé aussitôt sur l'un des trois sentiers. Je l'ai suivi en me disant : les chiens des Causses semblent m'aimer et ce chien noir, en ce lieu noir, n'en peut être que le bon gardien. Avec lui, j'ai traversé des hameaux isolés — Luc, Aluech, les Mourgues — y admirant des bergeries anciennes encore intactes et, à Aluech, une maison abandonnée, typiquement caussenarde, avec son escalier et son perron au-dessus de la bergerie. J'ai marché pendant plus de trois heures dans un paysage brusquement dénudé, steppe d'herbe rase (et pour seuls bruits, le vent, les buses, les clochettes d'un très lointain troupeau). J'ai vu surgir à l'horizon, à la quatrième heure de marche, un bosquet de bouleaux et de pins où émergeait la tour d'une bastide. Ses volets sont fermés. A côté, trois grandes bergeries, sans moutons. Mon chien noir se met à aboyer. Devant moi, une femme est là, entourée d'une horde d'enfants. Je m'approche, la suit jusque chez elle. Intérieur vide, misérable. Une cuisinière, un tas de bois, un grand lit et des matelas sur le sol. Tout le monde me regarde, ahuri. La femme — cheveux raides, couleur filasse, visage terriblement marqué par la fatigue — esquisse un sourire. « Je marche, vous voyez. Je viens de Meyrueis. La Foulquarie, c'est très loin? » Elle prend un de ses gosses dans les bras, sort sur le causse. « Vous n'avez qu'à couper par ici, c'est plus court. Au bout, là-bas, aux arbres, vous verrez le chemin qui descend. » Je cherche sur la carte le nom de cet endroit : Pradines. Je pense au titre d'un livre, lu il y a très longtemps, qui se passait en Égypte, je crois : *Hommes oubliés de Dieu.* A Pradines aussi, Dieu, semble-t-il, a oublié les hommes.

Le chien gambade et me précède au milieu du champ (je m'aperçois en le traversant que ce n'est pas une pâture mais un champ autrefois labouré, maintenant recouvert de chardons). A l'horizon, les arbres indiqués par la femme, où doit prendre le sentier descendant vers La Foulquarie. Je n'ai pas d'autre issue, à cette heure du jour, que de prendre ce sentier et de gagner la route de Nant. Tout alentour, la carte n'indique aucun lieu où dormir, où espérer trouver une grange et du foin. Des oiseaux gris s'envolent devant moi. Le soleil touche déjà l'horizon. Cinq heures de marche encore. Il va falloir suivre la route en pleine nuit. Perdu dans mes pensées, je n'entends rien. A un moment, pourtant, je perçois un cri derrière moi. Je me retourne. Un homme, au loin, me fait des signes. Un homme grand, très mince. A mesure qu'il approche, je distingue de grosses bottes, un manteau gris, un fusil sur son dos. « Où allez-vous comme ça? me crie-t-il. — A La Foulquarie. On m'a dit de couper par les champs. — Une chance que je sois là. Vous alliez vous perdre. Suivez-moi. Je vais vous montrer. » Il parle le français avec un très fort accent slave. Quel âge a cet homme? Il est de ce type nordique — mince, blond, visage pâle — qui ne semble jamais avoir d'âge. Figure émaciée, burinée, marquée par les épreuves, les tragédies muettes. Yeux d'acier mais qui fuient les miens, quand je le fixe trop longtemps. Une tête qui pourrait dire, sur une affiche : « Engagez-vous dans la Légion ». Je ne me trompe pas. C'est un ancien légionnaire. Il a fait tous les métiers, évidemment, avant et après, pour échouer sur ce causse, épouser cette femme que j'ai vue, une femme d'ici, et lui faire, bon an mal an, un enfant chaque année. Maintenant, ils sont treize à vivre dans cette pièce unique, à se nourrir de nouilles et à coucher par terre. Il garde le domaine, cette bastide avec le jardin et toutes les terres qui l'entourent. Il appartient à des Belges qui viennent ici aux vacances. « Ils ont eu de la chance de me trouver. Je sais tout faire. Dix doigts, dix métiers (et il tend ses deux mains, doigts écartés vers le couchant, comme s'il invoquait le soleil). Ils m'exploitent. Ils ont plein d'argent et savez-vous, monsieur, combien on me donne chaque mois, pour tout faire, surveiller, réparer, couper le bois, sans être nourri? Deux cents francs. J'ai des allocations, évidemment. Huit francs dix par jour et par enfant, sauf pour les deux plus grands. Vous croyez qu'on vit avec ça?

Depuis trois jours, on n'a plus rien. Tenez, je suis en train de chasser des grives, pour manger. Si j'en attrape, on aura quelque chose pour ce soir. Sinon... » Nous marchons en silence. Est-ce ses paroles, cette misère, cet accent slave, ces lourdes bottes écrasant les chardons, cette steppe qui paraît infinie, face à ce soleil rouge et à ce froid qui monte, j'ai un bref instant l'impression de marcher dans la plaine russe, d'entendre les plaintes d'un moujik. Au bout du champ, il s'arrêtera, hésitera, comme avant de prononcer une parole secrète, confidentielle. Il me dira, toujours en fuyant mon regard : « Même l'alcool ne m'aide plus. Depuis janvier, pas une goutte. » Il a un claquement sec de la langue. Ancien légionnaire. Ex-alcoolique. Père de famille nombreuse. Piégeur de grives. Je ne sais quoi lui dire tandis qu'il reste là, sur le bord du chemin, le visage buté. « Je peux vous laisser mon chien? Vous savez, il me suit depuis ce matin mais il n'est pas à moi. Il a peut-être des maîtres qui vont le réclamer. » A l'idée qu'il va avoir un chien, tout son visage devient sourire. Il flatte l'animal, le caresse, lui parle amoureusement, avec son accent rauque. Comme si ce chien allait, pour quelque temps, résoudre ses problèmes. — « Donnez-le-moi. C'est un chien perdu. Il sera bien chez nous. Une bouche de plus ou de moins, vous savez. » Et il s'éloigne rapidement.

*

Je n'étonnerai sûrement personne en disant qu'au cours de ce voyage, dont une grande part s'est faite au moment des semailles, je n'ai surpris nulle part le geste auguste du semeur. Ce geste, il fut très longtemps sur nos timbres le symbole de notre République agricole et laïque, avec cette semeuse coiffée du bonnet phrygien, semant cheveux aux vents dans le soleil levant. Ce soleil étant à sa droite, il faut en déduire qu'elle sème face au vent du nord, ce qui est pour le moins curieux mais qu'importe : les philatélistes sont rarement des laboureurs et les laboureurs plus rarement encore philatélistes. Cette absence de semeurs dans les champs est sans doute ce qui surprendrait le plus un voyageur d'il y a cinquante ans, refaisant à pied le même parcours. La vie des campagnes a changé et nul ne s'en plaindra. L'image traditionnelle des paysans courbés vers le sol, harassant la terre de leurs binettes et leurs sarcloirs, semant à la volée, glanant les chaumes ou s'arrêtant pour prier à l'heure de l'angélus, ces images-là n'ont plus cours. Seuls, les vendanges, l'arrachage des pommes de terre et des betteraves — pour me limiter aux travaux de l'automne — présentent encore cette image des dos courbés, des familles penchées vers le sol ou assises çà et là pendant l'heure de la pause. J'en rencontrerai très souvent, en Bourbonnais, en Forez et en Gévaudan, occupés à ces tâches. Il m'arrivera quelquefois de m'arrêter, ou d'être hélé, d'échanger quelques mots, de m'asseoir et de boire avec eux une lampée de vin.

Mais le geste auguste du semeur, nulle part je ne l'ai vu, dans tout le mince fil de mon voyage. Les semailles se font presque partout au semoir mécanique et désormais, s'ils veulent évangéliser quelque province athée, les missionnaires feront bien de modifier les paroles du Christ dans la parabole du semeur. Cette parabole, on la comprend encore même si on n'a jamais vu de sa vie semer à la volée, mais, dans quelques générations, il faudra mettre une note, en bas de page des Évangiles et ainsi rédigée : *Cette parabole s'explique parce qu'autrefois, au lieu d'utiliser les semoirs mécaniques enterrant le grain au fur et à mesure de son contact avec la terre, on le semait à la volée et à la main, en parcourant les sillons sous le vent.*

N'est-ce pas ce qui déjà s'est produit sur des terres où le mode des semailles est totalement différent? Les missionnaires qui voulurent, par exemple, évangéliser les Indiens Mayas provoquaient des crises de fous rires chez leurs ouailles par cette parabole du semeur. Dans un pays où l'on ne sème jamais ainsi mais en enfouissant les grains à la main dans le sol, il fallait des heures d'explication pour convaincre les Indiens que ce semeur n'était pas fou. L'évolution de nos campagnes, la mécanisation des cultures ont ainsi abouti à deux conséquences imprévues : forcer les poètes à revoir leurs images bucoliques s'ils ne veulent pas dater, forcer les missionnaires à repenser la parabole évangélique s'ils veulent un jour se faire comprendre.

Bien sûr, un semoir mécanique n'inspire pas autant que le geste dudit semeur. C'est lourd, c'est bruyant, c'est laid, avec ces entonnoirs enterreurs à ressorts imitant grossièrement nos membres pentodactyles mais ça sème plus vite et bien mieux. Ce sont eux, ces semoirs, que j'ai vus, entendus tout au long du voyage avec les tracteurs, les hersoirs, les rateaux faneurs, les faneuses à fourches, les distributeurs d'engrais ou les rouleaux à cylindres ondulés. Tout un monde de fourches, de dents, de crocs et d'entonnoirs, mécanisant les gestes de récolter et de semer, et qui évoquaient des silhouettes d'insectes géants et bruyants au lieu de l'ombre silencieuse — et perdue dans l'immensité — d'un homme luttant avec les vents.

*

A Nant où je dîne, seul client dans un coin sombre de l'hôtel, la serveuse est accorte et jolie. Elle me décoche de temps à autre des regards intrigués et coquins. J'ai fini par oublier, à force de marcher, qu'il existe des femmes, je veux dire des femmes qu'on peut approcher, palper, caresser, faire crier dans l'amour. Ribaudes et truandes n'escortant plus les pas des pèlerins ou ceux des paladins, nos routes et nos auberges ont beaucoup perdu en paillardise et esbaudissement depuis le Moyen Age. Elles ont gagné en sécurité et en tranquillité : peu de chances aujourd'hui de se faire dévorer par les loups, détrousser par des coupe-jarrets, dépouiller par des malandrins. Mais au fond, l'insécurité n'est pas toujours mauvaise compagne, surtout celle de l'amour. Les greniers à foin, les jachères, les murs sombres abrités des vents, l'alcôve des chemins creux et des fossés herbus, ont toujours constitué d'excellents hôtels de la belle étoile. Car les étoiles sont belles alors et les nuits doublement scintillantes. La Grande Ourse pivote sur l'axe ivre des amours, Orion vous encourage de ses trois yeux brillants et les Pléiades dansent au zénith des caresses. J'ai toujours aimé ces amours nocturnes et champêtres, consommées en divers pays mais peu souvent, hélas! dans ce voyage en France. Et pourtant, certains soirs, sur les chemins encore chauds de la chaleur du jour, parfumés de l'odeur des foins mûrs, cela seul manquait à mon bonheur. A deux reprises, ces brèves rencontres se sont quand même produites — l'une dans un hôtel l'autre dans une remise où s'entassait du seigle et picoraient des poules. Dans le long célibat du voyage, elles ont été deux parenthèses folâtres et vite refermées. C'est là qu'on saisit au mieux combien la marche fait de vous un éternel passant pressé. Ne pas s'attarder — même dans ces délices inattendues et pas toujours renouvelables — se garder pour cette Ariane imaginaire qui vous attend au lointain des Corbières (puisque rester, demeurer dans l'improvisation des choses, tout connaître y compris les sexes et les cœurs est refusé à celui qui marche sans cesse) voilà l'un des commandements, l'un des messages des chemins. Prendre ou donner, mais ne pas demeurer. Éros ne sera lui aussi qu'un de ces mille visages fugitifs entrevus comme aux vitres d'un train défilant lentement. Le hasard seul décide — qu'ici, il ne faut pas forcer — et qui fait qu'on arrive à l'instant même où secrètement on était attendu. Car il s'agit ici de tendresse, non de passion, bien sûr. De tendresse et d'attente inavouée qui, pour un soir, élisent votre visage, votre parole, votre passage parce qu'il est passage. J'ai gardé de ces deux rencontres le souvenir des draps fleuris mis pour la circonstance et de l'odeur des seigles mûrs dans le bruit des poules qui picorent, le souvenir de deux visages penchés vers moi, qui, jamais, ne sauront mon nom.

*

Tout au long du trajet d'un jour où je l'ai parcourue, cette partie du Larzac, entre Nant et La Couvertoirade, est faite de dolines, de dévèzes et de garissades. Temps gris, bouché, qui ne s'éclaire qu'au loin, derrière moi, vers les sommets du Causse noir. Alentour, des buis, des genévriers, des herbes pétrifiées. Les plaques de neige qui subsistent encore çà et là, étirées, incurvées par le hasard des souffles, dessinent autour des buis de grandes virgules glacées qui geignent sous les pas. Solitude. Presque excessive en ce jour terne, avec ces buis funèbres, ces arbustes voûtés, ces buissons ras, décor d'un autre monde, de l'autre monde en ce deuil noir et blanc des dolines. J'ai choisi de prendre un sentier passant par le hameau de Combe-Redonde et gravissant la Serre du Devez pour arriver à La Couvertoirade par le plateau dominant la Varenque. Juste à son commencement, je suis passé près d'une gare abandonnée. Ses grandes portes et ses volets battaient au vent. J'ai posé mon sac et je suis entré dans la salle d'attente. Bancs et affiches sont restés. Rien n'a changé apparemment du temps où elle servait encore. Intrigué par ce lieu, je m'assieds et *j'attends.* Aucun train ne viendra, je le sais. Depuis longtemps, les herbes ont recouvert les rails. Je m'imagine attendant des heures, des jours, des semaines, regardant en leur moindre détail ces affiches vantant les charmes des terres de soleil, des paradis azuréens, lisant et relisant ces horaires inutiles, ces instructions pour voyageurs immobiles. Attendant jusqu'à devenir un squelette assis, ossements agités par le vent qui, de toute évidence, ne cessera pas de souffler. Je repense à *Huis clos* (curieux, comme les gares m'y font toujours penser, surtout dans le noir de l'aube à Saint-Flour ou ici dans le gris du matin). De tous les lieux abandonnés que j'ai vus sur ma route (usines, verrières brisées, machines noires, démantelées, au sol recouvert de nappes de cambouis comme le sang séché d'un vieil assassinat, moulins avec les grandes roues en bois couvertes d'algues et de mousses, fermes et bergeries), de tous ces lieux, aucun ne m'a donné une telle sensation de solitude, de tragédie et d'abandon. Je n'arrive pas à m'arracher à cette salle, à ses affiches, à son guichet, à ces horaires pour fantômes. Lieu idéal pour y guetter les espérances impossibles. Il faudrait jouer, dans ce décor battu des vents, une pièce, où les mots s'étireraient dans l'infini du temps puisqu'ils auraient l'éternité pour se conclure. Aujourd'hui, parce qu'elle est inutile et muette, cette gare prend un sens que nul n'avait prévu, ce pour quoi elle fut faite au-delà des cycles du temps : pour devenir la salle de l'éternelle attente.

*

Jusqu'à La Couvertoirade, je ne ferai qu'une seule rencontre mais qui, elle aussi, comptera : un troupeau de dindons dans le hameau de Combe-Redonde, entièrement désert semble-t-il, et qui s'opposera obstinément à mon passage. Chaque fois que j'avance, ils se groupent en un front serré, violacé, glougloutant. Pourquoi veulent-ils m'empêcher de poursuivre ma route? Sont-ils les signes d'une nouvelle épreuve? Ce pays n'est-il habité que d'ombres et de fantômes, de souffles et de dindons? Suis-je entré dans un autre monde où désormais tout est chargé d'un sens qu'il me faut déchiffrer? Je commence à le croire. Cette journée, ce paysage semblent inhabituels. D'abord, cette première étape : la gare abandonnée, l'épreuve de l'attente. Puis, maintenant, en ce hameau de Combe-Redonde (dont le nom m'apparaît soudain prédestiné) : l'épreuve des dindons. Les desseins du dieu des chemins sont évidemment insondables, mais je me dis : puisque depuis une heure je suis en plein roman de chevalerie — ce qui me paraît naturel pour parvenir à La Couvertoirade où doit m'attendre l'épreuve ultime — agissons comme un paladin. Que ferait-il en pareil cas? Il foncerait. Ce que je fis. Au lieu de fuir ou de chercher une autre issue, je pris mon élan et fonçai dans la horde. Elle s'émietta en une volée de plumes, des cris assourdissants, (et quasi démoniaques, dirais-je). Je m'arrêtai un peu plus loin et regardai le résultat. Les bêtes couraient partout, comme des folles, en glapissant, sauf une, restée à terre sous le choc. Désormais, devant moi, jusqu'aux remparts et aux secrets de La Couvertoirade, venteux, funèbre, immense, le Larzac attendait.

*

« Cet homme, il avait le cœur sur la main. Vous pouviez aller chez lui et tout lui demander. Il ne refusait jamais rien. Le pain, il le donnait. Ça n'existe plus aujourd'hui des gens qui vous donnent du pain et ne demandent rien. »

Oraison funèbre d'un paysan de La Pézade par la cafetière de La Couvertoirade. Il est mort à quatre-vingt-douze ans. On l'enterre aujourd'hui. Plus discrètement qu'à Lavoine. Pas de cortèges de voitures, pas de foules endimanchées. En arrivant par la combe du plateau, grande étendue creuse où piaillaient des corneilles (me disant : que me réserve ce village, après les deux épreuves précédentes?), en arrivant juste au pied des remparts, je vis, immobile, droit comme un if, un homme tout de noir vêtu, croque-mort montant la garde aux portes du village. A l'intérieur, dès la première ruelle, je vois un deuxième homme, lui aussi tout de noir vêtu. Deux croque-morts. Au détour de la ruelle, sur la petite place attenant au café, immobile, regardant le ciel, un troisième croque-mort. Je n'ai compris qu'alors qu'il s'agissait tout simplement d'un enterrement. La famille, les amis n'étaient pas encore arrivés et ces trois hommes attendaient simplement. Finis la chevalerie, l'initiation, le noir message du Larzac! Je suis dans un village médiéval, un village de pierres, de lauzes et de tours crénelées, sans gare abandonnée et sans dindons rageurs. Je suis à La Couvertoirade, un jour d'enterrement, un jour gris de novembre.

*

Je me suis peu étendu sur l'histoire des villes et des villages traversés, ce livre n'étant nullement un guide, comme on a pu le remarquer. Il n'est pas non plus une enquête sur les campagnes françaises. Connaître, inventorier, questionner, retrouver l'histoire, les coutumes, découvrir les problèmes de tous les villages parcourus exigeraient une horde ou une armée de randonneurs, accompagnés de photographes, de secrétaires, d'ethnographes et d'archivistes. J'ignore si le fait de relater simplement ce voyage tel que je l'ai vécu — avec ses anecdotes banales ou signifiantes, ses rencontres éphémères ou essentielles, ses extases et ses lassitudes — suffit à donner de la France une image substantielle. C'est qu'une fois encore, il faut dire et redire qu'en marchant ainsi, on ne peut faire ni du tourisme organisé ou systématique ni un travail d'enquêteur ou de sociologue. Car pendant des centaines de kilomètres, on est contraint de suivre le fil d'un *seul* chemin. Je peux, bien sûr, à tout moment, bifurquer et en prendre un autre. Mais c'est cet autre qui, alors, deviendra mon seul chemin. Peut-être si, à tel moment, j'avais pris tel chemin et non tel autre, aurais-je croisé un vagabond sympathique, longé une église historique, traversé un village accueillant. Mais on ne vit pas sur les chemins avec ce qu'on aurait pu faire. Faute de pouvoir se dédoubler, il faut se contenter de suivre une seule voie et se dire que c'est elle — elle seule — qui vous livrera les clés de vos rencontres. On choisit un chemin et non les choses à voir puisque c'est lui qui vous mène (ou ne vous mène pas) vers l'insipide ou le merveilleux. Ce faisant, on éprouve malgré tout le sentiment non d'un désir perpétuellement inassouvi (celui de toutes les choses qu'on pourrait voir sur les autres chemins) mais au contraire d'une sorte de plénitude, d'une nécessité à la fois inéluctable et nourricière puisqu'elle seule constitue pendant des jours, des semaines ou des mois, au fil de votre route, le *fil* même de votre vie. Alors, chaque chose rencontrée, chaque hasard ressenti — l'envol d'un oiseau sous vos pieds, une silhouette à cheval le long d'un horizon de peupliers, une forêt craquante de bois mort parcourue dans le crépuscule, la buée d'une aube fraîche sur les lauzes d'une bergerie — prend brusquement l'intensité d'une chose nécessaire, d'une vision préparée pour vous, vous attendant (depuis quel temps?) dans *ce* vallon, sur *ce* plateau ou dans les ruelles ensoleillées de *ce* village. Comme si le paysage se composait devant vous à mesure de vos pas, à mesure de vos rêves. Et l'on devient alors, cela est facile à comprendre, non pas un chercheur, enquêteur, traqueur de vérités rurales, compteur de vies enfouies mais conteur de la vie manifeste, du grand *hasard* et de la grande *nécessité* des chemins. Et ce ne peut être justement par hasard qu'en lisant le *Petit traité de la marche en plaine* de Gustave Roud (et cela bien après avoir écrit la première version de ce livre) je retrouve, avec une émotion inexprimable, le même regard, le même sentiment d'inéluctable devant le merveilleux et nécessaire hasard des chemins : « ... au bord de la dernière nuit, j'ai connu ce furieux renversement de tout l'être qui me jette au visage le compte impitoyable de mes pas, traqué par les horloges folles, perdu parmi les flaques d'aulnes, rêvant les yeux sans paupière, au seuil d'une plaine où le soleil roule avec les cloches dans la brume, où un homme laisse tomber sa faux sur la rosée. La belle route couleur de lavande pâlit à chaque seconde, cette route née avec le jour. Car c'est VOUS que ce village attend là-bas pour s'éveiller à l'existence. »

Je pense, par ces lignes ajoutées à l'édition présente, répondre à tous ceux qui m'ont écrit pour me faire aimablement reproche d'avoir négligé tel village, de n'avoir pas parlé de telle église ou de tel monument, de n'avoir pas cité telle coutume caractéristique. Car à tout ce qui vient d'être dit sur les limites et les richesses du seul chemin que l'on peut prendre, il faut ajouter ce que j'ai déjà dit, sur le temps propre à ces voyages, à cette disponibilité mais aussi à cette limitation qu'il implique, en un mot au sentiment d'être un passant pressé. Aller plus loin dans la connaissance des choses et des êtres eût exigé de rester davantage dans chaque lieu puisque, dans cette sorte de voyage, *tout* est « a priori » intéressant. Mais cela eût exigé une absence d'un an ou deux et je ne pouvais, alors l'entreprendre. J'ai donc fait le voyage qui fut le mien, à la fois voulu, choisi et dicté par le hasard bifurquant des sentiers. Et ce livre en fut le résultat : ce journal réécrit, reconstruit (mais non réinventé) du fil ténu de mes chemins.

C'est pourquoi on peut le qualifier d'impressionniste puisqu'il est fait avant tout d'impressions de voyage (bien que pour moi ce terme soit loin d'être superficiel : dans impression, il y a aussi imprimer, donc *empreinte* et pour moi les impressions de ce voyage furent de véritables empreintes en mon âme et en ma mémoire). Et pourquoi, bien sûr, parmi les centaines, les milliers d'*impressions* ressenties pendant ces quatre mois, certaines sont-elles restées plus que d'autres alors qu'elles n'ont en apparence rien de particulier ni rien de signifiant? Pourquoi, par exemple, ai-je toujours si vivant en ma mémoire cet après-midi à La Couvertoirade où, par un temps froid et gris, dans une ruelle balayée par le vent, je regarde des ouvriers en train de poser des lauzes sur un toit? Spectacle finalement aussi intéressant que d'éplucher huit siècles d'archives et d'articles pour retrouver l'histoire de cette Commanderie. Il ne m'enseignera bien sûr que des vérités très restreintes. Par exemple, que depuis quelques années, les restaurations imposées à toutes les maisons contraignent les propriétaires sacrilèges à refaire leurs toits de tuiles en lauzes du pays. Car elles viennent toutes de la région, ces lauzes sombres, mates, résistantes aux pluies et au gel. Leur nom n'a-t-il pas d'ailleurs quelque parenté avec celui du Larzac? Larzac — terre des lauzes. Cette étymologie est rien moins que sûre et je la donne ici parce qu'elle m'est venue à l'instant sous la plume. Je remarque en tout cas qu'elles sont posées sur les chevrons du toit en un ordre précis. Les plus larges et les plus lourdes (et l'allitération vient de soi-même, *ô larges et lourdes lauzes du Larzac!*) sont placées devant, à l'extrémité inférieure du toit, débordant son arête, ce qui évite les gouttières. Puis à mesure qu'on gagne vers le faîte, on met des lauzes de plus en plus petites. « Ici, vous voyez, elles font bien 50 centimètres en bordure, me dit un des couvreurs, et là-haut, à peine 25. — Et où les trouvez-vous? Vous les taillez vous-mêmes? — Ah! Ah! S'il fallait les tailler nous-mêmes, me crie un autre ouvrier du haut du toit, un rigolard moustachu qui a coincé entre deux chevrons une bouteille de vin, on n'aurait pas fini cette année! — On va les prendre dans les bergeries abandonnées, me dit l'autre. Il n'en manque pas sur le causse. Elles sont toutes prêtes et elles ne servent plus à rien. »

Voilà. J'ai appris aujourd'hui comment on pose des lauzes sur un toit. La chose est moins facile qu'on ne le croit — car elles n'ont pas, comme les tuiles, des crans prévus pour s'accrocher aux lattes, et monter un toit tout en lauzes en sachant répartir leur poids est affaire de gens entraînés.

Tout autour, le village est comme mort. Presque personne n'y vit l'hiver. Un étranger non averti pourrait se croire en quelque décor médiéval, édifié pour les besoins d'un film. L'histoire est partout présente, qu'il faudrait savoir déchiffrer en détail : dans les maisons, sur leurs façades, toutes marquées de croix, de bas-reliefs ou d'inscriptions; dans les tours et sur les remparts, œuvres des Templiers à qui tout le village et la région appartenaient autrefois. On peut voir encore dans l'église deux grandes stèles discoïdales portant la croix pattée, emblème de leur Ordre. Remparts, tours rondes, tours carrées, maisons groupées le long de ruelles étroites, comme prêtes à d'éternels assauts. Vu de loin, le village se confond presque avec la terre environnante, comme s'il n'était qu'une excroissance des rochers, taillés, aplanis et historiés par l'homme. Tristesse et beauté sobre de La Couvertoirade dans l'automne. Ce nom chantant contredit ce ciel lourd et gris. Au café, où j'avalerai en vitesse un morceau de fromage et un verre de vin, la femme continuera ses litanies sur la mort de ce paysan, sur la mort des choses en hiver, sur la solitude dans ce village déserté, qui ne revit que quelques mois par an, au moment des touristes. « C'est tout ce que j'ai à vous offrir, mon pauvre monsieur. Et dire que vous marchez comme ça, si longtemps! Il vous faudrait manger. Mais je n'ai rien. Personne ne vient en cette saison. Il y a deux ou trois personnes qui restent ici. Peu de monde. L'été, bien sûr, c'est autre chose. Je ne sais plus où mettre les touristes. Mais à présent... Excusez-moi, monsieur, j'ai honte. Excusez-moi. »

*

Nuages, merveilleux nuages! Jamais ciel ne fut plus superbement nuageux qu'en cette plaine éventée de mistral (devant moi, un paysage illuminé, une terre chaude, un grand horizon blanc; derrière moi, ce vent froid qui me pousse et soulève partout les feuilles mortes de platane, comme si autour de moi deux courants, deux nappes de chaleur et de froid s'affrontaient, s'enroulaient en invisibles tourbillons), en cette plaine au sud de Lodève que je viens de quitter, ce seuil du Minervois. Tout a changé en quelques mètres. Avant-hier, sur le Larzac et, les jours précédents, sur le Méjean, le Sauveterre, c'était la grande steppe blanche, une plongée dans un univers hivernal, des infinis ponctués de givre et de genévriers. Aujourd'hui, dès la sortie de Lodève en direction d'Octon, voici d'emblée le Minervois, voici les premiers oliviers, les vignes, les cyprès, les mas aux toits ocrés, les sillons rouges de la terre, tout un paysage mesuré, découpé, ordonné par des mains savantes. Je retrouve d'un coup ces formes tant aimées : un cyprès droit, une chapelle, une bastide dans les vignes. Et là-haut, au-dessus de l'ordre intact de la terre, le grand désordre des nuées. Des nimbus, des cumulus, des cumulo-nimbus. J'aime les noms des nuages. Les nimbus qui *nimbent* le ciel de leurs auréoles diffuses, de leurs contours capricieux, nuages de pluie le plus souvent mais que le mistral pousse ce matin vers les sommets des Pyrénées. Les cumulus, nuages ronds et joufflus, qui *s'accumulent* en bulles massives et souvent tourmentées, en dômes turbulents. L'Atlas International des Nuages (oui, cet atlas existe, édité par l'Organisation Météorologique Mondiale, Pompadour planétaire en somme), distingue plusieurs habitants de ce monde cumuliforme. Il y a d'abord, citons-le en premier malgré sa modestie, le cumulus *humilis,* petit nuage de beau temps, parfois minuscule, discret, peu élevé, étiré souvent en longueur par le vent car il est très peu dense. Il y a le cumulus *mediocris* qui a plus d'ampleur, d'ambition : ses bulles escaladent le ciel en mamelons dodus — qui le font appeler le nuage en chou-fleur. Il y a le cumulus *fractus,* à bords très déchiquetés (mais les fractures ne sont jamais longues ni graves chez les nuages, ce qui fait que très vite il se dissipe dans le ciel). Et surtout, il y a le cumulus *congestus,* le roi des cumulus, le plus grand, le plus haut, le plus dense, le plus riche en formes. C'est lui qui dans le ciel dessine ces sérails, ces coupoles, ces cités d'ouate et d'orient, toutes ces Jérusalem célestes désirées ou redoutées des hommes.

En ce premier matin du Minervois, ces nuages édifient là-haut des châteaux, vite écroulés ou lézardés, tissent de grands affrontements, des figures en bataille comme si, à l'approche du pays cathare, se reconstituaient un bref instant les combats d'autrefois. Nuages, tristes nuages, nuages du souvenir, avec vos murailles chancelantes, vos figures d'hommes suppliciés, et, tout au fond de l'horizon, le blanc, le cotonneux désastre de Montségur.

*

Dans le café d'Octon, les conversations vont bon train : la chasse, les accidents d'auto, les hippies, installés depuis l'an dernier dans un village abandonné des environs. Sur la route, dans l'après-midi, j'ai rencontré une foule d'insectes, bien vivants, attirés par ce soleil presque estival. Ainsi tour à tour ai-je croisé et salué un bousier, une mante religieuse, un criquet brun et une iule. Juste à ma gauche, bien exposé à l'ouest, un village qui paraît désert et silencieux et un lac assez grand qui ne figure pas sur la carte. J'apprendrai qu'il s'agit du lac de Salagou, lac artificiel datant d'il y a quatre ans quand on a noyé sous les eaux la vallée serpentant entre les puech du Cibérou et de la Sure.

Octon m'a plu dès que j'y suis entré. Village ocre et blanc au centre de ses vignes. Sur la place, une fontaine, une église dont la cloche valétudinaire sonne péniblement l'exténuement des heures et un café où je trouverai une chambre pour la nuit. Il y a des jeunes qui jouent aux flippers, un monsieur à lunettes, volubile et nerveux, qui m'invitera chez lui le lendemain, quelques chasseurs traqueurs de lièvres. Aux murs, se faisant face, une peinture, de facture naïve, représentant le village, et une grande maquette en bois du paquebot *Ville d'Alger*. Ces deux décorations ont une petite histoire. Sans être des adversaires acharnés, l'instituteur et le curé (l'un et l'autre partis ailleurs) rivalisaient de zèle quant à leur influence sur les jeunes. Et lorsqu'ils durent s'en aller, chacun voulut offrir au café le résultat de leur compétition. L'instituteur fit peindre Octon à ses élèves et le curé fit faire cette maquette. Elles se font face ici comme deux symboles, deux appels contraires et poétiques : celui du terroir, celui du grand voyage.

Il y a aussi, dans une pièce attenante à l'école, un petit musée archéologique où l'on a exposé les trouvailles faites autour d'Octon par quelques passionnés, dont l'instituteur et ses élèves. La Coopérative scolaire du village a même édité une brochure pour expliquer, commenter les résultats, fort honorables, de ces fouilles. En un style imagé — qui rappelle celui des auteurs de dictée — l'Inspecteur Départemental de l'Éducation Primaire a salué, dans une préface, ce salutaire renouvellement des méthodes pédagogiques. « Les bons maîtres ont compris, écrit-il, qu'il était indispensable d'apprendre à lire d'abord dans les manuels, puis dans le grand livre de la Nature, toujours ouvert et largement déployé sous nos yeux, mais qui garde jalousement ses secrets. » Car, précise-t-il, « je dirai que les vrais fossiles ne sont pas dans la terre. Les véritables fossiles, ce sont ces instituteurs qui emploient des méthodes démodées, archaïques, poussiéreuses et qui enseignent en 1955 comme leurs ancêtres de 1875, sans tenir compte de la marche inexorable du progrès de la Loi de l'Histoire ».

Cette région est un lieu rêvé pour des fouilles car, comme tout le Midi, elle abonde en vestiges préhistoriques, romains, gallo-romains et même plus tardifs. Ainsi, ce petit musée raconte-t-il, par les quelques pièces exposées, l'histoire de l'Homo Octonis *. Après sa visite, j'irai d'ailleurs, sur la montagne et le plateau dominant la vallée, voir les dolmens où l'on a pratiqué les fouilles. En bas, le soleil éclaire le village et la plaine minervoise alors que, sur le puech, la neige tombe déjà. Il a suffi de grimper ces quelques centaines de mètres pour retrouver l'hiver, comme si j'avais franchi la ligne de partage des saisons : dans la vallée, la lumière, le soleil automnal; ici, le froid et les nuages lourds de neige. On a trouvé pas mal de choses sous ces dolmens : ossements fossiles, silex taillés, céramiques grossières et, autour du village, des centaines d'outils en pierre, à tous les stades de leur confection. « Tenez, ici même, dans ce jardin, me dit la femme du musée, les écoliers ont trouvé plein de vestiges gallo-romains, des poteries, des monnaies. » On a même trouvé des pesons et ces fussioles en terre cuite qui servaient aux métiers à tisser. A Octon, il y a cinquante ans, on tissait encore le genêt sur les métiers à domicile. Octon : les édiles s'interrogent sur l'origine de ce mot : pagus Octavianus — bourg d'Octavius — ou Octo-magus — marché du 8e milliaire?

*

Depuis que les eaux du lac ont envahi la vallée voisine, il a fallu abandonner les terres et le village de Celles qui la

* Précisons que cet épithète *octonis* (d'Octon) est pure — et plaisante — invention de ma part. Ceci pour répondre à un lecteur qui s'étonne de ne pas le voir figurer dans son livre d'anthropologie!

jouxtait. Le cafetier et sa famille habitaient Celles, avant de s'installer ici. La plupart des propriétaires et des cultivateurs ont accepté les indemnisations et sont partis en premier. Lui n'a pas accepté. Il a préféré se faire exproprier. Il est resté chez lui jusqu'au dernier jour, attendant l'arrivée des eaux comme, dans les tragédies, on attend la mort annoncée du héros. Sa femme me raconte que, dès le lendemain de l'abandon de ce village, des pillards (« et pas des pillards de passage, non, monsieur, des gens de la région, peut-être même de ce village ») avaient déjà enlevé, tout ce qui pouvait servir, boiseries, portes, fenêtres. Celles est resté ainsi quelque temps déserté, avec ses maisons vides, sans portes, sans fenêtres. Puis, un jour, des hippies sont venus s'installer. Des hippies de Montrouge. Depuis, ils alimentent les conversations comme s'il s'agissait d'extra-terrestres venus occuper indûment la région. « Moi, dit le cafetier, je n'ai rien contre eux. Ils sont corrects avec tout le monde et ne gênent personne. Mais ils font du nudisme. Là-bas, ça fait l'amour partout, aussi bien dehors que dans les maisons. Et ils ne s'arrêtent même pas, si quelqu'un vient! »

*

Depuis l'entrée au seuil du Minervois, j'ai devant les yeux, étincelantes ou sombres, nettes ou diluées de brume, les cimes des Pyrénées. Ce ne sont pas leurs plus hauts sommets mais les contreforts orientaux : massif des Aspres et du Canigou. Ils ne cessent d'attirer mon regard, un regard un peu mélancolique car ils m'annoncent que le voyage touche à sa fin. Dans cet air transparent balayé de mistral (il souffle depuis trois jours, entraînant avec lui des feuilles mortes, des brindilles et cette poussière rouge qu'il arrache à la terre, faite ici d'ocre sanguin et très friable) ils apparaissent plus proches qu'ils ne sont en réalité. Mais je sais maintenant mesurer d'un regard précis la distance qui m'en sépare. En trois jours, je peux être à leur pied, si l'envie m'en prenait.

Aujourd'hui, le Minervois est en folie. Les rafales de vent ploient les buissons, ébrouent les arbres, fléchissent les hauts cyprès, font frissonner les vignes où, çà et là, les vignerons entassent les sarments coupés. J'entrevois leurs silhouettes battues des vents, la main appuyée sur la tête pour tenir leur chapeau, les yeux plissés dans la poussière. Certains me font des signes, me crient des mots qui se perdent dans l'air. J'agite les bras, porté, soulevé par ce mistral qui, d'après les prophètes locaux, devrait souffler trois jours encore. Alizés, zéphyrs, aquilons, tramontanes, autans, noroîts, terral, vents, que vos noms sont beaux! J'aime vos syllabes, tour à tour sèches et âpres, douces et sifflantes, selon votre nature. *Aquilon,* mot rêche et dur par cet *aqui,* évoquant les hauteurs inaccessibles et tourmentées du ciel, les aires fouettées des aigles qui t'ont donné ton nom, vent froid du nord, au bec crochu, qui vous agrippe, vous lacère de ses mille aiguilles. *Alizés,* au contraire, vents tièdes et doux des mers lointaines, vents constants, réguliers, millénaires, lissés, usés par ces vieux frottements, vents vieillis à la barbe blanche. Et *autan,* toi qui souffles de haute mer, embrun de l'infini, apportant au cœur de la terre l'effluve salé de la *mare altum* au contraire de la *tramontane,* vent d'au-delà des monts soufflant dans les vallées la fraîcheur aigre des sommets. Aujourd'hui, au lieu du *cers,* ce vent marin, doux et humide, qui apporte, l'hiver, aux Corbières la tempérance de la mer, c'est le mistral qui m'emporte, le magistral, le maestro des vents, le commandeur des souffles au magistère de l'espace. Jusqu'au château de Peyrepertuse, où tu balaieras les sommets, tu seras le dernier de mes compagnons de voyage.

*

A Fontès, sur la route de Pézenas, il y a encore une

pension de famille, un gîte d'étape comme en l'ancien temps. Dans le village noir, tous volets déjà clos, dans les rues livrées au mistral, j'aurai du mal à le trouver. Un gamin me l'indiquera, en me criant dans les oreilles : « Là-bas, en haut des marches, là où il y a de la lumière. » C'est une maison exactement semblable aux autres, sans enseigne ni inscription. Je monte les marches, frappe à la vitre éclairée. J'entre dans une cuisine où une grosse femme s'affaire à son dîner. « Je marche et je suis de passage. On m'a dit que je pourrais loger chez vous. — Bien sûr, monsieur, bien sûr. Finissez d'entrer! Réchauffez-vous. Avec ce vent, vous n'avez pas dû avoir chaud sur la route. Eh! toi, crie-t-elle à un gosse rouquin rêvassant devant une bande dessinée de Flash Gordon, va préparer la chambre de ton frère pour le monsieur. Je vais vous mettre dans la chambre de mon fils aîné. Il travaille à Béziers et ne vient que le samedi. » Tout à l'heure, après le dîner, je bavarderai avec son mari, dans la cuisine, autour d'un verre de muscat. Depuis longtemps, il n'y a plus d'hôtel ici. Qui songe à s'arrêter à Fontès? Béziers, Pézenas, Clermont-l'Hérault sont à côté. Aussi, l'ancien hôtel a-t-il dû fermer. Je regarde le poste de télévision, éteint ce soir. « Si vous voulez la regarder, dis-je au mari, ne vous gênez pas pour moi. — On la regarde quand on a envie, me dit-il. Ma femme et moi, on ne veut pas en être esclave. Ce soir, vous êtes ici, c'est plus intéressant de bavarder ensemble. La télé a changé beaucoup de choses ici, comme partout ailleurs. Mais pas toujours en bien. Tenez, l'été, autrefois, il y avait une vie collective au village. On sortait les bancs sur le seuil, on parlait avec les voisins. Maintenant, c'est fini. Chacun reste chez soi, on ne voit plus personne. »

Cet homme est un artisan en retraite. Il est intelligent, éveillé, généreux. Il aime questionner, apprendre. Pour lui, la retraite ce n'est pas la fin de la vie. « Non, c'est une autre vie qui commence. Il faut savoir la vivre, s'intéresser à quelque chose. Autrement, on ne résiste pas. Moi, depuis que je suis à la retraite, je me passionne pour les pierres. C'est plein de mines abandonnées dans la région. Alors, quand il fait beau, je vais fouiller, chercher des fossiles, des minéraux. Je m'occupe et je m'instruis en même temps. » En l'écoutant, je me dis que cet homme — et beaucoup d'autres rencontrés dans la région — contredit totalement l'image qu'on se fait toujours du Français retraité. Il est actif, au courant de beaucoup de choses, il lit, s'informe, et n'est nullement dupe de tout ce qu'il entend, ou voit dans les journaux ou la télé. Je me demande si la télévision a l'influence qu'on lui suppose toujours sur le public. Oui, il la regarde souvent mais il choisit ce qu'il veut voir. Si ça ne lui plaît pas, il la ferme. « Au début, bien sûr, on y aurait passé nos jours et nos nuits. On ne la quittait pas. Maintenant, on la regarde quand on veut. Je n'en suis pas esclave. C'est comme le reste du progrès. Il doit nous aider mais il ne faut pas qu'il nous tue, qu'il se développe dans l'anarchie. » Ainsi, ce village de Fontès, qui doit avoir six cents habitants environ, se déserte peu à peu lui aussi, sous l'attraction des villes proches. La terre, la vigne ne rapportent plus assez pour que tous puissent en vivre. « Dans le temps, me dit l'homme, un viticulteur vivait convenablement avec trois hectares de vigne. Aujourd'hui, avec six, il a du mal à s'en tirer. On revient peu à peu aux temps anciens, aux grandes exploitations. Elles seules permettent de joindre les deux bouts. Mais il faut de l'argent. L'argent a remplacé la noblesse pour la terre. Les riches, voilà les nouveaux nobles. Sinon, que pouvez-vous faire ici? Il n'y a rien, aucune industrie. Les jeunes doivent travailler un peu partout. Tenez, prenez la maison d'à côté. Il y a quatre jeunes. L'un travaille à Béziers, l'autre à Pézenas, l'autre à Clermont-l'Hérault, le quatrième à Roujan. Résultat : il faut quatre voitures. Plus celle des parents. Cinq voitures pour une seule famille. Et puis que voulez-vous qu'ils fassent ici, le soir, les jeunes? Vous avez vu le village à huit heures? Un désert. Alors, ils repartent à Béziers ou ailleurs ou ils regardent la télé. Les voitures et la télé, ça pourrait nous aider. Mais ce sont plutôt des fléaux. Comment faire pour les éviter? »

Le lendemain matin, le curé de Fontès que j'irai voir dans son presbytère, me dira exactement la même chose. C'est l'ancien curé d'Octon, celui de la maquette en bois. C'est lui qui m'en racontera l'histoire, un sourire amusé aux lèvres à l'idée que je suis venu jusqu'ici pour connaître l'affaire en détail. Il vit dans une grande maison, presque vide, avec sa sœur. C'est un curé moderne, habillé en civil, qui s'occupe surtout des jeunes. « Les jeunes, comment, pourquoi les retenir là où il n'y a rien pour eux? C'est facile de s'en prendre aux jeunes. Mais qui s'occupe vraiment d'eux? Ils n'ont aucun avenir, aucun débouché dans un endroit comme celui-ci. Plus personne ne peut vivre avec une petite exploitation. A l'entrée du village, vous avez peut-être remarqué une grande maison dans les vignes, avec des tonneaux dans la cour. Elle appartient à un viticulteur qui vient de mourir en laissant huit enfants. Sur les huit, deux au maximum pourront vivre des vignes. Les six autres, il faudra bien qu'ils trouvent un métier quelque part et qu'ils partent. D'ailleurs, pas seulement les jeunes. Même des gens âgés s'en vont chercher du travail à la ville. J'ai un voisin qui travaillait chez un viticulteur. A cinquante ans, il vient de partir pour Béziers où il a trouvé une place de gardien de nuit. On lui donne douze cents francs par mois. Ici, il en avait huit cents. »

Sur la table, des plans de la région. Il s'occupe lui aussi de fouilles avec des jeunes, pendant l'été. En venant à Fontès, juste avant Cabrières, j'ai vu sur un rocher, une fois de plus, l'inscription : OCCITANIE LIBRE. Le curé, qui se dit lui-même occitan, connaît certains de ceux qui soutiennent le mouvement. Mais il ne mâche pas ses mots.

« C'est un mouvement d'intellectuels de Béziers, de Toulouse, de Montpellier surtout. Il n'a aucune base populaire. Moi, je les considère comme des fascistes. Ils n'ont pas l'air de s'en douter. Ils se prennent pour des révolutionnaires. Dans ce cas, ils se sont simplement trompés de révolution. »

Curieusement, c'est exactement ce que m'avait dit, lui aussi, le jeune viticulteur volubile et nerveux du café d'Octon. Je suis allé le voir le lendemain, pour déjeuner chez lui au Mas Cannet. Ce n'est plus tout à fait la grande déploration des campagnes que j'y ai entendue, comme à Glux-en-Glenne, mais celle — plus vigoureuse et agrémentée d'insultes imagées — des vignerons en colère. Pendant tout le repas, sa vieille mère m'observait, ne cessait de me questionner, de me plaindre comme si j'accomplissais par ce voyage quelque épreuve redoutable et forcée. Son fils lui avait annoncé ma visite et elle m'a préparé un cassoulet — « quand on marche, il faut prendre des forces » — arrosé du vin de sa vigne. Dans la salle à manger, des peintures de son mari, représentant des scènes de chasse, des maquettes d'avion en nickel, et l'éternel chien de faïence. A travers la verrière de la cuisine, je vois le vent agiter les vignes et les arbres, soulever la poussière de la plaine jusqu'à l'horizon, où pointe, en haut d'un pech, le vieux château de Castelas. L'homme veut vendre alentour ses terrains en jachère. « Les vignes ne me suffisent plus, me dit-il. Et puis, je ne trouve plus personne pour m'aider à les faire. Aux vendanges, rendez-vous compte, ce sont des Espagnols qui viennent chaque année à pied depuis l'Espagne pour travailler ici! Vous avez raison, la lumière est belle aujourd'hui. Mais la lumière, ça ne suffit pas. Je ne veux pas partir d'ici. Des promoteurs m'ont proposé d'acheter les terrains en friche que je possède. Avec le lac de Salagou, le région va devenir un centre touristique. C'est une occasion inespérée de vendre maintenant. — Et ça ne vous gênera pas d'avoir des bungalows ou des maisons près de chez vous? — Je n'ai pas le choix. Et puis, non. Ça fera de la distraction. On ne voit jamais personne par ici. Au moins, les hippies, ils ont mis un peu d'animation. Je suis allé les voir plusieurs fois. Ils sont discrets, aimables. Je ne vois pas ce qu'on a contre eux. S'ils font l'amour, eh bien! tant mieux. Depuis quand est-ce que c'est mal, de faire l'amour? Vous ne vous rendez pas compte parce que vous ne faites que passer. Ce pays est beau, il devrait attirer des touristes. On sera moins seul, tout l'été. » Et il ajouta en se tournant vers moi : « Je suis très seul, vous savez. »

*

Si j'ai rencontré peu de jeunes au cours de ce voyage, c'est que les jeunes ne sont jamais dans les villages. Ils travaillent dans les villes et quand ils rentrent le samedi dans leur famille, c'est pour aller au bal, au café ou pour repartir sur les routes. Les vieux, quand ils voyagent, se déplacent encore en carriole, en charrette. Les jeunes sont en Simca 1000 ou en R 8 Gordini. Jamais vous n'en rencontrerez le soir à la fraîche, assis sur le seuil des maisons. Ils sont toujours ailleurs, là où brillent les lumières, là où cliquètent des flippers. J'ai surtout rencontré des vieux, non parce que la France n'est qu'un pays de vieux, mais parce qu'ils vivent ou se déplacent au même rythme que moi. Nous vivons dans un monde identique, fait de pas mesurés, de haltes, de saluts polis, de conversations sur le temps. Les jeunes vivent plus vite et, sur les routes, ils me dépassent en ouragan. On peut échanger quelques mots avec un vieillard en carriole, non avec un Fangio de village. Aussi en ai-je rarement croisé. La lenteur même de ma marche ne m'a fatalement confronté qu'aux vieillards et aux escargots. Les uns et les autres prennent le temps de vivre. Les escargots, je les ai vus sur les routes, écrasés la plupart, réduits à l'état de fossiles imprimés dans la nuit du goudron. Les vieillards, je les ai vus dans la nuit de l'été, sur le pas de leur porte, dans le jardin clos des hospices, alignés sur un banc ou dans l'ombre froide des cafés, devant un verre de rouge qui leur dure des heures. Ombres des temps jadis qui n'ont connu que le bruit des roues de charrettes grinçant sur les graviers. Les jeunes feront-ils eux aussi un jour de vrais vieillards? Vivre vite, c'est aussi mourir vite. Trop souvent, j'ai vu, dans les fossés ou devant les garages, leurs voitures écrasées, ferrailles tordues et sièges éventrés et le garagiste me disant chaque fois, avec le ton de la fatalité : « Ils ont voulu aller trop vite. »

*

Adieu, les tenancières revêches, les matrones marmoréennes, les cerbères aux yeux fixes postés au zinc des comptoirs! Adieu les cafés froids, le miroir mort des formicas, les sandwichs anémiques enserrant la minceur diaphane d'une ombre de jambon! Sandwichs, je vous hais. D'un bout à l'autre de la France, vous êtes l'image d'un vide comestible, d'un néant masticable, vous êtes illusion des mâchoires, piège pour tromper la faim qui d'ailleurs ne s'y laisse pas prendre. Si l'Enfer existait vraiment, il devrait par priorité recevoir tous ceux qui, leur vie durant, tartinèrent d'une miette à peine décelable de beurre ces mirages de mie et ces reflets de croûte. Vains songes où la dent s'égare, nuées trompeuses, comment ose-t-on vous concevoir et vous servir? Par faim, par nécessité, par expérience aussi et souci d'objectivité, j'ai mangé des sandwichs du nord au sud de la France. Autant le dire tout de suite, plus on va vers le sud, plus les sandwichs prennent de consistance, plus ils se chargent de substances comme s'ils obéissaient à cette pesanteur figurée qui veut que sur les cartes le sud soit en bas et le nord en haut. Je médite sur cette fatalité en consommant à Saint-Chinian, dans un café empli de jeunes, un sandwich imposant, garni de cornichons, de moutarde et de saucisson. Je n'ai rien demandé ni exigé d'exceptionnel. J'ai dit, m'attendant au pire : un sandwich! Et voici qu'on m'apporte ce chef-d'œuvre de gustation, ce vrai pain de campagne bourré d'ingrédients parfumés. Ai-je donc franchi une fois de plus une frontière inconnue et peu étudiée à ce jour : la frontière qui sépare les faux des vrais sandwichs? A tous ceux qui de nos jours écrivent des livres ou des thèses sur les rituels alimentaires, les habitudes gastronomiques et l'ethnologie culinaire, le cru, le cuit, le tiède et le réchauffé (ce dernier étant de loin le plus fréquent dans les restaurants isolés, mais les ethnologues doivent rarement s'y restaurer car jamais ils n'en parlent), je dis qu'il faut écrire — sans haine et passion — une histoire des sandwichs. Car en France, à condition d'aller du nord au sud on ne peut rester insensible à cette *gravité* qui les charge, en pays occitan, de saveurs toujours imprévues.

Adieu donc à ces sandwichs du nord, anémiques, arénuleux et aériens, adieu aux mornes tenancières : depuis le Minervois, le paysage, le vent, les visages, le peuple des cafés, tout est sourire. Ce soir, je suis arrivé à Minerve, venant de Saint-Chinian, par une journée où le vent est tombé quelque peu, où le ciel dès midi s'est chargé de nuages. Minerve. Capitale symbolique du Minervois. Ici fut perpétré un des premiers massacres de Cathares. Sur la petite place, près de l'église, 180 Parfaits furent brûlés, le 12 juillet 1210, ou plus exactement choisirent de se jeter eux-mêmes dans les flammes plutôt que de renier leur foi. Ce village est petit, isolé sur une acropole au milieu des gorges de la Cesse. Citadelle qui eût pu, très longtemps, résister à un siège si les Croisés n'avaient réussi à couper l'approvisionnement en eau des assiégés. Étrange paysage, fait d'âpreté calcaire sur le plateau couvert de vignes, et de gouffres, d'arches érodées, d'antres, de reliefs fantasques au fond des gorges. J'ai aimé la tristesse de Minerve en novembre. Lieu déserté comme à Sainte-Énimie ou La Couvertoirade mais qui ne porte pas la mort en lui, qui respire et qui vit encore. Je me suis promené dans les ruelles, j'ai visité le petit musée, fort bien aménagé, avec ses collections de préhistoire et d'archéologie régionales. Le village compte en hiver une trentaine d'habitants et deux cafés dont aucun n'a de chambres. Dans le premier d'entre eux, j'ai remarqué dans la salle à manger une vitrine avec des livres sur l'Occitanie, les Cathares et les Albigeois. « C'est ainsi qu'il faudrait toujours découvrir les livres, dis-je à la femme du café, passionnée par l'histoire des Cathares. Dans les lieux dont ils parlent et où ils ont leur place. C'est une très bonne idée que vous avez eue là. J'écris moi aussi, vous savez. » Pour la première fois, je sens que ce mot prend un sens, qu'il rencontre un écho. Et je sens par la même occasion que pour ce soir elle me trouvera une chambre. Gros problème, dormir à Minerve en hiver. « Nous n'avons plus de chambres ici, m'avait dit la femme au début. Les deux qui étaient libres sont occupées par des ouvriers qui travaillent au musée. Comment allez-vous faire? Je vais réfléchir. Mon mari rentre tout à l'heure. Je lui en parlerai. » Alors, je suis allé me promener et, au retour, notre conversation sur les Cathares a fait fondre son doute ou sa réserve. Le soir, je partagerai leur repas, arrosé d'un vin épais, rouge sombre mais délicieux — que le mari vendange et fait lui-même — mon premier vin de vigneron du Minervois. Puis il m'emmènera dans une maisonnette vide, un peu plus loin, où il loge à l'automne ses aides-vendangeurs. Deux pièces avec un lit en fer, un évier et une grande cheminée. Dans un coin, des javelles et des sarments. Je ferai un grand feu près duquel j'entamerai l'*Histoire de l'Occitanie* d'Henri

Espieux, achetée au café. Je pense à ce chalet lointain des Vosges, au Grand Soldat, à la tronce devant la porte, à la lune fantomatique dans un ciel de chasse fantastique. Ici, comme là-bas, je suis dans un lieu éphémère où pourtant je me sens chez moi. Non, je ne veux pas que ce voyage finisse encore car plus j'avance en pays d'oc, plus j'y trouve, avec la joie claire des sarments, ce pour quoi l'on part sur les routes : découvrir, rencontrer des inconnus qui, pour un soir, cessent de l'être.

*

Les buses m'escortent encore dans les airs. J'ai le sentiment que la dernière vision de ce voyage, quand je m'arrêterai au terme du chemin, sera une buse tournant en rond dans le ciel méditerranéen. Depuis les Vosges, il ne s'est passé un seul jour sans que j'entende leurs miaulements aigus, sans que je voie leur silhouette planer au dessus des chemins. Dieu merci, cela veut dire qu'on les extermine moins qu'autrefois, qu'on semble avoir enfin compris que ces oiseaux ne sont pas des nuisibles. En une journée, une buse peut dévorer une dizaine de rongeurs, comme les chouettes que jadis les paysans clouaient sur les portes des granges, sans comprendre qu'ils tuaient leurs meilleures alliées. Je n'en ai vu qu'une seule, clouée ainsi, au cours de mon voyage. Que les chouettes et que les oiseaux soient utiles, y compris les rapaces, on peut à la rigueur le faire admettre aujourd'hui aux paysans. Mais allez donc le faire comprendre aux chasseurs du midi! Ici, le chasseur est roi, il fait la loi partout, exterminant et massacrant tout ce qui vit, tout ce qui vole. J'affirme qu'en dehors des buses, des corneilles et des pies, je n'ai pas vu un seul oiseau sauvage de Lodève à Leucate. La chasse est un fléau dans le midi parce qu'elle échappe pratiquement à tout contrôle, qu'elle apparaît comme le droit régalien, intangible, de quiconque sait tenir un fusil. Je ne comprends pas qu'on ne prenne pas ici les mêmes mesures que dans le reste de la France pour la protection des oiseaux. Si on les prend, ce que j'ignore, je puis dire qu'elles ne sont suivies d'effet nulle part. Il ne s'est pas passé de jour sans que, dans les champs et les vignes, dans toute la semaine, j'entende tirer çà et là. Chaque paysan, chaque vigneron a toujours son fusil avec lui. Il ne faut donc pas s'étonner — puisque la chasse y est sauvage — qu'il n'y ait plus un seul oiseau. Le silence de toute cette région est proprement effrayant, comparé aux autres provinces traversées. En voyant partout cette absence de vie animale, cet immense désert que devient peu à peu le midi (il faudra, quelques jours plus tard, que je monte jusqu'au rocher perdu de Peyrepertuse pour que j'aperçoive enfin *un oiseau*) je me suis dit : ce n'est peut-être qu'un hasard. Mais non. Il en est exactement ainsi depuis toujours. C'est un besoin irrépressible ici que de détruire et d'exterminer. Qu'on relise Arthur Young, cet agronome anglais qui visita le midi de la France *en 1789* et on verra que ce fléau ne date pas d'hier :

« Trente août 1789. Provence. J'ai oublié de dire que, tous ces jours-ci, j'ai été importuné par une foule de chasseurs du pays; on dirait que tous les fusils rouillés de Provence sont à l'œuvre pour détruire toute espèce d'oiseaux. Les plombs sont tombés cinq ou six fois dans ma voiture et ont sifflé à mes oreilles. » Mêmes remarques deux ans plus tôt, quand il parcourt la région de Toulouse et le Languedoc. A côté de l'Angleterre où la chasse est strictement réglementée, le midi de la France lui paraît « un désert silencieux ». Seule différence depuis le temps de Young : les chasseurs y sont moins dangereux puisqu'ils n'ont plus rien à tirer. Heureusement, tous les paysans que j'ai rencontrés ne sont pas des chasseurs fanatiques. Il y en a tout de même quelques-uns pour condamner ces massacres inutiles, juger sévèrement « tous ces tueurs d'oiseaux ». Ce vieillard, par exemple, qui habite une ferme isolée près du hameau de Tudery, entre Saint-Chinian et le village d'Assignan, et avec qui je passerai une des plus belles matinées de ce voyage. Rencontre d'autant plus merveilleuse qu'elle s'est faite sous le signe de ce qu'André Breton eût appelé le hasard objectif. Je voulais me rendre à Assignan (pour gagner Minerve le soir par les sentiers des vignes) mais je finis par m'égarer, me retrouver au milieu de vignobles où le chemin s'arrêtait net. Un peu plus haut, au sommet d'une petite éminence, je vis une maison. J'y allai pour me renseigner. J'arrive près d'une grange avec un écriteau et une flèche portant le mot : MUSÉE. Devant la maison, sous la treille, je découvre tout un amoncellement de pierres aux formes étranges, de fossiles, un petit reposoir abritant une Vierge fait de calcaires coralliens, portant les empreintes étoilées de polypiers et madrépores fossiles. A côté, une sculpture faite, elle aussi, de ces pierres ouvragées par l'eau, simplement empilées et liées par un léger mortier. Elle représente un homme en marche tenant un chien en laisse. Je m'approche de la fenêtre et je vois une pièce emplie de ces fossiles, de ces minéraux, de racines, d'un monde d'objets hétéroclites. Qui vit ici? Quel facteur Cheval ignoré a, depuis des années, amassé une à une ces pierres singulières? Je pose mon sac, tout excité par cette découverte. Puisque personne n'est là, j'attendrai le retour de cet homme. Il ne tardera pas, d'ailleurs. Il était en bas dans sa vigne et il m'a vu grimper vers sa maison. C'est un vieillard très âgé, aux gestes lents, à l'élocution difficile. Mais ses yeux brillent et son visage s'illumine d'un grand sourire. « Soyez le bienvenu, me dit-il. Vous voulez voir mon petit musée? » Dans la pièce où depuis des années il entasse toutes ses trouvailles, je découvrirai exactement ce que partout je cherche quand je voyage, ces récoltes « autodidactes », ces cabinets de curiosités — si courants dans les siècles passés — où des êtres habités, curieux des fantaisies de la nature, ont su réunir la poésie naturelle des choses. Il y a là des minéraux, des plantes fossilisées (certaines empreintes sur les schistes nocturnes comme des nébuleuses pétrifiées), des racines aux formes de mandragore, des coquillages, des pierres colorées. Avec certaines, il a construit de petites figurines, dressé des personnages gnomiques ou féeriques, esquissé des scènes rudimentaires, tout un théâtre de bois, de nacre, de coraux, de paysages imaginaires. Le plus curieux, c'est que ce paysan autodidacte n'a rien lu, ne sait rien de précis sur tout ce qu'il possède. Chaque fois que quelqu'un vient, il le questionne, lui demande son avis, l'interroge sur l'origine de tel ou tel objet. Ainsi s'est formé son savoir : en parlant avec des inconnus. Il y a d'ailleurs, par ce fait, d'étranges mélanges dans sa tête. Certains objets, il en sait l'origine et la nature exactes. Devant d'autres, il imagine une histoire fabuleuse, dictée par la troublante analogie des ombres ou des formes, par ce hasard des fossilisations qui faisaient prendre, autrefois, les gestes pétrifiés des salamandres fossiles pour les restes de l'homme du Déluge. Sur une grande vitrine derrière laquelle il a entreposé les plus fragiles des objets — des plantes sèches, de minces ardoises marquées des traces de la mer, des coquillages aux formes tourmentées — je vois un petit papier où je lis textuellement :

RADIESTHÉSISTES, ANONSEZ-VOUS.

« C'est que je m'intéresse depuis toujours à la radiesthésie, m'explique-t-il. Alors, si quelqu'un vient ici, un radiesthésiste, je veux le savoir. Souvent, on n'ose pas le dire. Et comme ça, je peux parler avec lui. »

Dans sa cuisine, où nous allons boire un verre de son vin, un énorme chaudron bout dans la cheminée, rempli de pommes sauvages. « J'en fais de la gelée. L'hiver, on ne mange que ça, quand on veut manger du sucré. Pas le sucre des villes. Avec tout ce que je récolte chaque automne, nous en avons pour toute l'année avec ma femme. » D'un tiroir, il sort un grand papier, couvert d'une écriture menue, tremblée et difficile à déchiffrer. Il me le tend. « C'est mon crédo de guérisseur. Je fais aussi des guérisons, dans certains cas. Quand c'est de mon ressort. » Je me penche, j'essaie de lire les premières lignes. Je me souviens qu'à cet instant, ainsi penché sur ce grimoire, dans cette cuisine sentant les pommes chaudes et le feu de sarment, avec à mes oreilles la voix patiente de cet homme, hésitante mais insistante (il me parlait de la nature qui meurt, des hommes qui ne respectent pas la vie, des chasseurs qui tirent sur tout, même sur les rouges-gorges — « Tuer des rouges-gorges, monsieur, quelle honte! » —), je me suis dit : « Cette minute, je ne l'oublierai plus ». Je la ressens aujourd'hui avec cette même intensité, par la présence vivante de cet homme. Comme tous les êtres inspirés, qui ont voué leur vie à comprendre et aimer le monde qui les entoure, il est, à sa façon, ce que fut, au siècle passé, en son village d'Hauterives, cet autre inspiré, qu'il ne connaît pas, dont jamais il n'a entendu parler : le facteur Cheval. Son palais idéal, sa cité enchantée, ici, ce sont ces pierres, ces racines, ces paysages qu'il a su édifier, ces formes que lui seul a su voir, découvrir et tirer de la nuit de la terre. Et comme tous ceux que passionnent la nature et les êtres humains, il est aussi mémoire vivante, réceptacle des contes. Il porte en lui tout un monde de poésies, de comptines, de prières guérisseuses, d'invocations aux saints appropriés. Car il est croyant et n'a rien à voir avec un sorcier. Il faudrait que je reste avec lui très longtemps pour recueillir tout ce qu'il pourrait dire, chanter ou réciter. Je n'ai transcrit que deux invocations qu'il récite, en tenant la main du patient, pour guérir les maux de dents et les brûlures.

« Si un patient a mal aux dents, je lui prends la main et lui dis :

« Sainte Apolline,
Belle et divine,
Était assise au pied d'un arbre
Sur la blanche pierre de marbre.
Jésus lui dit : Sainte Apolline,
Dis-moi ce qui te chagrine.
Je suis ici maître divin
Pour douleur et non pour chagrin.
— J'y suis pour mon chef
Et pour mon mal de dent,
Jésus — lui dit sainte Apolline.
— Si c'est du sang, il séchera.
Si c'est un ver aussitôt il mourra. »

Pour les brûlures, le processus est le même sauf que le guérisseur, tout en disant ses vers, souffle deux fois sur la brûlure :

« Grand saint Laurent
Sur un brasier ardent
Tournant et retournant
Vous n'étiez pas souffrant.
Faites-moi la grâce
Que cette ardeur se passe.
Feu de Dieu, perds ta chaleur
Comme Judas perdit sa couleur
Quand il trahit par passion juive
Jésus au jardin de l'Olive. »

« Vous voyez comme c'est simple. La douleur s'en va à chaque fois. Moi, je ne guéris pas. C'est Dieu qui guérit. C'est lui qui a fait ces belles choses et toutes les ondes qui nous entourent. Si vous restez dans la région et si vous avez mal, venez me voir. Je vous guérirai. »

*

De Minerve à Lézignan-Corbières, je traverserai dans un matin calme où vents et nuages, pour un jour, se sont dissipés, ces paysages ordonnés, méticuleux, où l'on sent partout l'entremise et la peine de l'homme. Le désordre, le tumulte apparents des horizons du Forez et du Livradois, cette anarchie discrète des genévriers, des bouleaux et des pins — qui donnaient aux bosquets, aux jachères, aux pâtures une semblance de fantaisie — prennent fin au seuil du Minervois. La terre est comme emprisonnée dans les mailles serrées des murets, des enclos, le sol est sillonné de vignes. Même les édifices — maisonnettes ou chazelles, abris cantonniers ou chapelles, fermes encloses ou bastides — semblent ici compléter un sol qui les réclame. Je me souviens que juste au sortir de Minerve, en descendant vers Olonzac (et plus bas aussi, au long du canal du Midi, autour de ces villages merveilleux qui ont nom Castelnau d'Aude, Escales, Tourouzelle) je me suis arrêté, très souvent, pour regarder cette ordonnance séculaire, ce blason d'arbres, de vignes, de mas et de cyprès. Jamais patiences d'homme (au double sens de ce mot, dans le travail et dans le jeu) ne furent mieux agencées qu'en ces coloriages d'oliviers, de thuyas, de ceps et de rochers rouges, au point que les silhouettes qui parfois les traversent ont la pérennité, les gestes composés des figurants des papiers peints. Ce morcellement de la terre, ces incisions du sol, ce partage géométrique des arbres et des vignes (et jusqu'à ces îlots naturels et rocheux isolés çà et là au milieu des cultures comme pour introduire dans l'ordre et dans la raison des labours les chimères et les folies de la nature) je ne les ai trouvés qu'ici. Au point qu'en les rencontrant, ainsi habités, habillés de lumière, hantés de soins constants, ratissés par les mains travailleuses, j'eus l'impression que, depuis les Vosges jusqu'à ces marches des Corbières, la France ne fut qu'un grand espace informe, des étendues de champs vides, de jachères et de bois en folie, de causses dénudés, de varennes incertaines, de plaines ouvertes aux vents et offertes aux batailles. Ici, l'individu est encore le roi de sa terre, le prince de ses vignes, l'ami des oliviers. Rien n'est de trop et rien ne manque. Il n'y a là que des contrastes contrôlés, de rares délires tolérés, des vertiges éphémères ployant avec la cime des cyprès. Les constructions sont rares, clairsemées, à la mesure des arbres et des buissons. Rien de démesuré et rien de rabougri. Un paysage à taille d'homme, taillé par l'homme, fait pour les yeux et par les yeux des hommes.

*

Depuis hier, je suis dans les Corbières. Terme de mon voyage, ma dernière province, mes derniers chemins blancs, j'aime vos noms chantant le roc, l'eau et le vent, Corbières, ce *corb-* et cette *-ières* qui garde encore son sens originel de lieu fréquenté des corbeaux. Plus bas, un autre nom l'évoque, aux marches de l'Espagne : Cerbère, village gardien du seuil de la France. Son nom, pourtant, ne vient pas de Cerbère, le chien noir qui gardait la sortie des Enfers, mais d'un mot latin signifiant cerf. Les Corbières sont le lieu des corbeaux et Cerbère, le lieu des cerfs. On pourrait les imaginer sur quelque armoirie de l'endroit : *d'or au cerf arrêté de sable, d'argent au corbeau de gueule.* Tel est encore ce paysage, ici plus tourmenté, mais composé de cyprès, de vignobles et, sur le haut des crêts, de châteaux cathares et ruinés : gironné d'azur et de sable, écartelé de sinople et d'argent avec, tout en haut de l'écu, la contre-hermine des murailles.

Les cimes des Pyrénées sont proches maintenant. La montagne se fait sentir depuis l'abbaye de Fontfroide (que je visiterai, seul avec le gardien, première, ultime concession au tourisme et à la culture). Sur la route qui mène à Tuchan, les rochers, les murs des abris cantonniers, le goudron se couvrent d'inscriptions : OCCITANIE LIBRE. LIBÉREZ GEISMAR. HALTE IMPORTATION VIN ARABE (un contestataire citadin, celui-là, plus qu'un vigneron en colère et qui, même sur les rochers, tient à écrire en bon français). Plus loin, d'une main beaucoup moins littéraire, je lirai : STOP AU VIN BICOT.

Voilà qui est clair et je suis averti. Ici, on n'aime guère les « bicots ». Je ne sais si cette revendication fait partie du programme des libres Occitans mais jamais je n'ai vu autant d'inscriptions racistes que depuis ces semaines en Occitanie. J'aurai d'ailleurs du mal à éclaircir la chose avec les vignerons. Chaque fois, pendant les derniers jours de cette marche, à Tuchan, à Padern, à Cucugnan, dans les vignes où je les rencontrerai, je leur poserai la question. Chaque fois, la réponse sera identique : « Ça, c'est pas moi qui l'a écrit. Je n'ai rien contre les bougnoules (remarque : tous m'ont dit bougnoule, bicot ou raton, aucun n'a jamais dit arabe ou algérien) mais, qu'est-ce que vous voulez, notre vin, il faut bien le vendre. On en a assez par ici, on en a même trop. Alors, pourquoi en faire venir d'Algérie? » Autrement dit : ils ne sont pas d'accord, en principe, avec le ton des inscriptions, mais on sent bien qu'il suffirait d'un rien (et ce *rien,* c'est justement leur *tout,* c'est-à-dire : écouler la production locale) pour qu'ils cessent de prendre des gants. Je ne peux pas ici entrer dans le détail de ces problèmes, des difficultés de tous ordres qui rendent la culture de la vigne de plus en plus aléatoire. Au Mas Cannet, déjà, le vigneron chez qui j'avais mangé, n'a pas mâché ses mots en me parlant de ses problèmes. « Pourquoi sommes-nous les seuls à ne pouvoir chaptaliser nos vins? Pourquoi nous refuse-t-on les tolérances qu'on accorde partout ailleurs en France? Il faudra bien qu'on l'obtienne, ce droit, sinon, je vous le dis, ça va péter le feu. » Ici aussi, j'entends ces revendications sur le degré du vin et bien d'autres encore. « On ne peut plus vivre avec une petite vigne, me dit un vigneron, rencontré entre Padern et Cucugnan. Maintenant, il en faudrait trop. Des dizaines d'hectares pour être sûr de s'en sortir et encore, à condition qu'on nous paie le vin à un prix raisonnable. Pour ça, il faut des gens, du matériel, des investissements. Plus personne ne veut travailler ainsi. Aux vendanges, on fait venir des gens d'Espagne, on ne trouve presque personne ici pour nous aider. Le petit vigneron d'autrefois, monsieur, qui bon an mal an se débrouillait avec quelques hectares, dans dix ans, il n'y en aura plus un seul. La vigne, c'est du travail. Il faudra toujours s'en occuper avec ses mains. On ne trouvera plus que quelques exploitations très grandes. C'est déjà le cas. Allez vous promener près de Béziers ou de Narbonne. Vous verrez les surfaces, là-bas. Seulement, quand tout sera fait par de grandes exploitations, ce n'est plus du vin que vous boirez. Ça en aura encore le nom mais il ne sera jamais comme celui que je fais. Heureusement qu'il y a Paris. On envoie tout là-bas. Toutes ces grandes vignes, elles font du vin pour les Parisiens, pas pour nous. » Et à son ton, on voit bien ce qu'il pense : « C'est toujours assez bon pour eux. »

*

Au fond, sur une petite colline, le ravissant village de Cucugnan. Des maisons blanches aux toits ocrés, un château fort en ruine et, au pied, le cimetière et les cyprès inévitables. Le vent s'est levé de nouveau aujourd'hui, un froid mistral qui m'a glacé les os dans les gorges du Verdouble. Le paysage bouscule un peu, ici, l'ordonnance du Minervois. Des crêts jaillissent ici et là, des contreforts escarpés et la vallée paraît fragile, enserrée entre ces rochers déchirés.

A Tuchan après une journée de marche exténuante dans la montagne depuis Fontfroide, au point que vers le soir, à Villeneuve-les-Corbières, je prendrai l'autocar pour aller à Tuchan (dans cet autocar, deux paysannes, devant moi, raconteront une histoire insensée — l'ont-elles lue dans les journaux locaux, l'ont-elles entendue raconter récemment, je ne sais — l'histoire d'un jeune couple de Français parti en vacances en Espagne en emmenant leur grand-mère. La grand-mère meurt pendant le voyage. Alors, pour éviter les complications à la douane, ils mettent le corps dans le coffre de la voiture. Par malheur, on leur vole la voiture en Espagne! C'est ainsi qu'on apprit l'affaire, car le couple préféra tout de même signaler le vol à la gendarmerie. Le plus drôle, est que cette histoire ne les horrifie pas le moins du monde, à croire qu'ici, comme dans les hameaux du Morvan, l'idée de trimbaler des cadavres de-ci, de-là n'a rien de bien terrible *); à Tuchan, donc, je logerai comme à Fontès chez un vieux couple, je dînerai dans la cuisine, avec toute la famille. Quand je dirai à la femme que demain j'ai l'intention d'aller jusqu'à Duilhac et de grimper jusqu'au château de Peyrepertuse, elle se signera avec effroi. « A pied jusque là-haut et par ce temps? Mais vous allez mourir de froid! Et là-haut, il n'y a personne. On n'y monte jamais. Vous n'y verrez que des corbeaux! » Le matin, elle fourrera dans mon sac un de ces sandwichs occitans — garni de saucisson et de boudin — et elle me glissera dans l'oreille : « Pour ce soir, je vais vous préparer de quoi vous retaper. C'est une recette à moi. » Un plat délicieux, je l'avoue, que je n'avais encore jamais

* Cette histoire, je l'ai entendue raconter depuis dans des variantes différentes. Il s'agit de ces histoires avec un scénario identique où seuls changent le lieu et les partenaires.

mangé : des escargots à la tomate et au genièvre, cuits dans la sauce avec du vin blanc, sans leur coquille.

*

J'écris au soleil, sur le bord d'un chemin, à côté de la petite chapelle romane de Castelmaure. Temps clair, vent faible. Il est midi. Le soleil est si chaud que je m'abandonne, bras nus, à ce printemps inattendu. Tout à l'heure dans les gorges de Nouvelle que j'ai empruntées de Tuchan pour venir jusqu'ici (attiré sur la carte par une petite croix marquant l'emplacement d'une chapelle dont le nom m'a ravi : Notre-Dame de l'Olive), dans ces gorges où court un ruisseau bordé de cyprès, d'ifs, de lauriers-roses et d'arbousiers (les arbouses sont mûres à cette saison, fruits à l'écorce rugueuse, à la chair un peu rêche mais dont on fait en Grèce un alcool délicieux), j'ai vu, jouant au-dessus de l'eau, sur une nappe étale du torrent, deux lumineuses libellules. Et maintenant ici, j'observe sur le chemin, juste à côté de moi, un gros lucane qui le traverse. Les insectes ne meurent-ils jamais ici? Sont-ils éternels ou vivent-ils leur dernière journée de soleil comme je vis, moi, les dernières heures de mon voyage? Juste en face, une colline sèche dont le versant est parsemé de grands ifs sombres. C'est eux, dit-on, qui ont donné leur nom au mont Tauch qui surplombe Tuchan, un *tauch* étant le lieu des ifs. Derrière moi, une grande plaine étalée jusqu'à la serre de Quintillan, marqué du pointillé des vignes à l'infini et où brillent les toits ocrés, les murs blancs du village d'Embres-et-Castelmaure. En traversant cette gorge de Tuchan jusqu'ici, où elle débouche sur la plaine, je suis resté saisi, une fois de plus, par la beauté du paysage, cette écorce des pierres, ce tronc rouge des ifs et cette douceur rêche des versants dans la lumière de l'automne. Un paysage d'Arcadie comme ceux que j'ai traversés — à pied également — entre Némée, le lac Stymphale et les sources du Styx. Cette région des

Corbières rappelle étrangement la Grèce, ne fût-ce aussi que par ce soleil printanier en cette fin de novembre, et ces vents, tour à tour montagnards et marins, fous et forts, doux ou ambrés et qui affolent partout les sommets.

Hier, vers cette même heure, par un soleil aussi intense mais sous un vent furieux, déchaîné, j'étais juste au sommet du pic de Peyrepertuse. Parapertusa, la Roche Percée, comme la nomme le plus ancien texte mentionnant le château :

« Il est de sçavoir que aux Marches par-deçà sur la frontière d'Aragon, est la Cité de Carcassone qui est la mère et a cinq fils, c'est de sçavoir Puilaurens, Aguilar, Quierbus, Terme et Parapertusa. »

J'y suis parvenu en gravissant sa face sud à partir du petit village de Duilhac. J'y ai laissé mon sac dans un café et je suis monté, mains libres, lentement, jusqu'à la forteresse. A mesure que l'on en approche, on en distingue enfin les murs déchiquetés, si semblables au roc qu'il faut déjà être très près pour les apercevoir. Je ne sais rien sur les châteaux forts d'autrefois, leur architecture, leur histoire, leurs systèmes de défense. Ces grosses pierres me parlent rarement, faute peut-être de savoir les interroger d'un œil plus averti. Nous n'avons plus aujourd'hui à les prendre d'assaut et encore moins à les défendre. Nous ne demandons plus à ces pierres d'assurer notre vie ou d'enclore à jamais notre mort. Aussi l'œil a-t-il perdu l'habitude d'en déceler du premier coup la résistance ou les faiblesses. Mais à Peyrepertuse, sans rien connaître à l'art des sièges, on ne peut rester insensible à cette immensité des choses faites ainsi à mains d'homme, sur ce pic éventé, à la force calme et contenue que gardent encore ces murs, ces tours et ces donjons. Dans l'une de ces tours, pour m'abriter du vent, je me suis assis un moment à côté d'une des meurtrières. Le grand cube de Quéribus, l'autre château qui lui fait face, s'encadrait exactement dans l'échancrure. Quéribus, dernier refuge des Cathares qui résista onze ans après la fin de Montségur. Revenant sur le clair des murailles, je me suis dit : « C'est ici le domaine des aigles, du vent, l'horizon des combats, le lieu des éternels assauts, on y devine les lambeaux d'une histoire atroce et misérable où les Croisés du nord, une fois de plus, prouvèrent que leur croix ne couvrait de son ombre usurpée que la folie meurtrière des hommes, le besoin de pillage et une volonté délibérée de génocide. Ici, comme à Puilaurens, à Puivert, se tinrent peut-être, sous ces voûtes aujourd'hui effondrées, des cours d'amour où venaient chanter les troubadours. Alésia, Bibracte, Peyrepertuse, ai-je fait, presque malgré moi, le pèlerinage des peuples généreux et massacrés, des acropoles et des forteresses incendiées? Les Cathares vivent-ils ou revivent-ils encore, secrètement, comme nos ancêtres les Gaulois, dans l'âme ou sur les visages des gens d'Occitanie? » Était-ce le terme du voyage, si proche maintenant (je le devine juste là-bas, vers le col de Feuilla d'où je descendrai vers Leucate), était-ce ce vent dément soufflant avec une telle violence que je dus m'accrocher aux pierres, me plaquer contre la muraille pour regarder, en bas, la calme vallée du Verdouble, était-ce la mélancolie inscrite sur ces murs — mêlée en moi, pourtant, à la joie forte de me trouver ici, en ce lieu dont le nom de poème et de source m'a fait rêver tout au long du voyage —, je ne sais mais j'éprouvais l'intense certitude d'avoir accompli, achevé quelque initiation dont il me reste maintenant à découvrir le sens mais dont le point extrême et fulgurant se trouve en ce lieu, aujourd'hui. C'est d'ici qu'Ariane a déroulé ce fil, m'a mené par le labyrinthe des routes et des chemins. L'itinéraire se tracera plus tard de ce qui reste à comprendre et à vivre, à travers les méandres de la mémoire et le fouillis des mots et, plus encore, à travers ce que l'on n'écrit pas. Car il ne sert de rien de rappeler le sang versé, de se complaire à la déploration comme si l'on pouvait, par cette seule conscience, rendre justice aux ombres et rafraîchir la flamme des bûchers.

*

Hier, j'étais à Peyrepertuse et aujourd'hui, dans ce jour sans fantômes, je suis dans le soleil de Castelmaure, entre les libellules et les lucanes. Un peu plus loin, quand je reprendrai cette marche, je verrai apparaître au milieu des cyprès, juste au bout d'un grand chemin d'herbe, la chapelle de Notre-Dame de l'Olive. Là aussi, je m'arrêterai. Nous sommes le 28 novembre. Il m'a fallu près de quatre mois de voyage pour venir jusqu'ici. Sur mon carnet — qui comporte encore nombre de pages blanches — pages vierges d'un voyage que je voudrais inachevé — j'ai noté ce jour-là : « Je me sens plus que jamais disponible au voyage. Intense liberté, inassouvie. Je commence juste à l'apprendre. Folle envie de continuer au-delà de ces montagnes, de traverser l'Espagne. Je comprends ce que j'ai senti hier, en haut de Peyrepertuse : en respirant ce vent qui venait de si loin, j'ai deviné, j'ai respiré l'Afrique. Marcher encore. Vers le bout de l'Espagne, on doit l'apercevoir. »

*

Une fois de plus, au terme du voyage, je me rends compte combien se déplacer ainsi tout au long des chemins, musarder à travers la France est affaire de temps beaucoup plus que d'espace. Je veux dire qu'en marchant, c'est votre temps qui change non votre espace. Et l'on comprend pourquoi il n'est de vrai voyage qu'au cœur de cette durée réinstaurée que crée l'écoulement des sentes et des jours car elle agit sur le temps intérieur qui semble alors se dérouler à contresens comme si, par la seule magie d'un voyage obstiné, la grande corolle des saisons, la rosace des astres inversaient brusquement leur habituelle rotation. Et agissant sur notre temps interne, elle agit par là même sur les scories qu'il laisse en nous, sur les bribes de notre mémoire qui devient à la fois souvenance et prémonition, cristal du temps passé et irradiance de l'instant retrouvé. Tel est, avec l'enseignement de ce que signifie, dans tous les sens du mot, le terme *passager,* le grand message des chemins : rien de plus que cela mais rien de moins non plus. Ce n'est pas *cela* exactement que j'ai cherché confusément, ce n'est pas *cela* que j'imaginais au début de mon pèlerinage, à Saverne, sur le chemin de halage où je côtoyais, dans le matin de ce mois d'août, deux chats endormis au soleil. Mais c'est *cela* que j'ai trouvé. Et c'est par *cela,* grâce à *cela* que tant de paysages, de visages, de phrases et de silences se sont peu à peu ajustés en moi, ont pris place dans les strates du temps comme des reliefs stabilisés dans la grande mémoire intérieure.

*

Une ultime surprise m'attendait au dernier jour de ce voyage, la plus espérée cependant mais qui s'offrit à moi comme une découverte étrangement soudaine. Juste au col de Feuilla, d'où la route descend jusqu'à Treilles où j'allais quelques jours me reposer chez des amis, je vis d'abord les collines ocre parsemées de buissons, les villages disséminés sur les versants et, à leur pied, une plaine gris-bleu, infinie, sans le moindre labour, sans la moindre maison. Cette plaine, c'était tout simplement la mer! Je ne l'attendais pas encore, je l'imaginais plus lointaine et plus inaccessible. Hier encore, à Peyrepertuse, pas un seul instant, je n'avais songé à elle, pensé qu'elle était là, si près, cette mer d'Ariane, aussi bleue, aussi calme qu'en Grèce quand les meltems ne soufflent pas. Aucun bateau en vue. A sa lisière, une plage blanche, étirée, entièrement déserte. Au loin, vers l'est, dans la brume, mes souvenirs imaginant les îles blanches de la Grèce. Je ne suis plus dans les Corbières, sur un sol de rocs et de corbeaux, je suis entre ciel et terre, dans la substance bleue de l'air et de la mer, à mi-chemin de tous les mondes. Déjà je sens, mer, ton eau claire et ton sable blanc, et j'entends une voix familière qui me dit : « Comme Ulysse, il te faut repartir puisque, dans le temps retrouvé, terme et seuil sont une même chose. »

La mémoire des routes

Lâchez tout
Lâchez votre femme, votre maîtresse
Lâchez vos espérances et vos craintes
Semez vos enfants au coin d'un bois
Lâchez la proie pour l'ombre
Lâchez au besoin une vie aisée
Ce qu'on vous donne pour une situation d'avenir.
Partez sur les routes.

André BRETON, 1922.

« Vous écrire, sans doute pour continuer à marcher quelques moments encore sur vos traces à travers la France pour surseoir l'heure où, le livre fermé, il faudra reprendre à pleines mains sa vie, cet outil de tous les jours sans cesse retapé de bric et de broc, qu'on se surprend pourtant à aimer car il est le seul dont on sache se servir », m'écrit un lecteur originaire du Cotentin qui, au terme d'une longue et belle lettre, précise : « Un minimum de présentation : j'ai vingt-deux ans. » Dans cette lettre comme en tant d'autres lettres de jeunes — ou moins jeunes — lecteurs, une phrase, presque toujours la même : *un jour, je ferai comme vous.* A tous ceux qui m'ont écrit ainsi et qui parfois me questionnaient sur leurs itinéraires, je n'avais et je n'ai toujours qu'une seule réponse : ne reprenez pas mes sentiers, ne reprenez pas les sentiers des autres, inventez vos propres chemins. Ils seront ainsi votre découverte, ils auront la saveur, le bonheur de ce qu'on a choisi. Qu'importe les chemins, les directions, les orientations et les sens ! C'est le regard et le désir qui comptent, que vous partiez des Pyrénées, du Cotentin ou de l'Alsace, que vous marchiez dans le fond des vallées ou sur les versants des montagnes, que vous choisissiez des villages perdus ou au contraire des lieux plus fréquentés parce que le soir vous préférez vous retrouver dans la rumeur des hommes. Tant et tant ont rêvé et rêvent encore ainsi de partir sur les routes comme si cela était entreprise irréelle, impossible, un désir qui ne serait pas de ce monde. Et pourtant la décision prise, le premier obstacle franchi (qui peut être, pensez-y, de devoir laisser pour un temps une femme aimée) tout devient différent, comme si brusquement le temps lui-même se dilatait entre l'explosion des minutes et la grande diastole des saisons. Ceux qui ont connu ces moments ne sauraient plus les oublier. « Au long des soirées où je reprenais votre livre, m'écrit un autre lecteur, j'ai senti se gonfler les houles d'une terre où, moi aussi, il y a longtemps, j'ai tant joui de la longue marche, parfois accablé de fatigue, parfois porté sur des ailes divines. J'ai connu les mines renfrognées et les accueils chaleureux, l'angoisse de la nuit qui survient et l'exaltation des matins limpides. Les houles de la terre, les houles du souvenir et je voyais se lever d'un lointain où je les croyais engloutis, des paysages et des visages, des nuits tièdes et des orages et l'appel des grands pays muets qui sont cette patrie improbable et certaine, élue jadis et jamais reniée. »

Je risquerai cette définition : écrire, c'est pouvoir provoquer un jour chez un lecteur des lettres de ce ton et de cette qualité, parce qu'on a soi-même, à travers l'écriture et ce qu'elle fait lever, émis comme un appel d'oiseau disant son territoire, réclamant sa compagne inconnue et qu'au bout de ce chant, un autre lui répond par-delà la forêt et que ce chant est accordé au sien. Loin de partager les affres des questionnants, des questionneurs de l'écriture, loin de prétendre que l'écriture est contrainte, fascisme ou répression (préférant même, quant à sa valeur de message, le chant-poème à l'aube du rossignol philomèle aux poèmes éclatés, émiettés, broyés, hachés d'une certaine et partielle poésie moderne), je dis qu'écrire ne fait pas qu'impliquer celui qui trace des *graphes* sur du papier d'une main plus ou moins habile, mais implique tout un réseau de lecteurs invisibles, répondant ou non à votre sollicitation, bref qu'il suffit de toucher aux mots, de les saisir, de les froisser pour faire lever images, messages et visages comme lorsqu'on prend à pleines mains une brassée, toute gorgée de soleil, de basilic ou d'origan.

Mais seuls quelques lecteurs répondent à l'appel implicite de certains livres. Car il faut pour cela franchir l'obstacle de la lettre, adressée à un « écrivain », un « auteur ». On imagine mal la timidité, les interdits, les scrupules qui frappent ou marquent ceux qui portent au fond d'eux un livre non écrit. « Écrire à un homme de lettre, me dit un autre jeune lecteur, c'est un peu tendre sa main à un médecin. Que va-t-il penser de moi? La main devient moite et le style ampoulé. »

*

La liberté des chemins, la danse des saisons, d'autres que moi les ont connues pour des raisons bien différentes. Moi, j'ai marché pour mon plaisir, l'apprentissage éphémère d'une autre façon de vivre. Eux, l'ont fait par nécessité, pour gagner leur vie ou ne pas trop la perdre. Selon que l'on est randonneur ou chemineau, flâneur ou divagant, on ne voit pas la route, le gîte ni les hommes de la même façon.

« En moi, il y a toujours eu un chemineau qui sommeille, m'écrit un ancien berger de 66 ans, et qui parfois se réveille pour se remettre sur ses pieds et pour parcourir la campagne. J'ai ressenti les mêmes impressions que vous quand je dormais dans les fénières des jasseries. Le jas ou jasserie réunit étroitement la nuit les humains et les bêtes avec leurs bruits et leurs odeurs que vous avez très bien décrits.

« Mais il y a un bruit que vous n'avez pas signalé et qui m'a toujours profondément impressionné : c'est au milieu de la nuit un meuglement infiniment triste à vous briser le cœur. Je l'ai ressenti comme la plainte de l'animal esclave, enchaîné à un autre esclave, le paysan de la montagne fixé à sa terre. »

Cet homme m'apprend même — avec un retard salutaire — que j'ai pris de grands risques en m'engageant un soir de novembre sur les chemins du causse de Sauveterre, alors que la neige recouvrait les moindres sentiers. « Votre pérégrination m'a rappelé maints sites qui me sont assez familiers. J'ai apprécié votre audace de descendre le col de Montmirat jusqu'à Ispagnac dans la neige à la nuit tombante. Savez-vous que dans l'hiver 1940-41, une jeune institutrice et sa sœur sont mortes de froid dans la neige en s'égarant sur le même sentier? » Voilà un sujet de méditation qui ne doit pas pour autant refroidir l'ardeur des bouillants randonneurs. Mais il est vrai qu'on peut encore se perdre — sinon perdre sa vie — en certains lieux déshérités de France si l'on s'y égare en hiver. Et savoir qu'il existe encore en France des endroits suffisamment sauvages et inconnus pour qu'on risque d'y disparaître est pour moi un encouragement et une consolation. Car ce sont ces lieux-là qui m'attirent.

*

Une certaine façon de marcher, de pratiquer sentiers, hameaux, gîtes d'étape lie les êtres qui s'y adonnent, malgré le temps, malgré l'espace, en une confrérie invisible des routes.

« J'ai souvent eu l'occasion, m'écrit un artisan de 64 ans, laveur de carreaux, de faire de longues randonnées à pied, en suivant mon père sur les marchés et sur les foires. 20, 30 parfois 40 kilomètres par jour, j'avais tout le temps d'apprécier la nature et tout ce qui vit. En lisant votre livre, on ressent tout cela, l'amour et le respect de la Nature, ce besoin de relations et de contacts avec les autres. » Mais — et c'est là qu'intervient la confrérie ou la fraternité des routes — « ... mais ce qui m'a peiné, surpris dans votre livre, c'est votre façon de vivre sur les routes : l'alcool, le vin, les cafés. Vous êtes assez intelligent pour savoir quel danger représentent ces aliments! Il faut les éviter, eux et... d'autres choses car sous prétexte de rester en contact avec les Humains, on ne saurait les imiter dans tout leur comportement qui nous a menés dans l'impasse où nous sommes. Promettez-moi, cher monsieur, de ne plus boire autant de rhum... » Sur les routes, j'ai bu surtout, presque toujours, l'eau des sources. Le rhum n'était là que comme adjuvant dont le *Robert* donne la définition suivante : « Remède qui aide l'action de la médication principale. » La médication principale — si tant est que ce mot soit approprié — ce fut pour moi la flânerie, la musarderie ou la musardise. Il est curieux que tant de personnes me voient, à travers ces chemins et ces laies forestières, m'adonnant au rhum. Enquête faite, je ne le mentionne pourtant que cinq fois dans le cours de mon livre.

*

Mais il n'y a pas que les hommes qui marchent. Des femmes m'ont écrit, marcheuses ou flâneuses et leurs lettres étaient toutes empreintes du lyrisme qu'inspirent en général les lumineux et lointains horizons. « J'ai goûté moi aussi cette joie, m'écrit une femme qui précise : je ne marche plus guère car j'ai maintenant soixante-cinq ans — d'aller devant soi à travers champs et friches, bois et chemins creux, ouvrant tout grands les yeux pour voir les jolies choses rencontrées : points de vue, fleurs en nappes, branchages fleuris, chenilles, papillons et autres insectes et écouter les chants d'oiseaux, le vent bruissant dans les arbres ou de lointains appels de cloches. » Et elle ajoute : « J'ai souvenir d'un après-midi neigeux en Isère où le soleil illuminait le paysage enneigé et où retentissait, ouaté par la distance et la neige, le chant d'un coq. J'ai souvenir aussi de vents dont les noms étaient *Lautaret* et *La Lombarde* dans le Briançonnais. Oui, marcher, c'est une grande fête. »

Une grande fête! Cette lectrice a trouvé spontanément le mot que pour ma part j'ai omis d'employer dans mon livre. Une grande fête qui atténue comme une fée docile ce que la liberté peut avoir aussi de contraignant quand, au bout d'un chemin épuisant, elle vous jette dans l'ennui d'un village hostile, d'un lieu sans âme et parfois sans humains.

Une autre lectrice, infatigable promeneuse, me reproche, elle, l'image partiale que j'ai pu donner de la France. Que vont en penser les étrangers? Ils vont se dire que « c'est un pays pauvre parce que vous avez parcouru des régions défavorisées (les Vosges, le plateau de Langres, le Morvan). Quant à ces Causses, quelle tristesse! Comment pouvez-vous aimer ces pays-là, ces maisons abandonnées, ces ruines, cette pauvreté... Je trouve poignant le passage où un homme va chasser des grives pour nourrir sa famille. Qui pourrait croire que cela se passe en France? Et puis aussi, pourquoi avoir continué cette randonnée après la maladie de Madame votre Mère alors que la saison était si avancée? »

Parmi les passages, les réflexions, les détails qui ont le plus provoqué de réponses et de réactions des lecteurs (et je dois moi-même choisir parmi ces réactions car mes réflexions portaient sur les sujets les plus divers, des Gaulois aux limaces, des patois aux buses et aux vautours, des chiens aux pylones électriques, des épouvantails aux accidents d'auto, aux vents et aux nuages), les chiens tiennent une place à part. La raison en est simple et le livre l'a clairement dite : on ne peut pas marcher en France que ce soit sur une route, un chemin, une prairie, une vallée, près des fermes ou près des maisons, sans se heurter aux chiens, du monstre à la Baskerville au piteux et hargneux roquet.

Les chiens? « Un mot encore, me dit en achevant sa lettre un correspondant de Paris qui vient de parcourir les Vosges et le plateau de Langres, un mot encore... Ma sympathie pour vous a atteint des proportions gigantesques lorsque j'ai lu votre tirade sur les chiens et leur sottise. Je pense depuis longtemps qu'il est avec la pluie l'ennemi n° 1 du marcheur. Aussi ai-je toujours une canne, pour sentir mes mollets moins désarmés. Mais ces cent kilomètres m'ont donné bien des satisfactions et j'ai trouvé certains habitants fort intelligents : ils attachent leur chien à une poulie coulissant sur un fil tendu assez long. Ainsi la bête a-t-elle de l'espace et le passant reste en sécurité. Je revois notamment un dogue digne des Baskerville ainsi tenu hors de ma portée... »

Si je recommence, il faudra que je communique cette recette à toutes les fermes et toutes les maisons rencontrées. Mais je doute qu'elle ait du succès. Un autre lecteur est le seul à attaquer le problème à la racine et à proposer une explication historico-sociologique sur le pourquoi de l'agressivité des chiens contre les gens qui marchent. Elle vaut la peine d'être connue.

« J'ai suffisamment circulé à pied autrefois, dans les années 1928-1937, dans les départements de l'Ain, du Jura, de Haute-Savoie et aussi dans les Vosges. En ce temps-là, les chiens n'étaient pas agressifs. Ils jappaient un peu parfois ou même pas du tout. Ils ne constituaient jamais la moindre gêne et si j'avais un bâton c'était pour m'aider dans les montées.

« Mais tout récemment, il y a deux ans, j'ai habité une maison louée dans les confins du département de la Loire et du Rhône, altitude 4 à 600 mètres et là je me suis amusé à faire quelques promenades à pied. Et j'ai été régulièrement surpris par l'agressivité de tous les chiens. Certains aboyaient quand j'étais près d'eux mais d'autres criaient d'une distance de 500 mètres, parfois du versant d'une vallée à l'autre. Il fallait tout le temps avoir un bâton. J'ai mis du temps pour comprendre et il m'a fallu un bon nombre de comparaisons, d'observations. Voici, selon moi, la raison de leur comportement sauvage à l'égard du piéton que j'étais (et du marcheur que vous étiez). Tous ces animaux ne voient maintenant se déplacer les gens sur un chemin ou une route que dans une voiture, sur un vélomoteur, à la rigueur sur une bicyclette. Et j'ai expérimenté moi-même qu'en circulant à très petite vitesse sur un vélomoteur, j'ai pu passer devant des maisons d'où les chiens étaient sortis pleins de rage et de fureur lors de mon approche à pied alors que là, ils ne faisaient même pas attention au même homme passant à peine plus vite sur une machine roulante.

« Pour un chien, aujourd'hui, l'homme naturel, c'est l'homme sur deux roues ou dans une boîte à roues. L'homme qui marche sur ses jambes est un monstre inconnu, empli des pires intentions puisqu'il marche comme le maître dans sa maison... Autrefois, vers 1890-1900, c'était le contraire : les chiens de la campagne en voulaient aux cyclistes, espèce nouvelle et rare et les attaquaient férocement. C'est ce que mon père m'a raconté. Et la Manufacture d'Armes et Cycles de Saint-Étienne avait, devant ce danger, mis en vente un pistolet d'alarme et d'épouvante contre les chiens. Faut-il y revenir, cette fois pour les piétons? »

Pour ma part, j'aurais tendance à crier : OUI. Mais c'est un troisième lecteur, ancien roulier et ancien chemineau, qui me propose la seule, l'unique solution radicale et définitive pour éviter d'avoir affaire aux chiens et qui est simple : il suffit de ne s'intéresser... qu'aux chats.

« ... Enfin, vous mettez les marcheurs en garde contre

les chiens. On peut leur reprocher en effet de briser l'harmonie des lieux par leurs stupides aboiements. Mais vous semblez ignorer les chats qui tiennent pourtant une place non négligeable dans les villages. Parfois, quand on leur parle, ils manifestent ce qui semble être de la sympathie par de brefs miaulements, une légère mimique. Cela réchauffe le cœur du chemineau quand, près de lui, tous les humains restent de marbre. »

*

Ceux-là qui se promènent sur les routes avec de grands bâtons contre les chiens ou des *pistolets d'épouvante* ou qui, comme cet autre lecteur, ont parcouru des centaines de kilomètres ici et là à la recherche des épouvantails « ... comme vous l'avez noté vous-même, l'épouvantail se meurt. Et en vous lisant, j'ai été pris de regrets. Que n'ai-je écrit comme vous auriez su le faire mes vagabondages dans les terres, le lien qui unissait ces pathétiques silhouettes aux champs qu'elles protégeaient, qu'elles habitaient, qu'elles animaient? Et les propos tenus par les propriétaires, tour à tour techniques, pittoresques ou honteux? Il est bien trop tard à présent », ou à celle des aigles ou des marmottes ou des derniers castors, tous ceux-là donc sont des marcheurs, des chemineaux, des nomades invétérés. Ils m'ont apporté bien souvent des renseignements, des notations que j'ignorais et des critiques salutaires sur tel aspect de mes marches et démarches. Mais il y a aussi les sédentaires, par nature, par goût ou par nécessité, en raison de leur âge ou d'une infirmité. Alors, dans ce cas-là, le livre des chemins n'est plus reportage, manuel auquel on confronte ses souvenirs, ses expériences, il est lieu d'évasion, de rêverie, de réflexion, il est ce qu'on aimerait vivre, ce qu'on n'a pas vécu. En fait, les plus belles, les plus substantielles des lettres sont venues de ce monde-là, un monde sédentaire mais tourné vers l'ailleurs. Comme si les pages blanches porteuses du voyage devenaient vagues ou sillons d'or, files de peupliers ou sentes parallèles. Un miroir où se lirait, comme en celui d'Alice, une vie inversée nimbée par un grand horizon. Et parce qu'ainsi rivé à un village, un jardin ou une humble maison, on attend, on espère que quelqu'un viendra de cet ailleurs : le pauvre dont on garde la part, la silhouette inconnue qui le soir frappera aux volets.

« Si d'aventure votre promenade du rêveur solitaire — c'est à dessein que je parodie Rousseau — m'écrit une lectrice du Rhône — vous avait amené à traverser le ravissant village que j'habite et que vous eussiez tiré la cloche de ma petite maison des champs, vous y auriez trouvé la part du pauvre. En effet, j'ai toujours une kyrielle de pots de gelée de groseille ou de coing, que je fais à l'ancienne mode avec une bassine en cuivre, des rillettes, des liqueurs faites avec les fruits de mon jardin et parfois des gâteaux au cas où l'ami, où l'amie passerait... »

Ou bien encore, d'une lectrice de l'Yonne : « Peut-être tracerez-vous d'autres itinéraires dans l'hexagone, repartirez-vous pour de nouvelles expériences? Si vos pas vous amènent dans ma région, toute notre famille sera heureuse de vous accueillir dans notre modeste maison où il y a une vaste grange qui abrite une horde de chats, pas de chiens et dans la cour une poule naine baptisée Sidonie et qui est arrivée un beau jour de nulle part...

« Et, vous lisant, je me demande : où trouver le bonheur? En allant toujours de l'avant — mais alors s'approcher d'un point c'est s'éloigner d'un autre — ou en restant confiné dans son territoire comme les bêtes que l'on dit sauvages, en s'enracinant pour éviter l'arrachement des départs? Pour moi, je ne me plains pas que vous soyez parti. Votre livre a fait entrer dans ma vie de recluse, entre les quatre murs de ma chambre, d'amples bouffées d'air pur. Le corps est prisonnier mais l'âme ne connaît pas de limite dans l'infini de l'espace et du temps. »

Une des lettres les plus émouvantes, parce que la plus simple sans doute, écrite sur de petites feuilles de papier rayé, d'une écriture lisible mais tremblée, me fut adressée par une femme qui, à la fin seulement de sa longue missive, précisait : « ... maintenant vous allez connaître mon âge quand je vous aurai appris que j'ai quatre-vingt-six ans et comme le dit notre patois : *ne méni quatre-vingt-sept,* je mène les 87 ans comme au bout d'une corde et vous, monsieur, vous en menez cinquante et un. »

Cette femme — qui vit dans un village de la Haute-Garonne — fait entendre dans cette lettre (et d'autres que par la suite elle m'écrivit, en réponse aux miennes) une voix peu souvent entendue, qui sourd ainsi de la mémoire comme un conte dit à haute voix. Je la citerai en entier car elle m'apparaît exemplaire en sa simplicité :

« Je viens de lire deux fois votre *Chemin Faisant,* la première à toute vitesse, la seconde lentement. Je faisais avec vous le voyage dans la nature; moi, vieille paysanne, fille de paysans qui ai tant aimé la nature, j'apprécie votre récit, vos descriptions mais aussi votre recherche d'humanité, de contacts humains. On a raison de dire que l'homme n'est pas fait pour vivre seul.

« J'aimerais que ce livre ait une grande diffusion, car écrit avec beaucoup de simplicité, de poésie et de pittoresque il est parfaitement appréciable par tous. Peut-être allez-vous faire des adeptes? Quel dommage que vous ne puissiez recommencer dans une autre partie de la France qui déboucherait sur notre vieux Languedoc et vous ferait faire connaissance avec notre patois! En lisant votre livre, j'ai eu l'impression que vous avez dû regretter de ne pas comprendre les patois que parlaient ces vieilles que vous avez rencontrées maintes fois. Il est ici quelquefois intraduisible en français, cela n'a pas le même sel, la même vivacité. On le parle à la campagne de moins en moins à cause des enfants et aussi à cause de ceux qui vont habiter la ville, c'est regrettable. Il est aussi une coutume qui a aussi disparu en même temps, c'est la coutume des sobriquets. Chaque famille avait le sien, certains étaient drôles, d'autres moqueurs ou un peu méchants. Tout le monde était servi. On avait baptisé mon grand-père Pourtanel parce qu'étant pauvre, il n'était qu'une demi-porte; la demi-porte étant autrefois chez les paysans la seule ouverture de la maison, fermée à mi-hauteur, le haut ouvert éclairant comme une fenêtre. Voilà de la vieille histoire, tout cela a disparu. Vous parlez de l'autan, c'est le vent qui souffle ici assez souvent et quelquefois avec violence. De ce vent on dit en hiver et en patois :

L'aouta sur la tourrado
fai trembla la courado

l'autan sur la gelée fait trembler les poumons. J'ai beaucoup aimé ce que vous racontez de votre village et de vos amis. Tant qu'il y aura quelqu'un pour vous appeler par votre prénom, vous tutoyer et vous parler de vos parents, vous serez riche. Plus tard, tout cela vous sera volé par le temps qui nous apporte tout et nous vole tout. J'ai eu aussi plaisir à apprendre que l'accueil avait été plus chaud dans le midi. Serait-ce un effet du soleil bienfaisant?

« Nous voici en septembre, mois des cèpes et des bruyères fleuries. Nous avions un bois de chênes et de châtaigniers avec deux hêtres magnifiques, venus là au hasard des vents et des oiseaux, tout cela a été bouleversé pour y planter des résineux. Je préfère ne pas le voir. Je n'y retrouverais pas ma place chaude... »

Je n'y retrouverais pas ma place chaude... Qui sait encore écrire ainsi en parlant des arbres? On rêve, je rêve de cette écriture transparente, où le sens et les mots loin de se contrarier, de s'opposer seraient comme les deux faces d'une lentille, intensifiant l'éclat de la pensée. Et je me demande, une fois les chemins parcourus, le voyage achevé, si le livre ne peut devenir à son tour une sorte de voyage. On se déplacerait dans les mots, les phrases, au sein des pages comme au cœur d'une grammaire qui serait celle des chemins, une écriture comme celle de cette vieille femme où les mots ont leur pesant de feuilles, de mousse ou de rosée. Quelque chose comme un outil longtemps poli par la paume des mains où se refléterait la patience de l'artisan. « Souvent, au soir, écrit Gustave Roud, vos mains vous sembleront vides et le sommeil vous délivrera d'une pauvreté inexplicable. Chaque heure est loin de donner tout de suite son fruit. Si vous vous obstinez à épeler minutieusement la journée moribonde, vous n'aurez qu'une série de mots incohérents. Il faut attendre, des années peut-être, et la phrase peu à peu s'illumine... Et le temps semble se propager comme les musiques à bouches du dimanche soir qui, de trois accords changent le cœur des villages... »

C'est aux lecteurs — à ceux qui m'ont écrit ces lettres souvent si transparentes ou si miraculeuses — que j'ai dû de savoir maintenant ce que peut être un livre véritable : c'est un livre invisible, un almanach de senteurs, de saisons, de mots et de dictons, dans les pages duquel chacun sait — telle cette vieille femme près de son âtre et de son hêtre — qu'il y retrouvera sa place chaude.

Fayard s'engage pour l'environnement en réduisant l'empreinte carbone de ses livres. Celle de cet exemplaire est de :
0,600 kg éq. CO_2
Rendez-vous sur www.fayard-durable.fr

Achevé d'imprimer en France
par JOUVE
en avril 2017

N° d'impression : 2551853W

Dépôt légal : avril 2014
35-57-6218-8/23